Coordenação Motora

Coordenação Motora

Tara Losquadro Liddle

com Laura Yorke

M.BOOKS

M.Books do Brasil Editora Ltda.

Rua Jorge Americano, 61 - Alto da Lapa
05083-130 - São Paulo - SP - Telefones: (11) 3645-0409/(11) 3645-0410
Fax: (11) 3832-0335 - e-mail: vendas@mbooks.com.br
www.mbooks.com.br

Dados de Catalogação na Publicação

Liddle, Tara Losquadro com Yorke, Laura.
Coordenação motora/ Tara Losquadro Liddle *com* Laura Yorke.
Revisão Técnica: Adriana Della Zuana.
2007 - São Paulo - M.Books do BrasilEditora Ltda.

1. Psicologia 2. Psicoterapia 3.Pais e Filhos 4. Parenting
Inclui Índice Remissivo

ISBN: 85-7680-004-7

Do original: Why Motor Skills Matter

EDITOR: MILTON MIRA DE ASSUMPÇÃO FILHO

Revisão Técnica: **Adriana Della Zuana**
Fisioterapeuta
Graduada em Fisioterapia pela Universidade Estadual de Londrina (UEL) em 1987
Especializada no Método Bobath - Método de Tratamento Neuroevolutivo
Coordenadora do Ambulatório de Fisioterapia do Instituto da Criança do Hospital das Clínicas da Faculdade de Medicina da Universidade de São Paulo (ICR - HCFMUSP)
Professora da disciplina "Desenvolvimento Neuromotor Normal da Criança" do Curso de Especialização em Fisioterapia Respiratória Pediátrica do ICR - HCFMUSP
Coordenadora e Professora do Curso de Especialização em Fisioterapia - Assistência Ambulatorial à Criança e ao Adolescente

Tradução: Tatiana Kassner
Produção Editorial: Salete Del Guerra
Revisão de Texto: Lucrécia Barros
RevisArt Assessoria Editorial
Fotos Interior: © Digital Vision (exceto p. 181, 183 e 213)
Capa: Cortesia de Getty Images/Rubberball
Coordenação de Gráfica: Silas Camargo
Editoração: RevisArt Assessoria Editorial

Nota da Revisora Técnica

Coordenação Motora é um livro com conteúdo técnico consistente, porém escrito de forma simples. Introduz de forma brilhante o conceito de sistema proprioceptivo e sistema vestibular e como eles afetam a coordenação motora, juntamente com outros sistemas já conhecidos como paladar, visão, audição e tato.

A autora, Tara Losquadro Liddle, fez deste livro uma grande leitura para profissionais da área de desenvolvimento infantil — que podem utilizá-la em seus consultórios —, para professores como um guia de acompanhamento em sala de aula do desenvolvimento neuromotor e sensorial e para pais cuidadosos e interessados na preciosidade de cada etapa do desenvolvimento de seus filhos.

Aborda o assunto de forma ordenada e crescente no que se refere a um raciocínio de amadurecimento da coordenação motora, com um sistema de perguntas e respostas que, com certeza, estão na cabeça dos pais e profissionais.

Trata-se de uma leitura que flui na medida em que os "pequenos" vão se desenvolvendo. Dá dicas sensacionais sobre brinquedos e brincadeiras que estimulam o sistema sensorial dos bebês e das crianças de maneira que os leitores possam perceber e acompanhar o desenvolvimento do bebê e da criança e visualizar cada etapa conquistada. Mostra ao profissional como ele pode abordar este assunto com os pais.

Rico em idéias para serem aplicadas no dia-a-dia da convivência com bebês e crianças, convivência esta dentro e fora de casa. O livro é rico em detalhes deliciosos a serem aprendidos e vividos pelos bebês e crianças com seus pais, professores ou outros profissionais. Trata-se de um aprendizado de amor, que além de tudo melhora o vínculo afetivo entre todos!

Eu recomendo!

Adriana Della Zuana
Fisioterapeuta

Agradecimentos

Em primeiro lugar, gostaria de agradecer à fisioterapeuta Francine Stern, minha mentora no campo da fisioterapia pediátrica. Ela foi a inspiração para que eu me especializasse nessa área. Também gostaria de agradecer a todos os médicos com quem estudei e que ajudaram no meu processo de especialização. As palestras e o conhecimento deles são ferramentas valiosas que tenho utilizado ao longo dos anos para aperfeiçoar minha abordagem de tratamento. Tenho uma enorme dívida de gratidão com as seguintes pessoas, pela ajuda dada na realização deste livro:

- Laura Yorke, minha amiga e co-autora. Sem o seu interesse pelo desenvolvimento infantil e sua experiência no campo da publicação, este livro não teria sido concluído. Ela pegou um material potencialmente desinteressante e ajudou-me a transformá-lo em um livro interessante e agradável para todos. Ela também precisou acender uma vela por mim mais de uma vez para nos manter na linha. Sou extremamente grata a ela.
- Marjory Becker-Lewin, terapeuta ocupacional, minha colega, que me ensinou a importância da integração sensorial. Marjory leu e releu diversos capítulos do manuscrito, e seus acréscimos foram inestimáveis. Marjory atua em clínica particular em Nova York.
- Lori Nitzberg Rothman, terapeuta ocupacional, minha grande amiga e colega de trabalho, que leu muitas versões deste texto e atendeu, sem hesitação, a muitas chamadas de "emergência". Não vou esquecer o quanto ela foi prestativa durante este projeto. Lori sempre acreditou em

mim como amiga e como profissional. Ela também atua em clínica particular em Nova York.

- Dr. David M. Kaufman, membro da Academia Americana de Pediatria e neurologista pediátrico de Nova York. Ele leu o manuscrito original e acreditou em mim.
- Dra. Anna Greco, pediatra responsável pelo programa de acompanhamento neonatal do Lenox Hill Hospital, e Carrie Strauch, terapeuta ocupacional, que também faz parte do programa. Ambas são colegas maravilhosas que trabalham na área e leram e revisaram várias seções do manuscrito.
- Julie Madonia Kopka, M.A., com certificado de competência clínica em fonoaudiologia, é fonoaudióloga no Hospital for Special Surgery de Nova York e também trabalha em clínica particular. Julie é especialista em transtornos infantis relacionados a alimentação, deglutição e articulação da fala. Ela forneceu informações inestimáveis e indicou-me as fontes necessárias para completar as seções sobre alimentação e linguagem.
- Debra K. Hagen, M.A., com certificado de competência clínica em fonoaudiologia, é diretora do Pediatric Associates for Language and Speech em Nova York. Debra também leu e revisou as seções sobre alimentação e linguagem.
- Michael Fox, fisioterapeuta, com certificação da School of Continuing Studies e em Massoterapia, atua em sua sociedade Sports Therapy and Rehabilitation, uma clínica particular em Nova York. Michael é um amigo e colega de trabalho de longa data, que leu e revisou a seção sobre biomecânica ou mecânica do corpo.
- Dr. Lawrence Deutsch, ortopedista pediátrico associado à universidade e aos especialistas da neurocirurgia em Haddonfield, Nova Jersey. Ele teve a gentileza de ler e revisar o capítulo sobre as condições ortopédicas mais comuns.
- Dr. Jeffrey Garland, neonatologista em St. Joseph Regional Medical Center em Milwaukee, Wisconsin. O dr. Garland leu e revisou o capítulo "Apreciando a Prematuridade". Suas notas e comentários foram muito úteis.
- Dra. Pamela Gallan, membro da Faculdade Americana dos Cirurgiões e da Academia Americana de Pediatria, oftalmologista pediátrica do Columbia Presbyterian Hospital em Nova York. Pamela forneceu gentilmente informações valiosas sobre o desenvolvimento visual. A dra. Gallan também é autora do livro *The Savvy Mom's Guide to Medical Care.*

Agradeço ao meu pai, que sempre me diz o quanto se orgulha de mim, e à minha mãe, que faleceu quando este projeto estava prestes a começar. Quando as coisas ficavam difíceis, as lembranças dela me davam forças para continuar.

O meu agradecimento, em especial, aos meus pequenos pacientes, que inspiraram este projeto, e aos pais deles, que me encorajaram a colocá-lo no papel.

T. L. L.

Tara e eu nos conhecemos no Lenox Hill Hospital, onde meu filho, Coleman, nasceu. Por ter nascido prematuro, ele passou o primeiro mês de sua vida na UTI neonatal. Foi diagnosticado com hipotonia muscular e encaminhado à Tara pelo excelente programa de acompanhamento neonatal do hospital.

O compromisso de Tara com Cole foi imediato e efetivo. Ele ficou encantado com ela já ao final da primeira visita e, por causa dessa afeição, ele se esforçou bastante para agradá-la. Durante aquele ano, Tara e eu nos tornamos boas amigas também. Em determinado momento, ela me perguntou se eu entendia de publicação, pois queria escrever um livro. Eu disse à Tara que a ajudaria a encontrar um escritor, um agente e um editor, mas ela queria que eu escrevesse o livro. Essa idéia não havia passado pela minha cabeça. Duas pessoas me convenceram de que eu podia — e devia — escrever o livro: minha amiga, agente e sócia Carol Mann e minha querida amiga Kim Witherspoon. Obrigada a vocês duas por rirem das minhas inseguranças, por me ajudarem a ter senso de humor e por me apoiarem na realização deste livro. E agradeço a você, Tara, por ter pe dido — insistentemente — que eu o escrevesse. Coleman e eu seremos eternamente gratos a você e sempre teremos este livro como prova do que você fez por ele.

Também gostaria de agradecer ao nosso editor na Contemporary Books, Matthew Carnicelli, por trabalhar de um jeito fácil conosco, por apoiar o projeto e por ter idéias tão inteligentes na editoração. Duvido que seja fácil para um editor revisar outro, porém Matthew o fez com graça e habilidade. Obrigada também ao assistente editorial, Mandy Huber, por lidar prontamente com todos os detalhes, de maneira eficiente e gentil, e à Katherine Dennis, que gerenciou a produção do livro. Um agradecimento final ao nosso ilustrador, Gary Torrisi, por sua arte clara (e precisa!).

L. Y.

Por serem a inspiração de nosso trabalho e a maior fonte de nosso amor,
dedicamos este livro aos nossos filhos:
Alexa e Harry Liddle e Elliott e Coleman Snyder.

Por nos tolerarem durante o interminável processo de elaboração
e de publicação, também dedicamos este livro aos nossos maridos,
Jeff Liddle e Dick Snyder. Obrigada, cavalheiros.

Sumário

Prefácio

Todos os pais têm sonhos e expectativas em relação aos filhos. Os filhos são nossas jóias mais preciosas e, sendo assim, seremos julgados por quanto os valorizamos.

Durante os últimos 50 anos, uma grande quantidade de livros que exploram o desenvolvimento infantil tentou munir os pais com informações (muito além daquelas dadas pelo pediatra) sobre como monitorar o progresso do filho da melhor maneira possível. *Coordenação Motora* é uma fonte de orientação maravilhosa, esclarecedora e de fácil leitura que, na minha opinião, deveria fazer parte da biblioteca de todos os pais.

As autoras dividiram o livro de maneira organizada e adequada para que os pais sejam orientados desde o nascimento dos filhos até os cinco anos. O livro oferece aos pais diretrizes reais e expectativas em relação aos filhos e indica o momento em que devem procurar ajuda em face de um atraso de desenvolvimento percebido. *Coordenação Motora* oferece conselhos confiáveis, sugere técnicas fáceis de ser aplicadas em casa, pelos pais, para facilitar o desenvolvimento normal da criança e fornece uma melhor compreensão da necessidade da fisioterapia quando o desenvolvimento de uma criança se desviou do normal.

Com base nos meus 20 anos de experiência profissional na clínica de acompanhamento neonatal em nossa instituição, considero os capítulos "Não Existe Criança Preguiçosa" e "Apreciando a Prematuridade" especialmente úteis aos pais. É natural que os pais comparem o desenvolvimento de crianças a termo, mas, no caso de crianças prematuras, essas comparações são inapropriadas e especialmente irracionais. Este texto oferece aos pais de bebês prematuros esclarecimentos sobre etapas bem específicas para o desenvolvimento de seus filhos. Ele também fornece um contexto para que seja determinado o grau necessário de ajuda, incluindo conselhos sobre quando procurar a assistência médica de um pediatra, fisioterapeuta ou terapeuta ocupacional para garantir o desenvolvimento normal da criança.

Recomendo *Coordenação Motora* a todos os pais e asseguro-lhes que não só apreciarão cada capítulo, como também terão mais informações para avaliar o desenvolvimento de seus filhos ao final do livro. O texto é um acréscimo notável à lista atual de informações disponíveis para orientar os pais durante os cinco primeiros anos de vida de seus filhos. Parabenizo as autoras pela significativa contribuição.

Dr. John M. Driscoll Jr.
Reuben S. Carpentier Professor e Chairman
Departamento de Pediatria
Faculdade de Médicos e Cirurgiões de Columbia
Chefe do Serviço de Pediatria
Hospital Infantil Presbiteriano de Nova York

Introdução

Coordenação Motora

"Toda vez que coloco de bruços minha filha de dois meses, ela chora. Será que eu a estou machucando?"

"Por que meu filho de dez meses não fica de pé nem encosta os pés no chão? Pensei que ele já estaria de pé nessa idade."

"Minha bebê de nove meses quer ficar sentada o dia todo. Ela parece muito feliz, mas não deveria estar se movimentando muito mais?"

"Não tenho uma babá para minha filha nos dias em que trabalho fora de casa. Deixo-a no carrinho ou na cadeirinha ao lado da minha mesa quando estou trabalhando ou em um cercadinho quando estou na cozinha. Isso é ruim para ela?"

"Meu filho de dois anos adora o *playground*, mas se recusa terminantemente a brincar no escorregador. É normal que ele tenha tanto medo?"

"Meu filho de três anos tropeça ou esbarra nos móveis constantemente. Ele escorrega da cadeira durante as refeições. Ele é só desajeitado?"

"A professora do nosso filho disse que ele interrompe a aula porque gosta de se deitar durante a leitura de histórias. Por que isso é um problema?"

"Somos pessoas tão cheias de energia e estamos surpresos por nossa filha ser tão tranqüila. Sei que 'as meninas são assim', mas tenho uma sensação estranha... Estou exagerando?"

"Quando tento fazer pintura a dedo, cozinhar ou brincar na areia com minha filha, ela não participa. Ela não gosta de sujar as mãos. O que devo fazer?"

Você (pai ou mãe) já teve um pensamento ruim sobre algum aspecto do desenvolvimento do seu filho e o varreu da mente por imaginar que estava sendo "neurótico"? Já pensou talvez que um de vocês precise deixar de ser tão superprotetor? Você pensa no nível de atividade do seu filho ou no comportamento dele só para ter uma própria opinião? Talvez você diga que qualquer característica que tenha percebido como algo que "não parece certo" seja um problema pequeno que vai desaparecer com o tempo. Se pensar assim, saiba que você não é o único. Muitos pais têm preocupações, mas raramente as nomeiam. Sou fisioterapeuta pediátrica com quase 20 anos de experiência e consultora da unidade neonatal do Lenox Hill Hospital em Nova York e considero frustrante saber que muitos pais, apesar de se questionarem a respeito do desenvolvimento dos filhos, não procuram ajuda profissional para obter respostas e explicações corretas. O resultado, infelizmente, pode ser uma atitude bem intencionada dos pais, porém errada. Por exemplo, a mãe cuja filha chora quando é colocada de bruços pode ouvir que deve pegar o bebê e mantê-lo no colo. Isso, na verdade, não é uma boa idéia, pois existem outras soluções. Os pais podem também se sentir impelidos a estimular os filhos a engatinhar mesmo quando ainda não estão prontos, tudo por causa do calendário das "avaliações de desenvolvimento" que consta de diversos livros sobre o desenvolvimento infantil e que determina a fase em que eles devem engatinhar. Então, quando você deve estimular seu filho a fazer mais? Quando deve deixá-lo seguir sozinho? Quando deve começar a se preocupar com os graus de medo e frustração de seu filho? Eles parecem exagerados para você, mas são de fato? Quem determina, afinal, esses itens de avaliação? Realmente importa se seu filho os alcança "na hora certa"?

Como é possível determinar a posição do seu filho no padrão de desenvolvimento? Como você pode saber se as características e comportamentos observados ("timidez", "preguiça" etc.) são inerentes ao temperamento do seu filho ou são atitudes meramente atribuídas a ele como uma tentativa de explicar atrasos físicos ou limitações sutis (e às vezes não tão sutis)? É interessante notar que, embora todos os bons recursos de que os pais dispõem (inclusive dos melhores livros sobre o desenvolvimento infantil) indiquem os critérios para avaliação física da criança, eles não explicam como determinar onde seu filho se encontra dentro de um padrão normal de desenvolvimento físico. Também não explicam como garantir que seu filho alcance as etapas corretas, o que fazer caso ele pule alguma etapa, quais podem ser as repercussões ou como e onde conseguir ajuda adicional, se for preciso. *Coordenação Motora* vai orientá-lo nessas questões críticas e em outras. Neste livro, exploro as muitas maneiras de estimular o desenvolvimento físico dos bebês e das crianças para que eles se beneficiem pelo resto de suas vidas.

A Importância da Monitorização do Desenvolvimento Físico de Seu Filho

Nada é mais importante para os pais de crianças pequenas que garantir seu crescimento adequado. Cozinhamos alimentos frescos para os bebês para lhes garantir a melhor nutrição. Fazemos com que ouçam Mozart na esperança de que isso aumente o QI (Quociente Intelectual) deles. Colocamos os pequeninos em escolinhas a fim de que seja estimulada a criatividade e ativado o desenvolvimento social deles. Ainda assim, é surpreendente o fato de que damos por certa a preocupação mais óbvia do crescimento das crianças — o desenvolvimento físico delas. Quando sentamos no chão para brincar com nossos filhos — algo que fazemos espontaneamente — não pensamos nas maneiras mais fáceis de estimular a habilidade motora, a força e a coordenação deles. Na verdade, não pensamos na importância dessa brincadeira. Simplesmente assumimos que nossos filhos vão se desenvolver fisicamente em um padrão normal, medido pelas etapas sobre as quais temos informação. Conseqüentemente, não prestamos muita atenção à capacidade *real* do nosso filho na brincadeira. Contudo, deveríamos.

Todas as brincadeiras ou jogos que fazemos com os bebês contribuem para o desenvolvimento deles. Os benefícios mais claros desses jogos são a força e a resistência física que eles produzem. Igualmente importante é como eles contribuem para o processo de vinculação entre nós e nossos filhos, assim como ensinam habilidades sociais básicas, como compartilhar, cooperar e competir de maneira saudável. Os jogos também aumentam a coordenação perceptivo-motora, a habilidade de linguagem, a concentração e o desenvolvimento emocional de nossos filhos. Eles melhoram a circulação da criança, ajudam-na a manter o tônus muscular e o controle da postura e podem cooperar na luta contra a obesidade dela. Talvez os jogos sejam mais importantes nos primeiros anos de vida da criança, pois eles permitem a repetição. A repetição é uma das chaves para o desenvolvimento saudável.

Um componente crucial dos jogos é o exercício. Nós adultos temos consciência da importância do exercício. Muitos de nós passamos horas em academias, seguindo a última moda de ginástica, ou participamos de algum tipo de esporte. O exercício é tão importante para bebês e crianças quanto para adultos. O exercício estabelece a essência da força física e os padrões biomecânicos que vão durar por toda a vida — padrões que em grande parte vão determinar como a criança vai agir e reagir ante a vida. De fato, o movimento físico, o afeto (emoções) e a cognição estão crucialmente ligados a um ciclo contínuo de estímulo sensorial e de produção motora. O estímulo sensorial (por exemplo, quando a mãe acaricia a bochecha do bebê) causa uma resposta motora (o bebê automaticamente vira a cabeça para encontrar o estimulador do toque). Mais estímulos geram mais respostas. Mais respostas permitem que a visão de mundo da criança se expanda para que receba mais estímulos. No entanto, quando o desenvolvimento físico (e, por conseguinte, mais respostas) é limitado, o estímulo sensorial é limitado também. Se uma criança não pode engatinhar até o brinquedo que ela vê do outro lado da sala, ela tende a esquecê-lo. Se esquecê-lo, não poderá explorar seu formato, cor, textura e gosto. Resumindo, se ela não pode explorar algo fisicamente, não vai ocupar sua mente para aprender sobre ele.

Recentemente, um casal me procurou com o filho de onze meses. Renan não engatinhava e não conseguia se sentar. Mesmo assim, quando o colocavam sentado, ficava muito feliz nessa posição. O pediatra de Renan disse aos pais que estava tudo certo com ele. Em algum momento, ele "superaria" esse estágio. Um psicólogo, amigo da família, disse à mãe que não se preocupasse. "Seu filho é diferente de nós. Ele está feliz em *ser*, não em *fazer*. Deixe-o ser como é e absorver toda a informação ao seu redor", disse ele.

O problema desse conselho é que essa criança não pode absorver toda a informação em torno dela porque seu corpo não lhe permite vivenciar o ambiente. Para absorver informações, ela precisa ouvir, olhar, mover-se, tocar e sentir os vários estímulos. Sem essa capacidade, ela não poderá se desenvolver como uma criança bem equilibrada, a menos que receba a intervenção correta dos pais e até mesmo de profissionais que lhe forneçam as experiências sensoriais necessárias.

Para Renan, a ajuda necessária poderia ter sido tão simples como uma brincadeira direcionada no chão de casa, e, então, seus problemas musculares teriam sido cuidados logo de início. Entretanto, como o caso de Renan também ilustra, muitos "especialistas" dizem que bebês com o sistema nervoso normal não precisam de um manuseio específico ou de jogos, porque eles vão se adaptar e crescer corretamente com os abraços, balbucios e jogos de esconde-esconde que os pais fazem com eles. Eu discordo totalmente. Quando os pais criam um ambiente cheio de possibilidades e compreendem os princípios básicos do desenvolvimento físico, eles podem ajudar a aumentar a coordenação motora grossa e fina dos filhos e a desenvolver melhor sua fala, entre outros. Essa ajuda beneficia o bem-estar emocional da criança e o desenvolvimento de uma auto-estima mais elevada. Com a auto-estima elevada, a criança tem maior capacidade de assumir as situações e, assim, sente-se mais segura. Também é importante reconhecer que cada criança é única: cada uma terá sua própria maneira de comunicar o que gosta e o que não gosta, fatores de estresse e habilidades naturais. Cada uma vai se desenvolver em determinado ritmo, numa linha de continuidade.

Infelizmente, pais e médicos de crianças como Renan esperam demais para tomar uma atitude, optando por "esperar para ver". Em geral, não se recorre a um especialista até que algo, como um atraso de linguagem ou uma incapacidade de acompanhar fisicamente as outras crianças, seja detectado — talvez por volta dos dois ou três anos de idade. Até lá, muitas dessas crianças com questões simples de desenvolvimento, porém mal resolvidas, já terão padrões de movimento compensatório e instabilidade postural e demonstrarão sinais de insegurança e timidez. Ironicamente, seguindo a sabedoria popular do "nada a fazer", os pais podem levar seus filhos a serem estereotipados de diversas formas pelos colegas, professores ou profissionais. Quando uma criança é rotulada, as profecias tendem a se cumprir.

Como e Por Que as Características Infantis Podem Ser Mal Interpretadas

"Ela é extremamente tímida."
"Ele se isola."
"Ela sente medo de tudo."
"Ele é preguiçoso."

Essas frases são utilizadas constantemente para descrever crianças. No entanto, elas não exprimem a verdade e são prejudiciais ao desenvolvimento da personalidade de uma criança pequena. Na verdade, a menina tímida pode se tornar a palhaça da classe, o isolado pode se tornar um participante empolgado e a criança preguiçosa pode ficar cheia de opulência. Então, por que essas crianças se mostram tão diferentes de sua verdadeira personalidade? Uma resposta seria talvez porque elas sejam mais lentas para entrar no ritmo — essa é a maquiagem genética delas. Outra possibilidade seriam inadequações físicas e problemas sensoriais relacionados dos quais os pais não tivessem consciência.

Esses problemas, em geral, se manifestam no primeiro ano de vida da criança, e seus sinais podem ser facilmente mal interpretados. O bebê que está sempre chorando pode não estar com cólica, mas pode precisar de menos estímulo em seu ambiente para se sentir calmo. O bebê de quatro ou cinco meses que não se vira de um lado para o outro não é preguiçoso ou teimoso; isso pode ser um indício de que ele sente medo de se mover. O isolamento da criança que não consegue brincar no trepa-trepa pode parecer que seja porque ela não opta por tentar. Na realidade, ela pode não ter a força ou o equilíbrio para acompanhar seus colegas. A menina que não participa dos "bailinhos" que as amigas adoram pode parecer tímida, quando, na verdade, sua coordenação é um pouco atrasada. Ela sente vergonha só de pensar em esbarrar nas pessoas sem querer. O menino de oito anos que só quer ser goleiro no time de futebol não é preguiçoso; ele se sente bombardeado por estímulos quando tenta entrar na briga pela bola.

Nós pais precisamos perceber que não existe criança "preguiçosa". Atribuímos esse adjetivo à criança em razão da *percepção que temos* dela, ou seja, temos uma visão racional da criança, pois somente nos atemos ao desenvolvimento físico e sensorial dela. Precisamos ter maior consciência das capacidades físicas de nossos filhos e nos preocupar menos com o que gostaríamos que eles fossem. Precisamos estar cientes de que as crianças se desenvolvem em ritmos diferentes e, às vezes, precisam de suporte por algum tempo. De fato, nem todos os bebês ou crianças conseguem alcançar as etapas físicas sem um estímulo adicional, que, às vezes, pode ser sob a forma de intervenção profissional. As crianças de quem falo são perfeitamente *saudáveis*, mas podem ter algum atraso no desenvolvimento que seja difícil de ser diagnosticado de início. Em relação ao padrão, essas crianças podem ter começado como Renan, mas continuar com atrasos cada vez maiores ou deficiências sutis que com o tempo se manifestarão nas reações sensoriais, de equilíbrio e movimento.

Infelizmente, muitos pediatras não estão dispostos a discutir limitações sutis ou a buscar ajuda adicional para crianças que apresentam pequenas debilidades. A relutância deles deve-se, em parte, aos pais que ficam nervosos com a sugestão de que é preciso prestar mais atenção ao desenvolvimento dos filhos. Em vez de ver o papel deles e/ou o do especialista como suplementar ao crescimento adequado dos filhos, esses pais sentem que o foco adicional vai contribuir para a criação de um estigma para uma criança perfeitamente saudável. Com muita freqüência, eles têm certeza de que a criança vai superar qualquer problema existente.

Há muitos anos, um pediatra me encaminhou uma menina de dez meses. Ele era um médico direto e intuitivo e percebeu atrasos potenciais no desenvolvimento físico da criança. Optou por tomar uma atitude em decorrência do que observou. Diana não teve problemas durante o pré-natal ou o nascimento, e não havia nenhuma explicação para sua leve hipotonia muscular. O que estava claro era que ela não conseguia engatinhar ou sentar-se sozinha. Era uma menininha que queria ficar em pé e andar, mas tinha musculatura abdominal fraca, instabilidade postural e reações de equilíbrio imaturas. Eu sabia que, possivelmente, ela se tornaria a criança "esquisita" da escola, aquela que é a última a ser escolhida para os times.

Os pais de Diana não viam problemas na filha e estavam céticos quanto a consultar um fisioterapeuta pediátrico. Quando colocavam a menina sentada, ela conseguia brincar por muito tempo e ficava contente. Para eles, isso indicava que não havia problemas reais. O pai insistia na idéia de que ela acabaria superando esses atrasos. Ele até prosseguiu dizendo que, quando criança, não era atlético e se recusava a participar de esportes. Quando ficou mais velho, determinou a si próprio que se esforçaria mais para vencer em certas atividades. E contou que até se tornou o capitão do time na universidade.

Apesar da relutância de ambos, eles concordaram em dar uma chance à fisioterapia. Durante o processo, aprenderam muito sobre movimento e desenvolvimento físico. Também se tranqüilizaram ao saber que não havia nada de "errado" com a filha — ela simplesmente precisava de um suporte adicional, e eles acertaram em cheio ao ajudá-la. Em pouco tempo, notaram o progresso da filha e, infelizmente, decidiram que não havia mais necessidade de continuar com a fisioterapia. Novamente, acreditaram que ela superaria os atrasos que ainda houvesse. Deixei-os com um programa de exercícios para ser seguido em casa. As crianças com atrasos leves de desenvolvimento podem ter sucesso com um programa em casa se os pais forem assíduos. Se os pais, no entanto, forem predispostos a negar que o filho tenha problemas físicos, um programa em casa simplesmente será deixado de lado.

Não tive notícias de Diana por muitos anos. Quando ela completou cinco anos, idade em que deveria entrar na escola, os pais ligaram para mim. Não fiquei surpresa ao ouvir o que me disseram. Diana chorava na hora da aula de dança. Ela nunca queria ir ao *playground*. Para os pais, ela estava se tornando cada vez mais quieta e retraída — características que não combinavam em nada com a garotinha que conheciam e amavam. Eles queriam que eu visse Diana novamente, porque sabiam que, embora ela quisesse correr, pular e escalar com os colegas, não conseguia acompanhá-los. Quando a vi, percebi que ela continuava com as debilidades que eu havia observado anteriormente. Mesmo assim, fiquei impressionada com sua capacidade de compensar a situação e com sua determinação. Na fisioterapia, ela gostava das atividades que fazíamos e também percebia, assim como seus pais, os progressos que conquistávamos. Percebi que a auto-estima de Diana e sua autoconfiança aumentavam à proporção que melhoravam sua habilidade física, força muscular e equilíbrio. Em seis meses, Diana ficou à vontade para brincar com seus amigos. Ela terminou a fisioterapia, mas continuou com um rigoroso programa em casa. Os pais dela mantiveram contato comigo e expressaram sua alegria com a competência e a felicidade crescente de Diana.

A boa notícia é que a maioria dos pais está se afastando da idéia de que os atrasos ou as inconsistências no desenvolvimento vão estigmatizar seus filhos. Culturalmente, estamos mais abertos a terapias proativas e preventivas e sentimos menos medo de pedir ajuda. Cada vez mais, os casais me procuram com preocupações bem leves sobre seus bebês. Costumam ter uma má impressão — eles "apenas têm a sensação de que algo não está bem". Ou apenas têm muitas dúvidas com relação ao desenvolvimento apropriado e às maneiras de "brincar" adequadamente com os filhos.

Recentemente, uma família muito agradável, os Jamisons, veio até mim. Fui indicada pelo pediatra do filho deles, pois o menino não estava alcançando todas as etapas de desenvolvimento dentro do tempo esperado, o que estava causando aos pais preocupação. A sra. Jamison era advogada e o sr. Jamison tinha doutorado. Eram espertos o bastante para reconhecer que não sabiam o básico e pediram que eu os orientasse. Eles realmente queriam entender a importância da seqüência de desenvolvimento (a progressão necessária para passar de um estágio físico para o outro) e a base neurológica por trás disso. Mesmo assim, faltava a este educado casal o conhecimento básico sobre como brincar de maneira eficiente com o filho. Eles anotaram tudo o que eu disse que ajudaria a melhorar o desenvolvimento do menino. As preocupações deles diminuíram, e o filho venceu com o grande estímulo dos pais. Ouvir as preocupações de pais como esses me fez perceber, por diversas vezes, a necessidade deste livro.

O Que Este Livro Pode Fazer por Você

Escrevi este livro para responder a todas as questões anteriores, bem como para oferecer aos pais, como os Jamisons, atividades que auxiliem seus filhos a se desenvolverem fisicamente dentro do esperado. Minha intenção é fornecer uma compreensão da importância do tato, do movimento e das brincadeiras na vida do seu filho e ilustrar os efeitos que causam no desenvolvimento neurológico dele desde o nascimento até os três anos. Não estou tentando fornecer maneiras de aumentar o QI do seu filho, mas, sim, ajudá-lo a ser uma criança emocionalmente equilibrada e mais feliz, que seja capaz de facilmente se integrar no ambiente à sua volta. Espero ajudar crianças a serem respeitadas pelo que são e ajudá-las a alcançar todo o seu potencial. Pode nos parecer que deficiências leves no desenvolvimento físico não causem grande impacto na auto-estima e no bem-estar, mas infelizmente causam.

Pela minha experiência como fisioterapeuta pediátrica com crianças que têm necessidades especiais e como mãe de dois filhos, percebi que os princípios que utilizo profissionalmente são benéficos a *todos* os bebês e crianças. Eu brinco com os meus dois filhos de modo diferente em razão das suas diferenças físicas. Minha filha, de nove anos, sempre teve mais qualidade em seus padrões de movimento. Ela mais cedo se virou, sentou-se, engatinhou e andou. Meu filho, de seis anos, por outro lado, foi mais lento para se mover. A qualidade dos movimentos dele não foi tão estável; ele caía com a gravidade e ficava corcunda quando sentava no chão, preferindo sentar com as pernas para trás (chamamos essa postura de sentar em "W"). Até o último verão, ele parecia esquisito quando corria, porque suas pernas chacoalhavam para todas as direções. Embora possa parecer que minha filha seja uma atleta melhor, ela também tem suas limitações. Ela tem força, porém lhe falta flexibilidade, e ao meu filho falta estabilidade, mas sobra flexibilidade. Logo, posições e esportes que se concentram mais em alongar os músculos são melhores para ela, ao passo que atividades que se concentram nos músculos e na força são vantajosas para ele. Os dois também são encorajados a participar das atividades de que gostem ou pelas quais tenham muito interesse, mesmo que não sejam os melhores do grupo.

Aplicar os princípios deste livro a cada um dos meus filhos ajudou-os consideravelmente não só para melhorar a postura, o equilíbrio, a coordenação e a força, mas também para melhorar a auto-imagem e a auto-estima deles desde cedo. Embora eles (como nós) tenham áreas de maior dificuldade, são crianças extremamente confiantes. Não se abstiveram de outras atividades por causa de seu tipo físico. Eles têm a confiança para experimentar novas habilidades.

Este livro tem como base os seguintes princípios:

- Atingir a seqüência de desenvolvimento é crucial para a criança bem-equilibrada.
- As brincadeiras eficientes fornecerão a base para futuras atividades mais desafiadoras.
- Permitir que uma criança explore o seu ambiente a leva a um pensamento mais criativo.

- Manter um alinhamento e controle postural desde cedo pode ajudar a prevenir muitos problemas posturais e ortopédicos que geralmente surgem mais tarde.
- Um ambiente rico que proporcione diferentes experiências sensoriais promoverá o movimento e o desenvolvimento físico. Essas funções vão, por sua vez, facilitar novas experiências de aprendizagem. O resultado em cadeia do desenvolvimento e expansão desse ciclo de estímulo sensorial/resposta motora é o aumento da confiança que seu filho terá em relação à vida.
- Ter boa estabilidade proximal e controle do tronco possibilita o desenvolvimento da coordenação motora fina (inclusive da escrita), muito importante no processo de aprendizagem da criança.

A Parte 1 deste livro fornece uma compreensão básica do sistema sensorial: como ele funciona e como está relacionado à atividade e ao estado emocional do seu filho. Também detalha o desenvolvimento do recém-nascido.

A Parte 2 detalha o desenvolvimento durante o primeiro ano de vida do seu filho. Como grande parte da base do desenvolvimento da criança é determinada durante o primeiro ano de vida, você verá que há mais informação sobre a formação da coordenação motora do seu filho e seu sistema sensorial nesta seção do livro. As atividades para esse período estão acompanhadas de explicações para aumentar a coordenação motora grossa e fina. Seções separadas detalham as atividades para aumentar os estímulos sensoriais do seu bebê. O livro todo seguirá essa linha. Além disso, cada capítulo traz quadros com referências de desenvolvimento, que lhe permitirão avaliar a posição relativa do seu filho dentro de um padrão de desenvolvimento, e quadros com *checklists* que resumem o que você pode fazer para apoiar o desenvolvimento do seu filho em cada estágio de crescimento. Estão incluídas listas de brinquedos recomendados (para comprar ou fazer), que são apropriados para o desenvolvimento do seu filho.

A Parte 3 (de um a cinco anos) continua com a discussão sobre o domínio da coordenação motora grossa e fina da criança, bem como o desenvolvimento da linguagem. São apresentadas atividades para estimular o desenvolvimento do seu filho, bem como atividades sensoriais, através das quais, e da discussão que as acompanha, você conseguirá determinar quais são os pontos fortes e fracos do seu filho e quais exercícios serão mais benéficos a ele. As seções sobre os sinais de alerta do desenvolvimento destacam as manifestações sutis das dificuldades de seu filho. Os quadros com *checklists* destacam atividades que podem ser feitas para garantir que seu filho se desenvolva adequadamente. Além disso, ela traz listas de brinquedos recomendados e apropriados a cada idade para atrair a resposta motora e o estímulo sensorial. O item "Preocupações Mais Comuns" apresenta as perguntas feitas com maior freqüência pelos pais — desde dúvidas quanto ao uso do andador até questionamentos de como lidar com uma criança que tenha dificuldade em sair-se bem no esporte que adora — e minhas respostas a elas.

Lembre-se de que, apesar de este livro trazer maneiras de aumentar a capacidade de desenvolvimento de seu filho, dos primeiros meses aos cinco anos, é importante não ficar zeloso demais e atropelar o desenvolvimento do seu bebê. As atividades direcionadas para uma criança de um ano e meio ou dois anos não podem ser dadas a um bebê de nove meses ou um ano. Lembre-se de que os bebês precisam passar pela seqüência de desenvolvimento. Os bebês precisam ser bebês. Eles já crescem rápido demais naturalmente, e não precisam de nossa ajuda com pressões para aprender e realizar.

A Parte 4 concentra-se em considerações especiais: crianças com hipotonia muscular, bebês prematuros, transtornos de integração sensorial e os problemas ortopédicos mais comumente vistos na pediatria. Como a maior parte do meu trabalho foi inicialmente feita com crianças com hipotonia e como ainda hoje compreendem grande parte da minha prática, sinto que devo falar sobre crianças com hipotonia especificamente.

Por fim, este livro se baseia em um conjunto de objetivos, entre os quais:

- Proporcionar maneiras de construir uma base sólida para uma boa biomecânica e para um melhor controle postural de seu filho.
- Ensinar como usar a repetição como forma de praticar e ampliar a habilidade.
- Mostrar maneiras de aumentar as reações de equilíbrio de seu filho.
- Ajudar a entender a importância da força proximal (dos ombros e do quadril) e da força abdominal.
- Ajudar a perceber que os bebês e as crianças *não* são preguiçosos — se parecem ser, pode haver uma causa ou problema sensório-motor por trás disso.
- Ajudar a compreender que se alcançarmos todos esses objetivos, nossos filhos terão menos limitações físicas e mais consciência de si mesmos durante a vida.
- Ajudar a reconhecer que bebês prematuros saudáveis têm seu próprio conjunto específico de critérios de desenvolvimento para alcançar.

Espero que as atividades deste livro sejam tão positivas para seus filhos quanto elas são para as crianças da minha clínica e as da minha própria casa.

PARTE

1

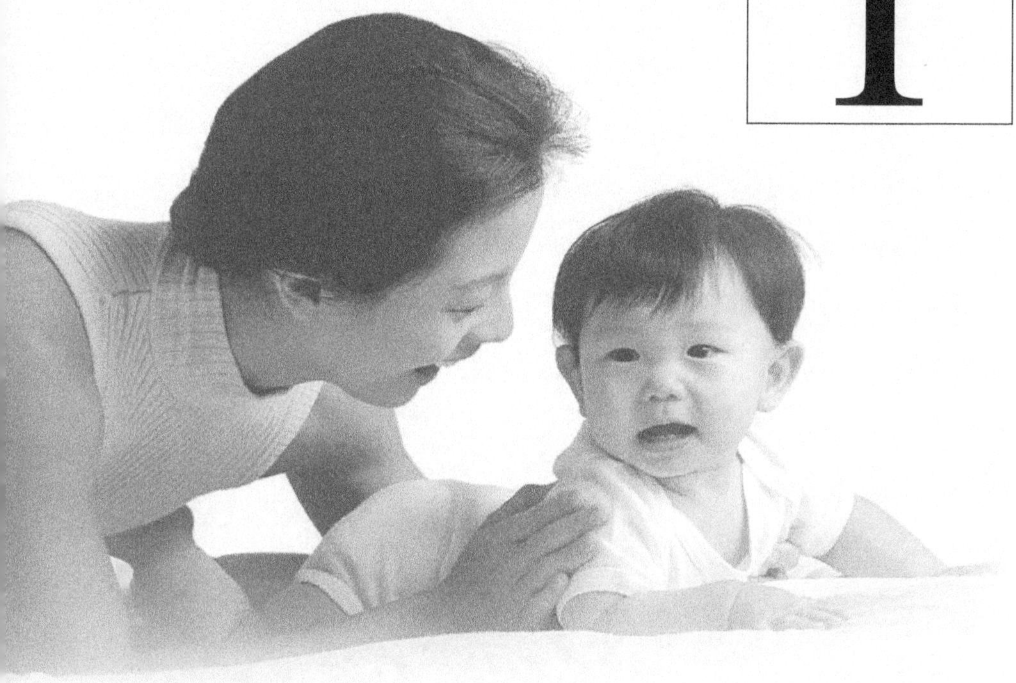

Aprendendo a Se Mover e Movendo-se para Aprender

O Ciclo Contínuo da Resposta Motora e do Estímulo Sensorial

CAPÍTULO

1

O Sistema Que Não Vemos

Compreendendo o Sistema Sensorial (Nervoso) e Sua Relação com o Movimento

Embora não possamos vê-lo nem compreendê-lo, o sistema sensorial é importante. Compreender a importância dos sistemas cardiovascular, digestivo e respiratório é fácil — sem eles não podemos sobreviver. Mas, sem nosso sistema sensorial, que é composto por uma rede de sistemas inter-relacionados, nossa percepção do mundo estaria comprometida. Se pensarmos em nosso cérebro como um computador, então nosso sistema sensorial — olhos, ouvidos, pele e nervos — serve como condutor e fiação dele, responsáveis por transmitir todos os dados que chegam até ele. Da mesma forma, todas as informações que recebemos sobre o mundo são transmitidas, pelo nosso sistema sensorial, ao cérebro e subseqüentemente processadas por ele. A qualidade dessa rede de sistemas tem efeito direto sobre nosso comportamento, nossas emoções e a qualidade de nossos movimentos.

É fácil compreender como o sistema sensorial básico nos ajuda; nossos sentidos da visão, audição, tato, paladar e olfato nos protegem em nosso ambiente. Eles permitem que aprendamos sobre os estímulos positivos e perigosos. Uma criança sabe que não deve pôr a mão na chama do fogão porque vai se queimar; sabemos que não devemos andar na rua se virmos um carro em nossa direção ou se ouvirmos alguém buzinar; sentimos cheiro de fumaça e logo associamos a "perigo" bem antes de localizarmos a causa.

Entretanto, duas partes críticas do sistema sensorial não são fáceis de compreender: o sistema vestibular (nosso sentido de movimento) e o sistema proprioceptivo (nosso sentido de posicionamento do corpo). O sentido vestibular orienta a posição do nosso corpo em relação à superfície ou ao chão. Ele é responsável pelo nosso equilíbrio e automaticamente coordena nossos olhos, cabeça e movimentos do corpo em relação à gravidade e ao espaço. O sentido vestibular faz com que uma criança seja capaz de ficar em pé sobre uma perna ou correr e se inclinar (como em uma prancha) sem cair.

Através de nossos tendões, articulações e ligamentos, o sentido proprioceptivo nos diz para onde e como nosso corpo está orientado no espaço. Ele nos deixa guiar nossos membros sem termos de prestar atenção em onde os colocamos. Por exemplo, o sentido proprioceptivo nos diz o quanto dobrar o joelho quando vamos subir um degrau e como manter o corpo ereto quando tropeçamos. Ele permite que um pianista leia a partitura enquanto toca, porque ele não precisa se preocupar em localizar as notas para os dedos; com a prática, seus dedos "sabem" onde estão as teclas.

Se perguntássemos às pessoas quais são os sentidos mais importantes, a maioria delas responderia "visão e audição", uma vez que o uso desses sentidos é mais evidente. Mesmo assim, os sentidos do tato, do movimento e do posicionamento do corpo são cruciais para nós diariamente. De fato, os sistemas tátil (tato), vestibular e proprioceptivo começam a funcionar de maneira inter-relacionada logo que nascemos. Para que possamos interpretar corretamente o ambiente ao nosso redor e formar respostas apropriadas a ele, todos os nossos sistemas sensoriais precisam estar funcionando corretamente e em conjunto. A capacidade para utilizar os sentidos dessa maneira — para absorver informações, classificá-las e então responder a elas — é o que chamamos de integração sensorial.

Quando os sistemas sensoriais interagem corretamente e o ambiente é interpretado adequadamente, a criança é capaz de coordenar as informações de maneira organizada. Ela tem boa coordenação motora e boa habilidade de movimento que contribuem para sua sensação de competência e autoconfiança. É capaz de aproveitar as aulas de dança, jogar bola no recreio, pular corda. Em resumo, suas capacidades físicas facilitam a socialização, que aumenta a confiança (isso não quer dizer que não existam crianças extremamente ágeis que não tenham uma forte habilidade social). Quando ficamos mais velhos, um sistema sensorial eficiente faz ainda mais coisas — ele permite que nos concentremos e completemos uma atividade sem nos distrair com barulhos ou atividades externas. Ele faz com que os bebês se concentrem em alcançar um objeto, e com que as crianças fiquem sentadas quietas fazendo lição (mesmo com barulho ao fundo); permite que a mãe pague suas contas enquanto tenta ouvir seus filhos no quarto ao lado. Entretanto, se o sistema nervoso central de uma criança não conseguir processar totalmente ou organizar as informações que recebe dos sentidos, ela não conseguirá coordená-las corretamente. Se sua experiência do mundo for distorcida, sua cognição, movimentos e comportamento serão distorcidos também; ela pode não conseguir se concentrar, nem fazer quebra-cabeças com certa facilidade, nem tolerar nenhuma frustração quando experimentar uma nova atividade.

Para os pais, pode parecer que a quantidade de informação que as crianças pequenas precisam integrar seja modesta. Se pensarmos em todas as multitarefas que realizamos diariamente, então uma atividade como tomar banho parece um alívio bem-vindo — não uma grande conquista. Precisamos nos colocar, por um instante, no lugar dos bebês para compreendermos as reações deles aos "grandes desconhecidos" do universo emergente. Qualquer lugar, pessoa ou situação nova pode ser um desafio. Nem é preciso dizer que, quando ficamos mais velhos, nossa tarefa de integração aumenta exponencialmente. Acredito que a forma como lidamos com essa tarefa tem impacto direto sobre nosso desenvolvimento físico e emocional do nascimento à idade adulta.

O Desenvolvimento do Senso de Atenção nos Recém-nascidos

Antes do nascimento, estamos aconchegados no útero de nossa mãe, mas, no momento em que iniciamos nossa jornada em direção ao parto, começamos a sentir muitas mudanças — o caminho sinuoso, ficar entalado e ser puxado para fora. Então, *uau*! Luzes, câmera, ação! Não temos tempo para nos ajustar a todos esses estímulos sensoriais — o barulho, as luzes, o movimento. Desse instante em diante, os pais precisam estar atentos às respostas dos bebês a todo esse estímulo. Precisamos aprender a ler os sinais do bebê, os sinais de alerta, que dizem se ele está feliz, cansado ou estressado.

Um recém-nascido saudável recebe e responde a muitas experiências sensoriais. Desde o nascimento, nós pais damos estímulo tátil quando seguramos o bebê, estímulo visual quando o bebê nos vê e estímulo auditivo quando conversamos com ele. O estímulo vestibular é dado quando balançamos, movemos ou carregamos nosso filho no colo. Os sentidos do paladar e do olfato são ativados quando o alimentamos (é interessante notar que um recém-nascido pode identificar sua mãe pelo cheiro do leite materno). Também aumentamos a consciência do bebê de partes do seu corpo (sentido proprioceptivo) ao tocar e beijar o tronco, as mãos, os braços, as pernas e os pés dele. Pense no recém-nascido em seu berço: se ele ouvir um som, vai virar os olhos e a cabeça na direção deste. Se você acariciar a sola dos pés dele, ele vai mexer os dedos. Toque em sua testa e ele vai piscar. Mexa um brinquedo na frente dele e seus olhos vão tentar acompanhá-lo.

À medida que o bebê cresce, ativamos seu sistema sensorial ensinando a ele novas habilidades. Por exemplo, quando estamos ajudando nosso filho a manter a cabeça erguida sozinho (praticando o controle da cabeça), fazemos com que olhe diretamente para nós, ou para um chocalho que seguramos para ele ver. Enquanto atraímos a atenção do bebê visualmente, também usamos nossa voz como estímulo auditivo.

Os bebês tomam conhecimento das partes do próprio corpo desde cedo. Começam olhando para as mãos e seguem vencendo o espaço com os braços para agarrar objetos. Quando esfregam os pés um no outro ou batem as pernas e pés no chão, estão aprendendo sobre seus membros e sobre como (e até que ponto) podem movê-los. Levar à boca, manipular e brincar com vários objetos também desenvolve sua consciência sensorial. Ao permitir que os bebês explorem o ambiente, nós os estamos ajudando não só a desenvolver a consciência do corpo e do mundo à sua volta, mas também a desenvolver uma percepção espacial e os sentidos proprioceptivo, vestibular e tátil.

Os bebês precisam ser capazes de fazer mais do que explorar o ambiente. Eles precisam ser capazes de reagir ao ambiente para aprender a lei de "causa e efeito". Então, nós precisamos estar cientes de nossas ações e permanecer vigilantes às respostas do nosso filho a elas. É importante, portanto, conhecer o temperamento do seu bebê. Descubra o que ele gosta e o que não gosta. Em especial, preste atenção a como ele reage a sons, movimentos, luzes e toques. Trate a sensibilidade do seu filho aos estímulos como trataria a sua — leve em consideração a natureza individual dele. As respostas dele podem ser mais exageradas do que as suas em razão da idade. Por exemplo, enquanto você pode ter o hábito de dormir com as luzes acesas e a TV ligada, luzes brilhantes e barulhos podem criar uma "sobrecarga sensorial" para o seu filho; ou seu bebê pode ficar confortável dormindo com barulhos ao fundo, como o zunido da TV na sala, mas barulhos inesperados, como o aspirador de pó ligado, podem assustá-lo e irritá-lo. Em geral, se seu filho estiver chorando ou nervoso, virando a cabeça para o outro lado, remexendo-se ou até babando muito, é provável que esteja pedindo que você mude a maneira de manuseá-lo (e dessa forma mude o estímulo) naquele momento.

Os bebês dão muitas pistas como essas para ajudá-lo a compreender as necessidades deles. Prestar atenção a essas pistas e responder a elas é a chave para fazer seu pequenino se sentir seguro no mundo. Também podemos fazer com que nosso filho se sinta seguro pegando-o no colo, conversando com ele e movendo-o com cuidado. Nessa atmosfera constante e carinhosa que criamos, o bebê vai querer explorar o ambiente. O movimento é o que capacita suas explorações.

Compreendendo o Sistema Sensorial e Sua Relação com o Movimento

Se fizermos um diagrama para ilustrar a relação entre o movimento e o sistema sensorial, ele ficará assim:

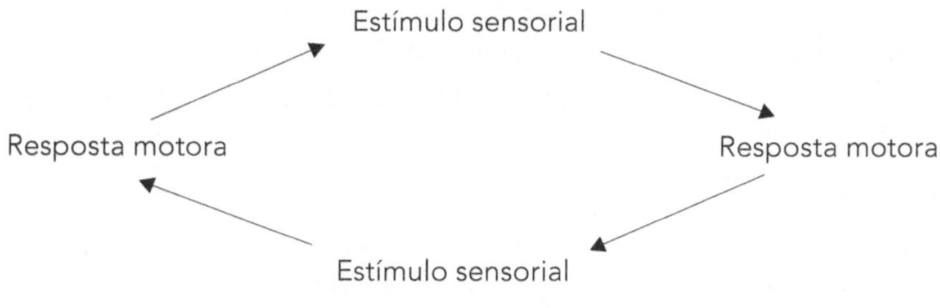

Mais estímulos sempre levam a mais respostas e vice-versa. O resultado é o aumento da consciência sensorial. Esse ciclo é a base para aprendermos a explorar e a compreender nosso ambiente, o alicerce do nosso desenvolvimento físico e da nossa segurança emocional. Para que este ciclo continue, o sistema nervoso central precisa processar os estímulos sensoriais e responder a eles através dos movimentos. Para conseguirmos nos mover, vários mecanismos precisam estar funcionando.

A maioria das pessoas não faz idéia dos mecanismos envolvidos em nossos movimentos. Um ato simples, como um bebê se virar, é uma combinação de movimentos automáticos e voluntários, que envolvem a maioria dos sentidos. Ele exige um ponto de estabilidade (uma superfície para se mover) e tônus muscular adequado. O movimento geralmente ocorre como resposta a algum tipo de estimulação visual, auditiva ou tátil. Por exemplo, um bebê pode se virar porque ouve a mãe batendo palmas, mas não consegue vê-la. Ou talvez ele queira agarrar o chocalho, mas não consiga alcançá-lo sem se mover em direção a ele (virando). Quando o bebê vira, ele precisa da consciência perceptiva para saber qual membro está se movendo. O sentido proprioceptivo lhe diz como e para onde seus membros estão se movendo no espaço, enquanto o sentido vestibular o deixa seguro ao se virar. Por fim, a velocidade de seus movimentos e a quantidade de esforço que deve empregar também são muito importantes para que o bebê consiga se virar.

Quando as crianças ficam mais velhas, o trabalho de se mover não se torna mais fácil. Para uma criança que começou a andar, realizar o simples ato de pegar uma bola exige uma posição estabilizada, o que implica controle da postura. Para que a criança consiga se equilibrar e simultaneamente usar as duas mãos, ela precisa que seu sistema vestibular funcione corretamente. Seu sentido proprioceptivo lhe diz onde colocar as mãos para pegar a bola. Ela usa a visão para seguir o objeto e então usa sua percepção para determinar a velocidade a que a bola está vindo em sua direção.

Exaustivo, não? Não é de surpreender, então, que o "simples" ato de se virar ou mais tarde de pegar uma bola possa ser difícil para algumas crianças? Alguns bebês não sabem onde colocar os braços para auxiliá-los a virar. Outros podem não gostar da sensação de ficar de barriga para baixo (com uma sensação de desequilíbrio ou de insegurança), então não iniciam o movimento. Algumas crianças pequenas parecem não saber a que distância as mãos devem ficar uma da outra para pegar a bola. Imagine o sentimento de uma criança quando não consegue realizar uma atividade tão "fácil" para a sua idade. Seus amigos a provocam, ela parece desajeitada e depois de um tempo simplesmente desiste. Infelizmente, essa sensação de fracasso não se aplica só a um jogo de bola. E se seu filho corresse de maneira esquisita ou não conseguisse rebater com a raquete de tênis ou dar o impulso correto no balanço? Por outro lado, quando uma criança *consegue* participar dessas atividades, ela têm uma sensação de realização. Da mesma forma isso ocorre em relação à aprendizagem e ao desenvolvimento: ela vai vivenciar mover seu corpo contra a gravidade e através do espaço, bem como planejar (resolver problemas) as atividades motoras envolvidas na tarefa à sua frente.

Para os adultos, a simples tarefa de vestir as calças exige os mesmos mecanismos necessários para pegar a bola. Precisamos de nossa coordenação motora junto com os sentidos vestibular e proprioceptivo para equilibrar nosso peso quando levantamos uma perna e nos equilibramos na outra. Além disso, nosso sentido proprioceptivo nos permite vestir as calças sem termos de determinar visualmente onde estão nossas pernas, braços e tronco nessa relação. Nossa coordenação motora fina nos permite fechar o zíper e o botão das calças. Por fim, os sentidos tátil e proprioceptivo nos permitem fazer essas tarefas sem olhar. Pense em tudo isso da próxima vez que se vestir e você vai entender como o sistema sensorial é incrível — e espantoso.

Todos os nossos movimentos compreendem respostas tanto automáticas quanto voluntárias aos estímulos. Para compreendermos totalmente como nos movemos, precisamos observar com maior atenção todos os mecanismos dos dois tipos de respostas. Assim, poderemos ver como eles são processados pelo sistema nervoso central.

Movimento Automático

Alguns movimentos são pré-programados em nosso sistema nervoso central. Esses movimentos são automáticos e não exigem pensamento consciente. Os movimentos automáticos geralmente ocorrem como resposta a um estímulo do sistema visual, tátil ou vestibular. Eles incluem nossas reações de endireitamento (reações automáticas que ocorrem para permanecermos em pé) e reações de equilíbrio (reações automáticas para buscar o equilíbrio). Por exemplo, se estivermos em pé sobre uma superfície que se mexe, como o convés de um barco, ou se perdermos o equilíbrio porque alguém esbarrou em nós, automaticamente ajustaremos nossa posição para não cair.

Reflexos Primitivos

Gritamos de empolgação quando vemos nosso bebê dar os primeiros passos bem antes do previsto — até que percebemos que o que estamos testemunhando são seus reflexos em ação. Na verdade, muitos movimentos e respostas dos recém-nascidos se devem a reflexos primitivos, ou seja, são reações automáticas com as quais nascemos.

A seguir apresentamos alguns dos reflexos primitivos que seu bebê vai exibir.

O Reflexo de Procura Um dos reflexos primitivos mais familiares é o *reflexo de procura* (veja Figura 1.1). Quando você toca a lateral da boca do bebê, ele vira a cabeça para sugar. Esse reflexo instintivo é pré-programado no sistema nervoso para que ele procure o seio da mãe (ele também vai procurar o bico da mamadeira se este tocar a lateral de sua boca).

O Reflexo de Moro ou Susto

Outro reflexo primitivo é o *reflexo de Moro* ou susto que ocorre quando um bebê é movimentado rápido demais ou jogado para trás. Barulhos altos também podem provocar essa reação. Os braços do bebê se estendem nas laterais e os dedos se abrem enquanto ele chora ou treme (veja Figura 1.2). Os pais costumam se assustar quando vêem seu bebê levar um susto assim pela primeira vez — é uma surpresa para todos! Contudo, esse reflexo é perfeitamente normal e geralmente desaparece com três ou quatro meses de idade. Não surpreende o fato de os bebês tremerem desse jeito (ou até com mais freqüência) quando se leva em consideração o quanto eles se deparam com sons, toques ou luzes inesperados. Mas você pode reduzir os efeitos sendo cuidadoso ao movimentar seu bebê. Tenha certeza de que o Reflexo de Moro é muito mais assustador para você do que para ele!

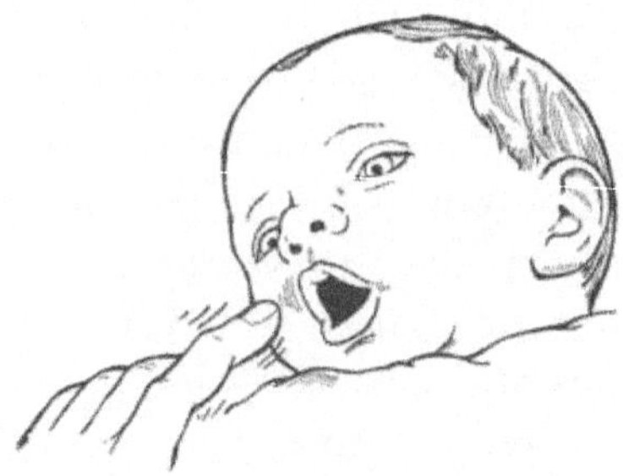

FIGURA 1.1
Reflexo de Procura

FIGURA 1.2
Reflexo de Moro ou Susto

O Reflexo Tônico-cervical Assimétrico (ou "Reflexo do Esgrimista")

Quando o bebê vira a cabeça para olhar um rosto ou objeto que desperte seu interesse, a mão do lado que ele virou o rosto se estica em uma postura de *esgrima* (veja Figura 1.3). Embora pareça que ele esteja realmente tentando alcançar um objeto nessa posição, ele ainda não está. Isso virá com o tempo.

O Reflexo de Preensão Palmar Quando o bebê agarra seu dedo com força, ele está exibindo o *reflexo de preensão palmar* (veja Figura 1.4). Os pais geralmente se chocam com a força da pegada dos recém-nascidos. Lembre-se de que a força dele é apenas um reflexo e geralmente diminui com três meses de idade. Nesse momento, seu bebê vai começar a se mexer ativamente e a agarrar objetos propositadamente, conseguindo assim força muscular.

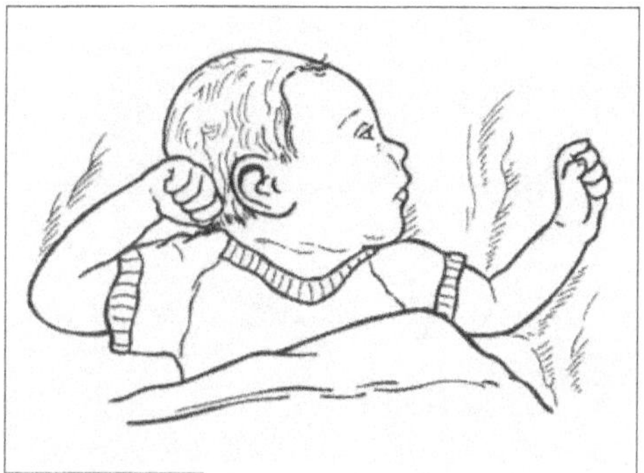

FIGURA 1.3

Reflexo Tônico-cervical Assimétrico (ou do Esgrimista)

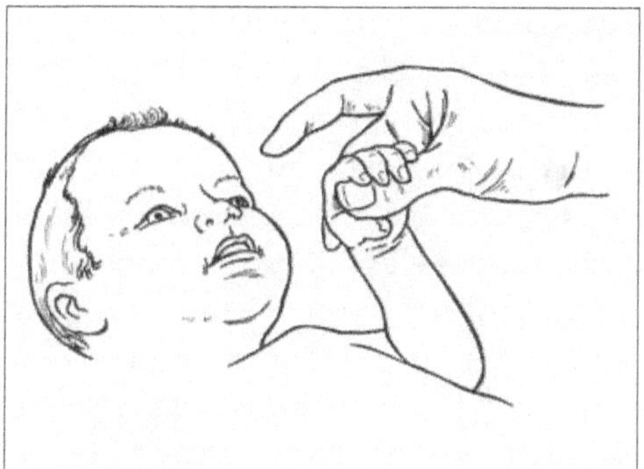

FIGURA 1.4

Reflexo de Preensão Palmar

Progressão dos Reflexos

Ao nascermos, nossos movimentos são incontrolados. Não podemos nos mover contra a gravidade e nossos reflexos primitivos são dominantes. Como exemplo, pense no que acontece quando você coloca um recém-nascido de bruços. Ele vai tentar se mover no chão mexendo seus membros ao acaso, mas a gravidade o puxa para baixo. Conseqüentemente, embora os músculos da barriga, dos braços e das pernas estejam trabalhando, o bebê ainda não consegue levantar a cabeça, o pescoço ou o tronco do chão. Quando você o coloca de costas, ele novamente luta contra a gravidade. Tentando se erguer e sair do chão, ele pode arquear as costas e novamente mexer os membros ao acaso, mas não terá sucesso em levantar a cabeça.

Nossos movimentos automáticos mais avançados — reações de endireitamento e de equilíbrio junto com movimentos voluntários resultantes — não vão emergir enquanto nossos reflexos primitivos não enfraquecerem (ou não se tornarem integrados ao sistema nervoso), e isso vai ocorrer entre os quatro e os seis meses de idade. Se os reflexos primitivos persistirem depois deste ponto, eles poderão — e costumam — impedir o desenvolvimento dos movimentos subseqüentes. Por exemplo, se um bebê não "superou" o reflexo tônico-cervical assimétrico, ele não consegue trazer as mãos à boca. Suas conexões diriam a ele que continuasse afastando o braço do rosto em vez de deixar o desejo de pôr a mão na boca dominar. Não é difícil imaginar como essa incapacidade poderia retardar o desenvolvimento de um bebê. Ele não teria uma grande parte de suas primeiras explorações sensoriais — como, por exemplo, colocar objetos na boca —, que são uma das maneiras mais importantes de ele aprender sobre seu mundo. Nesses casos, quando os reflexos primitivos não enfraquecem ou não se integram, a causa é geralmente uma disfunção no sistema nervoso central, exigindo a atenção de um neurologista infantil.

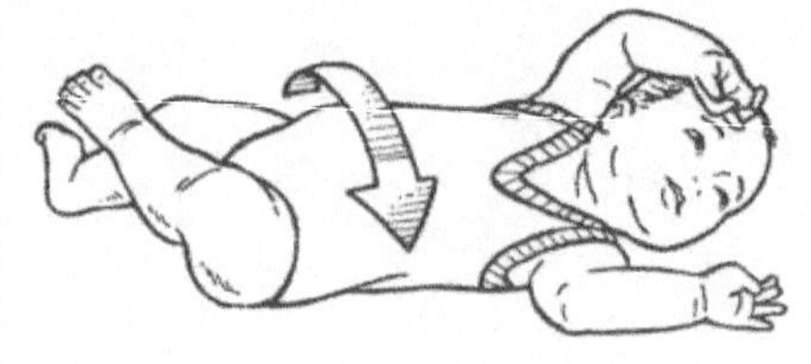

FIGURA 1.5
Reação de Endireitamento do Pescoço

Reações Posturais

As reações posturais são reações automáticas que permitem que nos ajustemos à gravidade ou que nos reajustemos quando somos tirados do centro de equilíbrio. Elas incluem nossas reações de endireitamento e de equilíbrio. Quando bebês, desenvolvemos nossas reações posturais nos ajustando quando nos seguram, pegam-nos no colo ou dão-nos banho. Pense, por exemplo, no que acontece quando você ergue seu bebê, horizontalmente. Ele vai arquear a cabeça e o pescoço para cima e estender os membros. Ao fazer isso, ele está endireitando a posição da cabeça para que possa perceber corretamente o ambiente em que está. Essa resposta é conhecida como a *reação de Landau*. Existem diversas reações posturais e todas elas são extremamente importantes porque permitem que os bebês mexam o corpo em diferentes posições. Os bebês vão precisar dessas capacidades de transferência de peso e de equilíbrio para empregar movimentos propositais ou voluntários. A seguir apresentamos algumas das reações posturais que seu bebê vai exibir.

A Reação de Endireitamento do Pescoço Do nascimento até os cinco ou seis meses de idade, você vai perceber que, quando vira a cabeça do bebê para um lado, seu corpo todo acompanha. Esse movimento é conhecido como "rolar em bloco" porque os membros, o tronco e a cabeça do seu filho ainda não podem se mover de maneira independente (veja Figura 1.5).

A Reação Labiríntica de Retificação Esta reação permite que seu bebê levante a cabeça quando está deitado de bruços e, eventualmente, quando está deitado de costas (veja Figura 1.6). A maioria dos bebês consegue realizar a primeira com dois meses de idade. A reação labiríntica de retificação também é parcialmente responsável pela capacidade de um bebê com duas semanas levantar rapidamente a cabeça e virá-la quando está deitado de bruços.

FIGURA 1.6
Reação Labiríntica de Retificação

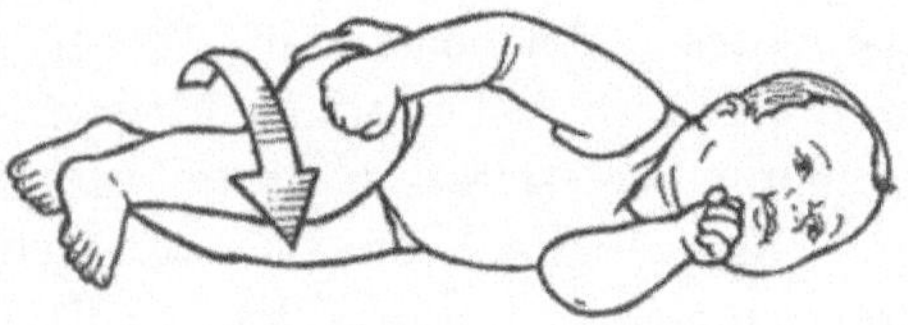

FIGURA 1.7
Reação de Retificação do Corpo Agindo sobre o Corpo

A Reação de Retificação do Corpo Agindo sobre o Corpo Esta reação é uma continuidade da reação de endireitamento do pescoço e aparece em algum momento entre os sete e os doze meses. Quando seu bebê está deitado de costas, se você trouxer a perna dele por cima do corpo, para o lado, o resto do corpo vai acompanhar (veja Figura 1.7). Ele precisa dessa reação para fazer a transição do rolamento em bloco para o rolamento segmentado (quando o tronco, os membros e a cabeça e o pescoço podem rolar independentemente). Mais tarde, isso vai ser usado para sentar e ficar em pé.

Progressão Postural

As reações posturais também incluem nossa capacidade de alinhar corretamente os membros. Geralmente, melhoramos nosso alinhamento quando estamos em estado de alerta — quando estamos equilibrados para a ação —, porque precisamos ser mais eficientes. Quando estamos relaxando, ou descansando, tendemos a ter um alinhamento não tão adequado, o que leva a dores musculares junto com desequilíbrios do esqueleto. Simplesmente pense em como costumamos entortar o pescoço e os ombros quando falamos ao telefone, nos inclinar no sofá quando assistimos a um filme ou ficar em pé com uma postura ruim quando estamos na fila. O mesmo ocorre com as crianças. Elas têm má postura ao sentar-se em frente ao computador, ao fazer a lição de casa ou ao brincar com jogos de tabuleiro, e esses hábitos posturais tendem a piorar com o tempo (assim como nossas doenças!). Então, vamos ensinar boa postura e biomecânica aos nossos filhos desde cedo.

Movimento Voluntário

Os movimentos voluntários ou volitivos são movimentos propositais que precisam ser aprendidos. Não é possível desenvolver os movimentos voluntários sem os automáticos. Por exemplo, pense em como um bebê normalmente começa a rolar: ele vê um objeto e quer alcançá-lo. No processo, ele vira a cabeça e/ou levanta os pés e então "cai" para o lado. O movimento não é intencional, mas, se ele gostar do movimento, vai "praticá-lo" mais vezes até que se torne voluntário ou proposital. Suas reações automáticas lhe permitem rolar perfeitamente porque fazem com que ele endireite a cabeça e o tronco ao rolar. Para que a transição do movimento não intencional para o voluntário ocorra, todos os sistemas sensoriais precisam trabalhar juntos.

Em geral, o movimento voluntário aparece aos quatro meses, quando observamos que nosso filho começa a alcançar e agarrar os objetos e a rolar. Ele emerge junto com o desenvolvimento cognitivo e perceptivo do bebê (uma consciência das partes do corpo e de onde estão localizadas no espaço). O movimento voluntário também se desenvolve em conjunto com o planejamento motor (a capacidade de organizar pensamentos e planejar movimentos para completar uma atividade). Por exemplo, quando um bebê rola para baixo de uma cadeira para pegar um chocalho brilhante, ele está exibindo um esforço coordenado entre movimento voluntário e cognição, bem como sua consciência perceptiva crescente e a capacidade de planejamento motor. Para realizarmos movimentos voluntários eficientes, também precisamos de um bom tônus muscular; uma base de apoio; estabilidade ao redor das articulações; velocidade, esforço e movimentos compensatórios; e integração bilateral.

A Importância do Tônus Muscular

O *tônus* muscular é a quantidade de resistência que temos ao movimento passivo. É também a elasticidade do músculo (quando empurramos um músculo, ele deve saltar de volta). Precisamos de tônus suficiente para ficar em pé contra a gravidade e para manter boa postura e alinhamento, mas não tanto que nos deixe tensos ou rígidos. Quando pensar em tônus muscular, pense em termos da firmeza do músculo e de sua capacidade de reagir quando for estendido. Quando um membro é movido passivamente, seus músculos precisam responder com uma certa dose de firmeza e de extensibilidade — ou resistência — ao movimento (ou alongamento). O tônus muscular normal reage quando é movimentado ou alongado com um leve aumento da tensão muscular e uma leve resistência. Em essência, o músculo responde para acomodar nossas ações, tencionando e relaxando conforme necessário. Por exemplo, nossos músculos ficam tensos para correr e relaxados para alongar.

O tônus muscular baixo — muito pouco tônus — reage ao movimento passivo com uma tensão muscular diminuída e com menos resistência que a normal. Por outro lado, se você tiver muito tônus muscular (tônus alto), seus músculos serão duros demais para alongar, resultando em um encurtamento dos músculos. Pense em um corredor que não liga para o alongamento. Os músculos de suas pernas são firmes; entretanto, eles endureceram (ou encurtaram) com o tempo. Isso pode levar a desequilíbrios musculares, dores, inflamações e possíveis lesões.

Não é fácil definir um bom tônus muscular — é preciso experiência para compreender como é o tônus "normal". Além disso, há uma amplitude de tônus muscular normal. Algumas pessoas têm o tônus mais baixo (menor firmeza e resistência em resposta ao movimento passivo), enquanto outras têm tônus mais alto. Ademais, a quantidade de tônus muscular que temos muda da infância para a idade adulta. Os recém-nascidos têm mais tônus *distalmente*, ou seja, nas mãos, que ficam fechadas. Os ombros são fracos. Com o desenvolvimento, o tônus aumenta *proximalmente* — nos ombros e nos quadris —, liberando o uso das mãos para a manipulação e a coordenação motora fina.

O pediatra testa o tônus muscular do seu filho quando o faz agarrar o dedo dele. Ele então puxa delicadamente o braço do seu pequenino para ver se ele ainda consegue manter a pegada. Os pediatras também verificam o tônus avaliando a amplitude de movimentos passivos do bebê. Embora não seja incomum que os bebês tenham um tônus muscular baixo (hipotonia), se este for muito severo, o pediatra pode sugerir alguma ajuda profissional adicional. O Capítulo 8 traz mais sintomas de hipotonia muscular.

Força e Ligamento Muscular

"Cabeça, ombro, perna e pé...". Todos nós conhecemos a canção que nos ensina as partes do corpo. A seqüência mais importante para se aprender inicialmente, no entanto, não é sobre os ossos, mas sobre a força dos nossos músculos e como *eles* estão ligados. Se não desenvolvermos primeiro a força de nossos ombros e do tronco, não conseguiremos fortalecer nossa coordenação motora fina através do uso das mãos. Essa falta de desenvolvimento resulta em grandes atrasos na nossa capacidade de absorver informações e de aprender com elas. Felizmente, a força da maioria dos bebês se desenvolve na seqüência correta e dentro do prazo adequado.

Por que a Inquietação com as Brincadeiras no Chão?

Você pode estar imaginando como uma criança pode "escapar" da brincadeira no chão ou de bruços, algo que acontece com muita freqüência. Os pais nem sempre percebem os benefícios desse tipo de brincadeira. Se eles vêem o filho inquieto quando é posto de bruços, podem imediatamente pegá-lo em vez de ajudá-lo a superar a frustração para que possa explorar novos estímulos dessa posição exclusiva e vantajosa. Um casal me disse recentemente que não deixava a filha no chão — mas em um cercadinho — porque ela "ficava entediada" no chão. Ela não se mexia muito quando estava de bruços. Em primeiro lugar, não existe bebê entediado (bebês pouco estimulados podem *parecer* entediados e/ou inquietos, mas é nosso dever mantê-los ocupados e estimulados). Em segundo lugar, é claro que essa menininha não vai ter a experiência de se mover muito se ela for colocada em um cercadinho ou em um bebê conforto por longos períodos de tempo. Dito isso, os bebês realmente ficam frustrados e cansados depois de algum tempo brincando no chão e de bruços. É muito trabalho — o equivalente a muitos exercícios abdominais para nós. Além disso, o tempo que cada bebê consegue agüentar deitado e brincando de bruços varia. Se você perceber que seu filho está ficando cada vez mais frustrado, tente rolá-lo para outra posição, para o lado ou com a barriga para cima, antes de pegá-lo. Só este movimento já pode ser suficiente para mudar seu comportamento. O Capítulo 2 traz maneiras de minimizar a frustração do seu bebê e de mantê-lo motivado e ocupado durante as brincadeiras no chão.

Por exemplo, observe seu bebê quando ele estiver brincando de bruços. Em certo momento (geralmente com três meses de idade), ele vai se apoiar nos cotovelos. Isso indica que a força nos ombros está se desenvolvendo. Depois de se apoiar nos cotovelos, seu bebê vai começar a se apoiar nos braços estendidos, desenvolvendo a força dos ombros e dos braços, bem como o controle do tronco. Quando tiver força suficiente, ele poderá levantar um braço para alcançar um objeto. Um braço, então, se torna o estabilizador, enquanto o outro é capaz de manipular brinquedos. Ele será forte o suficiente para se sustentar e agarrar um objeto desejado e explorá-lo com uma mão enquanto se equilibra com o outro ombro, braço e mão. Essa progressão exemplifica perfeitamente o diagrama da página 39 sobre o estímulo sensorial e a resposta motora: mais desenvolvimento motor permite maior estímulo sensorial e consciência, porque o bebê é capaz de alcançar, tocar e manipular um objeto de um jeito que antes não podia.

Assim como o alinhamento melhora quando estamos preparados para a ação, o tônus muscular também aumenta quando estamos em estado de prontidão/alerta. A novidade da experiência é um bom catalisador. Por exemplo, um bebê apoiado nos cotovelos vai curvar o tronco e a cabeça cada vez mais para cima para ver um novo brinquedo colocado em sua linha de visão, mas fora do alcance. No processo, ele está fortalecendo os músculos das costas, dos ombros e do pescoço.

O desenvolvimento do controle do tronco é importante para o movimento refinado, coordenado e controlado. Se os músculos do pescoço e do tronco estiverem fracos, a criança terá dificuldade em manter as posições do corpo e em evoluir na seqüência de desenvolvimento. Se uma criança pular esta fase da brincadeira no chão, poderá ter fraqueza nos ombros e braços, o que poderá levá-la a ter dificuldade na coordenação viso-motora, na coordenação motora fina e grossa. Conseqüentemente, brincar pode frustrá-la e, dessa forma, ser menos eficaz para ajudá-la a se desenvolver corretamente.

Nossa Base de Apoio

Para que os movimentos voluntários ocorram, precisamos de uma base estável sob a forma de superfície, como o chão. Chamamos isso de nossa *base de apoio*. Nosso corpo precisa se alinhar sobre a base de apoio, e parte dele precisa estar em contato com ela. A criança que estiver sentada no chão com as pernas estendidas terá melhor base de apoio do que a sentada em posição "de borboleta", com as pernas fora do chão e apenas os tornozelos encostados nele. A criança nessa posição "de borboleta" só pode manter o equilíbrio curvando a coluna e tombando para trás. Por outro lado, a criança com as pernas estendidas ou em posição de "meia borboleta" (uma perna esticada e a outra dobrada) pode pressionar as pernas contra o chão. Isso a ajuda a manter a coluna ereta e a ativar seus músculos abdominais, o que lhe dá maior apoio para se equilibrar.

Estabilidade ao Redor das Articulações

Precisamos que nossos músculos sejam mais firmes, ou contraídos, ao redor das articulações para dar-lhes estabilidade. Esse enrijecimento ocorre quando os músculos *flexores* (da parte da frente) e *extensores* (da parte de trás) trabalham ao mesmo tempo, contraindo ao redor das articulações. Os bebês inicialmente desenvolvem a capacidade de contrair os músculos do pescoço e dos ombros quando estão deitados de bruços, apoiados nos cotovelos. Mais tarde, essa contração dos músculos do pescoço permitirá que os bebês mantenham a cabeça ereta e os ajudará no desenvolvimento da percepção visual, da alimentação e da fala. Sem estabilidade ao redor das articulações, nossos movimentos seriam descontrolados e pareceriam exagerados e tolos. Por exemplo, uma criança que esteja aprendendo a ficar em pé se joga na posição sentada ao invés de se abaixar até a posição. Nesse caso, ela ainda não praticou o movimento o suficiente para ter a contração necessária dos músculos. Conseqüentemente, o movimento real de se abaixar até a posição sentada está descontrolado.

Velocidade, Esforço e Movimento Compensatório

Assim como precisamos do tônus muscular adequado e da estabilidade ao redor das articulações, também precisamos nos mexer em um ritmo adequado. Movimentos lentos exigem maior concentração e controle. Andando pelo parque, fico maravilhada quando vejo pessoas fazendo *tai chi*. Os movimentos delas são lentos (mas não lentos demais), coordenados e equilibrados, além de centrados — uma bela imagem. Se nossos movimentos forem rápidos demais, não poderemos recorrer às nossas reações de equilíbrio. Por exemplo, uma ginasta no meio de uma acrobacia tem uma coordenação excepcional e uma habilidade atlética — porém, ironicamente, sua rápida "reação em cadeia" de movimentos, na verdade, mostra que ela está em um contínuo estado de perda de equilíbrio. Imagine o que aconteceria se você gritasse "estátua" no meio da acrobacia.

Em geral, quanto mais esforço fizermos para completar um movimento, de mais estabilidade precisaremos e vamos usar mais movimentos compensatórios. Observe a maneira como um bebê anda logo após aprender a ficar em pé. Os movimentos compensatórios de equilíbrio predominam: os braços dele ficam abertos no ar, os ombros se elevam até as orelhas e os pés ficam tão afastados que ele parece um pato andando. Ou veja um adulto aprendendo a jogar tênis ou golfe: as costas ficam tensas, os ombros se elevam e ele rebate com muita força (ou balança pouco). Ele precisa de muita prática para acertar a batida e a postura.

Quantidade de Esforço O *esforço* é uma combinação do nosso nível de conforto para realizar um movimento, da complexidade da tarefa, da força necessária para fazer a atividade e do tipo de superfície de apoio envolvida (por exemplo, uma rua pavimentada *versus* um caminho de rochedos). Então, como devemos aplicar essa definição aos nossos filhos? Quanto esforço é demais?

Na condição de pais, queremos encontrar um bom equilíbrio entre o nível de esforço dos nossos filhos e o nível de frustração deles. Por exemplo, se você colocar um brinquedo fora do alcance da sua filha, ela vai começar a rolar na direção dele ou a se arrastar de bruços. Seja paciente e não tente apressá-la — alcançar esse brinquedo exige muito esforço da parte dela. Ela vai começar a fazer caretas, a resmungar e então... o sinal revelador: o choro. Todos os bebês têm graus diferentes de força e de capacidade — e diferentes personalidades que acompanham graus variados de tolerância. Veja por quanto tempo seu bebê mantém o interesse antes de começar a chorar — e então pegue o brinquedo para ele. Lembre-se, queremos estimular movimentos novos, mas não a ponto de se tornarem experiências negativas para nossos filhos.

Integração Bilateral Nem todos os movimentos voluntários dependem da integração bilateral, mas a maioria dos movimentos avançados depende, então vale a pena explicar o conceito. A *integração bilateral* se refere ao uso coordenado dos dois lados do corpo. As informações dos dois lados do cérebro são integradas, permitindo que cada lado do corpo esteja ciente e coopere com o outro lado. O resultado é um movimento eficiente e coordenado. Um bebê primeiro coordena o uso dos dois lados do corpo simetricamente — por exemplo, quando ele pega um objeto com as duas mãos, bate palmas, segura a mamadeira ou rola. Depois, o bebê aprende a coordenar os dois lados do corpo alternando o uso — por exemplo, quando começa a engatinhar, subir em uma escada ou eventualmente saltar. A integração bilateral leva à consciência de um dos lados do corpo como dominante, bem como ao senso de direção direita-esquerda da pessoa. Ela também afeta o tempo, a seqüência e o ritmo do movimento.

Como o Sistema Nervoso Central Processa Nossos Movimentos

Como vimos, o movimento é um fenômeno baseado nos sentidos. Ele conta com uma intrincada série de processos que são organizados pelo sistema nervoso central. O sistema nervoso central recebe o estímulo sensorial dos nossos exteroceptores (receptores da visão, audição, olfato, tato, paladar, dor e temperatura). Ele também recebe estímulo dos nossos proprioceptores (receptores em nossos músculos, tendões, ligamentos, articulações e fáscia — o revestimento dos ossos), bem como do sistema vestibular (informação recebida pela parte interna dos ouvidos sobre equilíbrio, movimento e gravidade).

Os sistemas vestibular, proprioceptivo e tátil são especialmente importantes para dar informações aos bebês, não só sobre como os corpos se movem, mas também sobre como os movimentos podem ser usados para causar impacto no ambiente. Compreender como as ações deles afetam as coisas do mundo é, obviamente, uma das maneiras principais de o bebê aprender. Vamos olhar com mais atenção cada um desses sistemas.

Como Funcionam os Sistemas Vestibular e Proprioceptivo

O sistema vestibular está localizado na parte interna do ouvido e é ativado tanto pelo movimento da cabeça quanto pela gravidade. Ele nos ajuda a saber se *nós* estamos nos movendo ou se *as coisas ao nosso redor* estão se movendo. O deslocamento dos fluidos no ouvido diz ao nosso cérebro *como* estamos nos movendo — horizontalmente, verticalmente ou em rotação. O sistema vestibular comunica mudanças de posição aos músculos *oculares* (dos olhos) e a outras partes do cérebro que controlam os movimentos. Ele reconhece a velocidade e a duração dos movimentos. Graças a ele nos mantemos em pé e desenvolvemos uma segurança postural contra a gravidade. Ele também regula nosso equilíbrio junto com a postura, o tônus muscular e o controle viso-motor (para ver rapidamente — ou localizar — um objeto). Como o sistema vestibular nos orienta no espaço, ele faz com que fiquemos seguros desde crianças quando nossos pais nos carregam no colo ou nos embalam para dormir, ou quando pulamos sobre a cama, subimos nos móveis, viramos em balanças ou nos penduramos em árvores.

O sentido proprioceptivo é ativado pelo movimento que estimula receptores especiais em nossos músculos, articulações e pele. Como vimos, o sistema proprioceptivo nos diz onde nossa cabeça, tronco e membros estão localizados no espaço sem que precisemos vê-los (isto é, desenvolver um esquema corporal). Ele nos permite saber que nossas pernas estão cruzadas embaixo da cadeira, copiar algo sem ter de ficar vendo nossa mão escrever, estender o braço no escuro para acender a luz ou abrir a porta. Ele também nos diz quanta força os músculos estão fazendo, e quanto (e a que velocidade) os músculos estão alongando. Em conjunto com um sistema vestibular eficiente e com uma boa estabilidade ao redor das articulações, nosso sentido proprioceptivo nos ajuda a nos movermos de maneira coordenada e controlada — não muito rápida nem esquisita. Conseqüentemente, os bebês, quando começam a andar, têm a capacidade de usar a coordenação motora fina para tarefas, como comer com uma colher ou garfo.

Ter os sentidos vestibular e proprioceptivo funcionando juntos também ajuda o *planejamento motor* (ou *práxis*), que é a capacidade de planejar, organizar e realizar novas ações. É o que faz com que o bebê ou a criança pequena consiga engatinhar embaixo de uma mesa sem bater a cabeça, engatinhar pelo túnel do parquinho sem perder o senso de direção ou subir em uma cadeira e se sentar sem cair. Quando os sentidos vestibular e proprioceptivo não estão funcionando corretamente, uma criança pequena tem muita dificuldade no planejamento motor. Sua visão — junto com os sinais táteis e auditivos — a ajuda a pensar no que fazer, mas aprender novas tarefas se torna, no mínimo, extremamente frustrante.

Como Funciona o Sistema Tátil

Os bebês aprendem a respeito do ambiente em grande parte através do tato porque é o sistema sensorial mais desenvolvido durante os primeiros meses de vida. Podemos dividir o sistema tátil em sistema protetor e sistema discriminador. Nosso *sistema protetor* nos alerta para estímulos dolorosos ou perigosos. Por exemplo, ele nos alerta e nos impede de tocar alguma coisa quente. O *sistema discriminador* nos fala da natureza, da quantidade e da qualidade dos estímulos. Em outras palavras, ele nos avisa onde estamos sendo tocados e com que tipo de intensidade (um toque leve *versus* um toque pesado). Conseqüentemente, nosso sistema tátil nos ensina a diferença entre um abraço de boas vindas ou um tapinha nas costas e um beliscão ou uma cotovelada. Quando somos bebês, o sentido do tato nos ensina sobre a forma, a textura e o tamanho dos objetos quando os colocamos na boca e, mais tarde, quando manipulamos esses objetos com as mãos. À medida que amadurecemos, nosso sentido tátil permite que identifiquemos objetos nas mãos sem que precisemos vê-los: sabemos se estamos sentindo as chaves ou moedas soltas no bolso.

Preocupações Mais Comuns

Não gosto muito que me abracem e toquem em mim. Isso significa que meu filho não vai gostar de abraços e carinhos?

Pelo contrário, talvez seu filho adore ser tocado, acariciado e massageado. Questões sensoriais, como a sensibilidade ao toque, não são necessariamente hereditárias. O importante é que você se concentre nas respostas únicas do seu filho aos estímulos — e como você responde a ele.

E Se os Sistemas Sensoriais Não Estiverem Funcionando de Maneira Integrada? Preocupações Quanto à Integração Sensorial

É nítido o quanto o nosso sistema sensorial é crucial para a nossa capacidade de nos mover, sentir e processar as informações. Com a integração sensorial (IS), todas as partes do nosso sistema nervoso trabalham juntas para que possamos passar por experiências e interagir de maneira eficiente com o ambiente em que vivemos. O que geralmente não fica claro são as mudanças sutis de comportamento e de habilidade que podem ocorrer quando uma parte do sistema não está funcionando corretamente. Uma disfunção do sistema sensorial pode se manifestar sob diversas formas: pode se apresentar como um distúrbio motor, de aprendizagem, social/emocional, de fala/linguagem ou de atenção. É claro que, quanto maior a disfunção, mais óbvios serão os problemas subseqüentes.

Um bebê com distúrbios de integração sensorial pode não conseguir rolar ou ficar na posição sentado e sair dela. Esse bebê pode ser incapaz de levantar peso ou de transferir peso para ir em direção a um objeto ou agarrá-lo quando este estiver levemente fora do alcance. Crianças com distúrbios de integração sensorial podem ser desorganizadas e incapazes de realizar prontamente uma nova tarefa. Também podem ter dificuldade no futuro em se relacionar e aprender na escola. Uma criança assim pode ser aquela que corre para baixo da carteira durante a aula de música, ficando longe das outras crianças. Talvez seja a "desajeitada" da aula de dança. Na aula de artes, ela pode não querer tocar nas tintas "nojentas e repugnantes". Ou pode se relacionar bem e ir bem na escola, mas é necessário muito esforço para que ela permaneça concentrada e no controle de uma dada situação.

Este esforço intenso pode resultar em uma desestruturação emocional com pouca ou nenhuma provocação. Uma criança assim pode resistir às mudanças em sua rotina ou não participar de novas atividades sem o apoio de um professor (ou pai) por perto. Ela conta com a estrutura, ou rotina, do seu dia-a-dia para se sentir sob controle. Embora as crianças sejam geralmente adaptáveis, uma criança com um distúrbio de integração sensorial pode não conseguir se adaptar a situações estressantes.

Nas situações sociais, as crianças com distúrbio de integração sensorial podem esquivar-se e não participar. Essas crianças podem, entretanto, parecer hiperativas por estarem constantemente se mexendo e esbarrando nas coisas. Os pais delas geralmente têm desculpas para isso e criam um ambiente previsível que imaginam ser seguro e feliz para seus filhos naquele momento. Por exemplo, brincar com os amiguinhos sempre tem de ser em casa. Ou, em uma festa de aniversário (com uma abundância de estimulação), os pais costumam ficar no canto, para garantir que os filhos não reajam a uma situação com ira ou lágrimas. Em geral, os pais não têm consciência de que estão compensando as debilidades dos filhos dessa forma. Eles podem inventar desculpas para os filhos ("ele está muito cansado", "ela não comeu direito", "ele está ficando doente").

Geralmente parece que essas crianças têm problemas de comportamento — e os distúrbios de integração sensorial podem levar a questões de comportamento —, mas os pais e os educadores precisam compreender que as causas da teimosia, da passividade ou da irritabilidade de uma criança podem ser psicológicas e/ou neurológicas. Infelizmente, crianças com distúrbios de IS costumam ser diagnosticadas erroneamente e rotuladas ofensivamente. É difícil diagnosticar um distúrbio inicialmente porque uma só pessoa não consegue captar todos os comportamentos sintomáticos da criança — muito menos agrupá-los de maneira compreensiva ou conclusiva. A criança que não consegue amarrar o tênis poderá também não conseguir andar de bicicleta ou ter dificuldade na escrita na sala de aula. Separadamente, esses sintomas não acrescentariam muito, mas juntos a história torna-se diferente. Além disso, embora os pediatras estejam começando a indicar um número crescente de bebês e crianças pequenas com distúrbios de integração para terapeutas especializados (como eu), geralmente não vemos essas crianças até que esses distúrbios sejam percebidos na pré-escola. Lá, as professoras podem perceber um problema, como pouca concentração, atraso de linguagem ou incapacidade de acompanhar os colegas em um dado momento.

Os pais podem ficar muito frustrados ao tentar decifrar o comportamento do filho e ajudá-lo a modificá-lo. Ainda assim, a exasperação de um pai não é nada comparada a como essas crianças se sentem comprometidas. Por essa razão, é importante que avaliemos todas as fraquezas, gostos e desgostos que nossos filhos possam ter. Com certeza, todos nós temos nossas aversões e limitações, mas, quando essas aversões superam em muito o que gostamos de fazer e o que somos capazes — quando elas interferem nas nossas atividades do dia-a-dia —, então um problema sensorial pode ser a causa. Se uma criança exibe continuamente comportamentos sintomáticos, alguma forma de intervenção profissional pode ser necessária.

Se você suspeita que seu filho sofre de um distúrbio de integração sensorial, algumas avaliações podem ser feitas — e, subseqüentemente, terapias introduzidas — por um terapeuta ocupacional especializado em integração sensorial; um fisioterapeuta para o equilíbrio, a coordenação ou o tônus muscular; e um fonoaudiólogo para possíveis questões de linguagem, fala e alimentação. Pais, médicos e educadores devem ter em mente que, quanto mais cedo a intervenção for aplicada, mais positivamente a criança responderá à terapia. Quanto mais nova for a criança, mais maleável será o sistema nervoso dela.

Uma Janela para o Sistema Nervoso

A intenção deste capítulo é a de ajudá-lo a apreciar a surpreendente complexidade do nosso sistema sensorial. Pelo menos agora, você poderá olhar para seu bebê com um verdadeiro senso de admiração quando ele tentar uma nova atividade. Dada a grande quantidade de sistemas individuais (bem como os estímulos coletivos) exigida para que seu filho se desenvolva corretamente, não é difícil ver como os problemas podem ocorrer e como podem criar dificuldades duradouras de um tipo ou de outro. Os demais capítulos deste livro são dedicados a ensinar atividades e jogos que você pode fazer com seu filho para auxiliá-lo em seu crescimento contínuo e adequado. Alertamos também sobre os atrasos de desenvolvimento potenciais e mais sutis que possam ocorrer.

Toda criança passa por estágios normais de desenvolvimento que incluem agressividade, exigência, aparente hiperatividade e até esquisitice. É importante que não nos preocupemos com todos os aspectos do comportamento do nosso filho. Ao mesmo tempo, se notarmos sinais persistentes e de alerta que interfiram na vida da criança, precisaremos intervir. A chave, então, para ajudar seu filho a desenvolver todo o potencial é ser vigilante, mas não reagir demais ao comportamento dele — seja um recém-nascido seja uma criança pequena. A maneira como ele reage aos estímulos diz muito sobre sua capacidade de processar e integrar novas informações. O comportamento dele é a janela para seu sistema nervoso. Lembre-se de que não existe criança preguiçosa. Se seu filho ou filha estão cronicamente aborrecidos ou mostrando comportamento disruptivo, pode haver uma razão. As atividades apresentadas neste livro darão a você a oportunidade de ver uma expressão confiante no rosto do seu filho e uma vontade proposital nos movimentos dele.

E Lembre-se Sempre...

- *Uma criança segura e feliz é uma criança bem equilibrada, em todos os sentidos.*

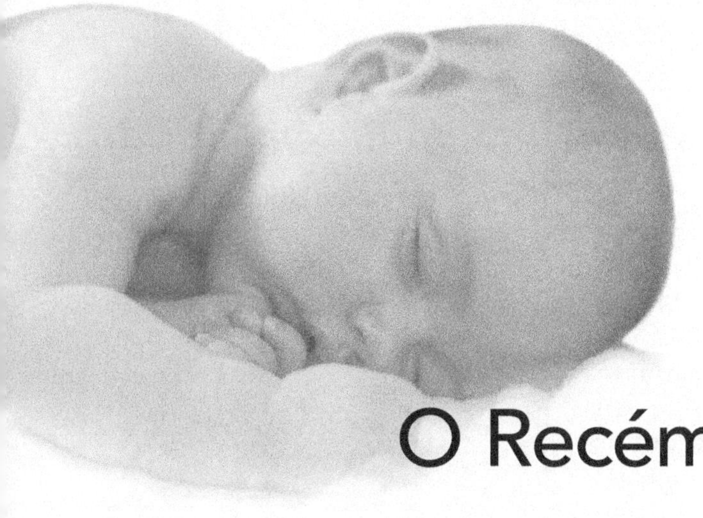

CAPÍTULO

2

O Recém-nascido

Do Nascimento ao Primeiro Mês

Começamos a criar vínculos com os bebês bem antes do nascimento. Conversamos e cantamos para eles quando ainda estão no útero (às vezes até ao som de uma música). Tocamos na barriga das mães como um meio de contato com eles. Ao descobrirem que estão grávidas, as mulheres imediatamente mudam a dieta, os tipos de atividade e os padrões de sono para acomodar o bebê que está crescendo dentro delas.

A partir do momento em que o nosso bebê nasce, o amor e os cuidados que temos com ele lhe dá estímulos sensoriais contínuos. Instintivamente, fazemos caras engraçadas e falamos de maneira esquisita com ele. Nós trazemos o bebê ao seio para mamar, levantamo-no no ombro para arrotar e embalamo-no para dormir. Essas atividades básicas dão ao recém-nascido uma enorme estimulação visual, auditiva, tátil, proprioceptiva e vestibular. Nos dias e semanas seguintes, a quantidade de estímulos sensoriais do bebê aumenta exponencialmente. Mesmo querendo que ele desenvolva uma curiosidade ativa pelo seu mundo em expansão, também queremos que ele se sinta seguro no processo. Quando o bebê está calmo e acomodado, tende a ficar relaxado e contente — um ótimo estado para receber estimulação. Podemos ter a melhor das intenções, mas se iniciarmos uma brincadeira muita avançada com os nossos bebês, estes podem se sentir fisicamente incomodados, frustrados ou emocionalmente inseguros. Antes, precisamos entender como eles se desenvolvem mecanicamente para estimulá-los com atividades adequadas.

Os Padrões de Movimento do Recém-nascido

Um bebê a termo nasce encolhido. Chamamos esta posição de *posição fetal* (veja a Figura 2.1). Essa posição se deve principalmente à posição do feto no útero. O espaço é limitado e o bebê se acomoda se encolhendo. Por causa dessa posição, quando pegamos o recém-nascido no colo pela primeira vez e tentamos endireitar seus ombros, quadris, joelhos e tornozelos, essas articulações voltam para a posição que é confortável... a posição em que estiveram nos últimos meses. O recém-nascido instintivamente se encolhe nesta posição flexionada. Fica de bruços com a cabeça virada para um dos lados. As pernas se encolhem embaixo do quadril e o bumbum fica levantado. As mãos se fecham e os braços se encolhem embaixo do peito. Como os ombros ainda são muito fracos, o peso se transfere para a frente, para o rosto dele.

FIGURA 2.1 Posição Fetal

A força do recém-nascido se desenvolve da cabeça para os pés. A força nos ombros se desenvolve antes da força nas mãos, e a força no quadril se desenvolve antes da força nos tornozelos e pés. No geral, seus movimentos se desenvolvem dos movimentos grossos (amplos) para os finos (refinados). É importante nos lembrarmos desta seqüência quando tentarmos novas atividades com os bebês.

Quando você vir seu bebê deitado de costas (em supino), verá que a cabeça dele fica virada para um dos lados. Ele não consegue manter a cabeça na linha média porque os músculos do pescoço ainda não se desenvolveram (a linha média se refere ao centro do nosso corpo — de cima para baixo, de trás para frente e da direita para a esquerda). Como descrito, quando você coloca seu filho de bruços (em prono), a posição do quadril tende a transferir o peso para a área da cabeça e do pescoço. Isto faz com que seja ainda mais difícil para o seu bebê levantar a cabeça. Entretanto, com um mês de idade, a maioria dos bebês que nasceu a termo consegue levantar a cabeça momentaneamente, o suficiente para sair da superfície em que está e virá-la para o lado oposto. Essa capacidade se deve em grande parte à Reação Labiríntica de Retificação, que é ativada durante o primeiro mês de vida e possibilita que o bebê levante a cabeça contra a gravidade. Você pode ver seu filho ficar preso no meio deste movimento, com o rosto pressionado para baixo. Após um instante, a maioria dos bebês vai continuar virando a cabeça para o outro lado. Se seu filho não virar, vire para ele, por favor.

Se você tentar rolar o recém-nascido, vai perceber que ele rola como uma unidade: quando você mexe a cabeça ou uma das pernas dele para um lado, o resto do corpo segue automaticamente, como descrito no Capítulo 1 (reação de endireitamento do pescoço). Chamamos este movimento de "rolar em bloco" porque falta aos bebês a mobilidade necessária da coluna para o rolamento segmentado (partes do corpo se movendo independentemente).

Os movimentos dos braços e das pernas no recém-nascido são aleatórios e assimétricos (um lado pode estar flexionado enquanto o outro está estendido). Se você colocar seu filho sentado, ficará claro que os músculos do tronco ainda não estão desenvolvidos também. Ele precisa que você apóie totalmente sua cabeça, pescoço e tronco para manter uma posição ereta. Mas para a sua surpresa, quando você tenta levantá-lo , ele automaticamente coloca o peso nos pés e parece estar andando. Isso é apenas um reflexo (o *reflexo de marcha automática*, também conhecido como *reflexo de caminhar*) e logo desaparecerá. Não há necessidade de estimular essa postura e essa resposta, pois elas não determinam o quanto seu bebê será forte ou quando vai andar.

Estimular a posição flexionada é importante por diversas razões (e é especialmente importante para os bebês prematuros; veja o Capítulo 9). Em primeiro lugar, ela ajuda os bebês a conservar o calor do corpo e a energia, o que os ajuda a ganhar peso e a crescer. A posição também lhes facilita colocar as mãos no rosto e os dedos na boca para sugar. Chamamos o ato de sugar dedos, mãos, brinquedos e chupetas de sucção não nutritiva. Esse tipo de sucção é muito importante para ajudar a desenvolver os músculos faciais (ou oral-motores) para a alimentação e depois para a fala. Ele também é utilizado como uma ferramenta de autoconforto. Sugar o dedo aumenta a salivação e simula a maneira natural com que os nutrientes são ingeridos, o que melhora a digestão. Estudos com bebês prematuros mostram que a sucção não nutritiva auxilia no ganho de peso principalmente porque acalma o bebê e diminui o choro de irritação, o que permite que o bebê conserve calorias e use sua energia de maneira mais eficiente. Portanto, é importante estimular seu filho a levar as mãos à boca, bem como os dedos e os brinquedos seguros.

A posição flexionada ajuda a levar os ombros, os braços e as mãos para a frente do rosto do bebê para que ele possa ver, segurar e manipular objetos. A posição também serve como uma ferramenta útil para os pais esgotados. Uma tendência comum nos bebês é arquear ou se estender para trás quando estão irritados ou descontentes. Flexionar seu filho durante esses momentos pode ajudar a diminuir sua irritabilidade.

Maneiras de Estimular a Posição de Flexão

Existem diversas maneiras de ajudar seu bebê a manter essa posição confortavelmente. Embora você talvez não saiba, muitas dessas posições e movimentos já fazem parte da rotina do seu filho. Quando você toma consciência delas, pode favorecer sua ocorrência com mais freqüência.

Posição de Costas ou em Supino

Quando brincar com seu filho e ele estiver de costas, coloque uma toalha enrolada (uma toalha de rosto) embaixo dos joelhos dele e tente fazê-lo pôr a mão na boca. Você também pode fazer um "ninho" para o bebê deitar dentro, colocando uma toalha maior enrolada ao redor dele. Certifique-se de colocar a toalha embaixo dos ombros dele. Isto ajuda a trazer os braços para a linha média e facilita ao bebê colocar a mão na boca.

Posição Deitado de Lado

Quando estiver brincando com o seu bebê, posicione-o de lado com os braços para a frente e as mãos perto da boca. Como ainda não têm controle sobre seus movimentos, alguns bebês podem se sentir perdidos no espaço se estiverem deitados de lado (sentindo que caíram para frente ou para trás). Você pode ajudar seu filho a se sentir mais seguro e apoiado nessa posição, colocando uma toalha enrolada nas costas dele. Quando estiver enrolando a colcha ou a toalha do bebê, é importante que a extremidade dela fique para baixo (virada para o colchão ou o chão). Dessa forma, o rolo não vai se desfazer. Além disso, as lojas de bebês geralmente têm almofadas especiais para ajudar o bebê a ficar de lado. Uma das razões pelas quais os recém-nascidos gostam de limites físicos é a associação com todos os meses dentro do útero. Você pode dar esta segurança colocando sua mão sobre o tórax do bebê (com uma pressão delicada, porém firme). Seu filho vai avisar por quanto tempo ele precisa da pressão da sua mão para confortá-lo e ajudá-lo a se sentir seguro.

Posição de Bruços ou em Prono

Deitar seu filho de bruços automaticamente estimula a flexão. Você pode ajudá-lo a se posicionar colocando os braços e as pernas dele embaixo do tronco. As mãos talvez sigam automaticamente para a boca. Não deixe seu bebê sozinho de bruços nessa idade. Como eu já mencionei, alguns bebês não são fortes o suficiente para levantar e virar totalmente a cabeça para respirar. Embora alguns bebês só consigam tolerar a posição de bruços por dez segundos, outros conseguem ficar por um minuto. Alguns não gostam de ser postos no chão de uma vez. Se seu filho é um deles, tente deitar de costas e colocá-lo, de bruços, sobre o seu peito. Muitos bebês preferem ficar de bruços sobre o peito e a barriga dos pais, pois é mais tranqüilizador, inicialmente, a ficar de bruços no chão. Quanto tempo eles toleram ficar nessa posição é indiferente, mas ficar de bruços é uma posição extremamente importante para o bebê vivenciar. Vamos voltar à sua importância diversas vezes, conforme nosso bebê for se desenvolvendo.

Preocupações Mais Comuns

Meu pediatra disse que meu filho deveria ficar de bruços por quinze minutos todos os dias. Faz diferença se eu o colocar nesta posição durante um único período de quinze minutos ou em um total de quinze minutos durante o dia?

Sim! Pouquíssimos bebês vão agüentar ficar de bruços por quinze minutos de uma vez. É provável que fiquem frustrados, irritados e nervosos.
O melhor é colocá-los nessa posição por diversas vezes — seja por alguns segundos, seja por alguns minutos — durante todo o dia.

O Uso do Cesto

O cesto é um lugar maravilhoso para o seu filho dormir. É pequeno e, portanto, dá mais limites para o recém-nascido (assim como as paredes uterinas davam limites ao útero). Pessoalmente, não creio que o cesto ou o berço devam ser utilizados como cercadinho para brincar. Espaços para dormir são para dormir... espaços para brincar são para brincar. Dito isso, alguns objetos ao redor do cesto ou do berço são úteis como estímulos sensoriais silenciosos enquanto ele anda ou antes de ele dormir. Você pode pensar em colocar os seguintes itens no cesto ou no berço do seu filho: um espelho especial para bebês (eles adoram se ver e ver outros bebês), um móbile sobre a cabeça ou um gravador com a gravação da sua voz ou uma música suave.

Posicionando o Recém-nascido no Bebê Conforto, na Cadeirinha e na Cadeirinha de Descanso

Além de seu uso evidente, tanto as cadeirinhas quanto o bebê conforto são apoios fantásticos que mantêm seu filho em uma posição flexionada. Eu recomendo que você compre a cadeirinha na qual possam ser fixados brinquedos. Os brinquedos vão ajudar na fixação visual e também vão estimular seu filho a esticar as mãos para depois brincar com eles. O bebê conforto não só facilita a flexão e a capacidade de trazer as mãos até a linha média, mas também faz movimentos suaves quando o bebê se mexe ou quando você a empurra para baixo. Para facilitar que a cabeça do seu filho fique na linha média em um desses assentos, você pode colocar uma toalha enrolada em forma de *U* ao redor do pescoço e dos ombros dele (veja a Figura 2.2). A toalha ajuda a centralizar a cabeça e traz os ombros um pouquinho para frente. Mais uma vez, será mais fácil para o bebê levar as mãos à frente e à boca.

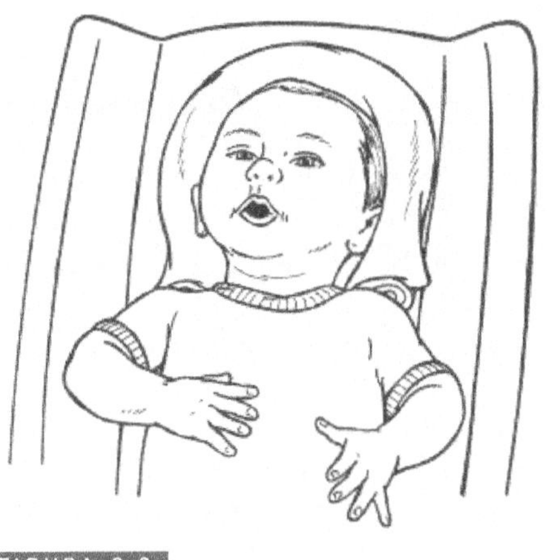

FIGURA 2.2 Toalha Enrolada ao Redor da Cabeça do Bebê

A cadeirinha de descanso também é um bom lugar para colocar seu filho. Você pode usar uma toalha enrolada ou um apoio para manter a cabeça dele na linha média durante o balanço. Para algumas crianças, é um ótimo lugar para tirar uma soneca, uma vez que o movimento rítmico pode ser extremamente calmante. Entretanto, alguns especialistas recomendam parar o balanço assim que o bebê adormece, para que ele não fique dependente de movimentos constantes. Cadeirinhas de descanso com um tipo de mesinha para brinquedos também podem entreter seu filho. Coloque brinquedos sobre a mesinha (brinquedos com ventosas são os melhores porque não vão cair no chão). Assim como os brinquedos na barra da cadeirinha, os brinquedos no tabuleiro fazem com que seu filho leve as mãos e os olhos para a linha média para alcançá-los.

FIGURA 2.3 Segurando o Recém-nascido

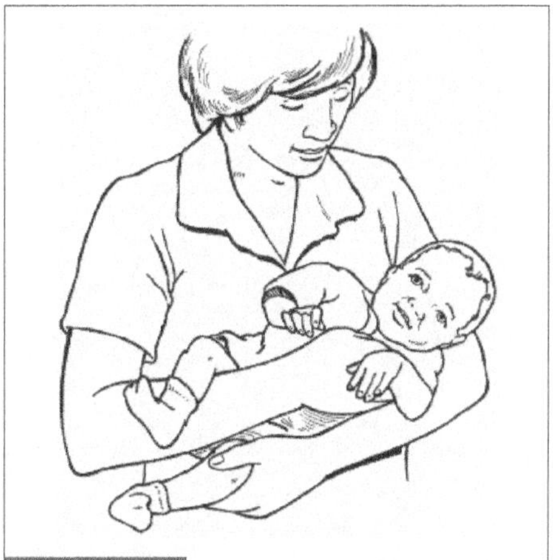

FIGURA 2.4 Posições para Segurá-lo (de Lado)

Segurando o Recém-nascido

Você pode estimular a flexão quando segura seu bebê nos braços também. Mantenha a cabeça dele na curvatura de um dos cotovelos enquanto dobra os joelhos dele sobre seu outro braço. Os dois braços dele devem ficar na sua frente (veja a Figura 2.3). Porém, você não precisa sentar o bebê nos seus braços para que ele fique flexionado. Ele ainda pode estar flexionado com os joelhos dobrados e deitado.

Outras posições que promovem a flexão incluem:

- Deitar o bebê de lado em seus braços, com o dorso dele encostado em sua barriga; coloque um dos braços entre as pernas dele e dobre a perna que está em cima enquanto o segura (veja a Figura 2.4).
- Sentar o bebê virado para fora sobre os seus braços (veja a Figura 2.5).
- Deitar o bebê de bruços nos seus braços. Segure seu filho por baixo das axilas e da barriga, para que a garganta dele não fique apoiada sobre o seu braço. Embalar desse jeito — mas com o bebê afastado do seu corpo — costuma ser muito tranqüilizante para um bebê nervoso (veja a Figura 2.6).
- Segurar o bebê ereto com a cabeça sobre o seu ombro (como se ele fosse arrotar). Coloque as pernas dele dobradas para cima, entre o corpo dele e o seu, para que não fique totalmente reto (veja a Figura 2.7).

FIGURA 2.5 Posições para Segurá-lo (Virado para Fora)

FIGURA 2.6 Posições para Segurá-lo (de Bruços)

FIGURA 2.7 Posições para Segurá-lo (Ereto)

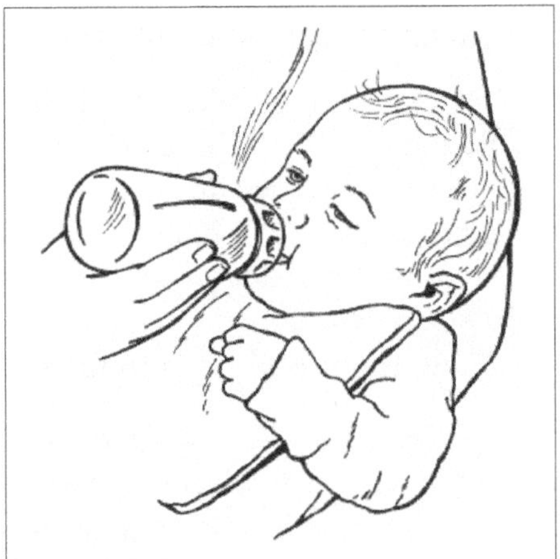

FIGURA 2.8 Alimentando Seu Bebê

Alimentando o Recém-nascido

Como regra prática para a amamentação, a cabeça e o pescoço do bebê estarão em ótima posição quando as orelhas dele estiverem na mesma linha dos ombros (veja a Figura 2.8). Se as orelhas estiverem fora da linha dos ombros, ou seja, com a cabeça inclinada para atrás, a extensão ficará maior e ele terá de se esforçar mais para sugar e engolir. Se as orelhas estiverem mais à frente dos ombros, ou seja, a cabeça inclinada para frente, pode haver muita flexão e isso pode causar o fechamento da passagem de ar. Tente com você mesmo: incline sua cabeça para trás. Sua língua automaticamente vai para o fundo e fica mais difícil fechar a boca. Agora posicione a sua cabeça de forma que as orelhas estejam alinhadas com os ombros, e você vai ver que fica mais fácil engolir.

Durante as mamadas, tente colocar o bico do seio ou da mamadeira perto do lábio inferior do bebê, no meio. Quando o bico estiver na boca dele, faça pressão para baixo. Isso estimula o movimento da cabeça e a flexão. Se estiver usando mamadeira, dê preferência aos bicos que mais se assemelham ao seio (alguns desses bicos também ajudam a diminuir a quantidade de ar que o bebê ingere e isso significa menos gases). As mamadeiras "anguladas" também são boas.

Enfaixando o Recém-nascido

Além de ajudar o recém-nascido a se sentir seguro e confortável, enfaixá-lo promove a flexão. Enfaixar significa embrulhar o bebê para que os membros dele fiquem em contato com o corpo (veja a Figura 2.9).

Para enfaixar seu filho, siga os passos apresentados aqui.

- Abra o cobertor do bebê.
- Coloque-o em forma de losango na sua frente.
- Dobre a ponta superior para baixo.
- Coloque o recém-nascido sobre o cobertor com a cabeça sobre a parte dobrada.
- Dobre um dos lados do cobertor sobre o bebê e prenda-o embaixo dele (os braços do seu filho podem ficar dobrados sobre o peito).
- Traga a ponta inferior para cima e dobre o outro lado por cima.

Quando você segurar o bebê, verá que o enfaixamento forma um pequeno casulo que dá calor e conforto a ele.

Enfaixar o recém-nascido é útil quando você estiver tentando estimular a fixação visual, porque o bebê não fica focalizado no movimento dos membros dele. Conseqüentemente, ele pode prestar mais atenção à atividade que está sendo apresentada, como se fixar visualmente em você ou em um brinquedo. Enfaixar é útil durante as mamadas por essa razão. Também pode ajudar a acalmar o recém-nascido especialmente quando ele estiver irritado — braços e pernas se debatendo — e pode ser particularmente tranqüilizador quando acompanhado de um suave embalo. Alguns bebês preferem ser enfaixados para

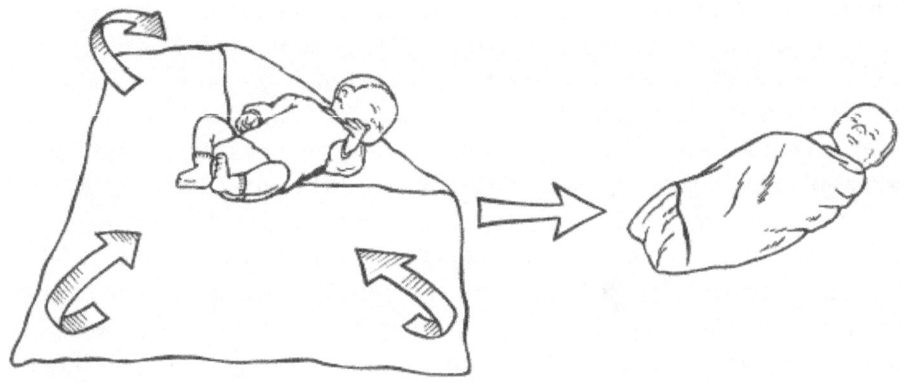

FIGURA 2.9

Enfaixando o Recém-nascido

dormir, porque sentem a segurança dos limites (como as paredes uterinas na gestação). Por essa razão, é comum enfaixar os bebês prematuros.

Acalmando Seu Bebê

Chorar e ficar agitado são maneiras de o bebê comunicar que está com fome, cansado, desconfortável ou molhado. Quando você responde ao choro do seu filho, está desenvolvendo um laço de confiança e promovendo uma maior comunicação. Por outro lado, se a comunicação for ignorada, o seu bebê poderá desenvolver um sentimento de abandono. Existem diversas maneiras de tranqüilizar o bebê, e uma delas é enfaixá-lo. Outras estão descritas a seguir.

O bebê consegue se sentir seguro estando perto de você. Se ele estiver deitado, tente fazer carinho na barriga dele e converse com ele de maneira suave ou cante para ele. Tente pegá-lo no colo e embalá-lo. Leve-o para passear no carrinho ou experimente o balanço, ou o cesto, e *gentilmente* embale ou balance. Esse tipo de movimento sutil e constante geralmente acalma os pequeninos. Não chacoalhe ou balance seu filho com força. Movimentos extremos podem causar traumatismo craniano.

Segure o recém-nascido contra seu peito. Ouvir e sentir as batidas do seu coração também podem tranqüilizá-lo. Você também pode mudar os ruídos próximos a ele. Por exemplo, o barulho do som, da TV ou do aspirador de pó pode causar uma sobrecarga sensorial para o seu bebê em alguns momentos. Por outro lado, alguns bebês realmente preferem barulhos de fundo ao silêncio absoluto. Para esses bebês, você pode cantar canções de ninar na hora de dormir ou até colocar um aparelho que imita as batidas do coração no berço. Esse aparelho, disponível na maioria das lojas de bebês, simula o som do coração no útero, o que tranqüiliza muitos recém-nascidos. Você também pode encontrar CDs e fitas que simulam os sons do útero.

Estimulando o Recém-nascido

Se você perguntasse à sua mãe o que ela fazia para estimulá-lo quando era bebê, ela provavelmente ficaria surpresa. "*Estimular* você?", ela perguntaria. "Eu só o colocava no cercadinho e você brincava." Os tempos mudaram. As brincadeiras no chão já começam com o recém-nascido. Eu digo aos pais para colocarem uma colcha no chão e partir para a ação! É claro que é fácil falar, mas entrar na brincadeira com um bebê novinho pode ser intimidador (até assustador) para muitos de nós — especialmente quando temos em mente que o desenvolvimento total envolve não só o bem-estar físico, mas também o bem-estar mental e emocional. Portanto, saber o que o bebê gosta e o que não gosta é extremamente importante. Embora os recém-nascidos tenham muitos comportamentos em comum, cada bebê é único. Anote mentalmente as coisas que considera que excitam, alertam e acalmam seu filho. Também preste atenção na comunicação dele com você e com o mundo através da linguagem corporal. Ele vai dizer o melhor momento para receber estímulo sensorial sob a forma de brincadeiras no chão, no banho, na hora de mamar e de dormir.

Existem diversas maneiras de saber se seu filho está pronto para a interação ou não:

- Ele pode estar com uma expressão suave, relaxada.
- Pode fixar o olhar em você ou balbuciar quando você fala com ele.
- Se estiver feliz, calmo e alimentado, então esse poderá ser o momento perfeito para começar a brincar.

Por outro lado, talvez seja melhor você evitar mais brincadeiras se ele estiver superestimulado:

- Um bebê superestimulado vai evitar olhar diretamente para você.
- A postura dele pode mudar — ele pode puxar, virar ou se curvar para longe de você.
- Ele pode começar a soluçar ou a babar e pode ter uma expressão "preocupada" ou descontente.

Todos esses sinais indicam que seu filho precisa de algum tempo só para relaxar.

Nossos bebês conseguem nos avisar quando o sistema nervoso deles está pronto para lidar com estímulos de todo tipo. Observando e aprendendo a ler a linguagem corporal do seu filho, você vai conseguir determinar o que causa estresse e, então, modificar seu comportamento para atender às necessidades dele.

Atividades Sensoriais para Seu Novo "Pacotinho de Alegrias"

Certamente, todos nós adoramos nos aconchegar com os bebês na nossa cama. É uma maneira deliciosa de passar um tempo com eles. Mas não é o mesmo tipo de "trabalho" para o bebê como é brincar no chão. Ele movimenta os músculos de um jeito diferente quando está no chão do que quando está na cama. Pense em como é muito mais fácil para você levantar de uma cadeira dura do que de uma macia — levantar da cadeira dura faz com que seus músculos trabalhem de maneira mais eficiente. Do mesmo modo, uma superfície dura dá a melhor base de apoio para seu filho ativar os músculos. A superfície da mesa também serve. Você pode se sentar na cadeira e apoiar as costas enquanto seu filho recebe os estímulos que precisa (nem é preciso dizer: não deixe seu filho sozinho na mesa!).

A melhor hora para brincar com o bebê é quando ele está alimentado, seco e descansado. Comece todas as atividades colocando seu filho nas posições flexionadas já descritas neste capítulo. Brinque com ele nas três posições — de costas, de bruços e de lado — no chão. Em cada uma delas, estimule seu filho a olhar para você e a acompanhar seus movimentos, bem como qualquer objeto que você mova para ele. Durante a brincadeira de costas, mexa os membros dele para estimular a flexão.

Estímulo Visual

Em geral, os bebês recebem bastante estímulo visual durante o curso normal do desenvolvimento. Mas nós podemos ajudar ativamente no caminho. A estimulação visual ajuda a melhorar a fixação, a coordenação viso-motora, a consciência espacial, a discriminação dos objetos e a memória. Você pode estimular a fixação visual movendo objetos de um lado a outro e de cima para baixo na frente do bebê. Acompanhar de um lado a outro estimula o movimento da cabeça. Mais tarde, seu filho vai querer acompanhar e tentar pegar esses objetos.

Quando o recém-nascido está de costas, a cabeça fica geralmente virada para um dos lados porque ele não consegue manter a cabeça na linha média. Portanto, se você quiser que seu filho olhe para um brinquedo (como algumas "argolas coloridas"), coloque o objeto no campo de visão dele (*não* na linha média, porque ele não poderá vê-lo nessa posição). Se você mover o objeto até a linha média, seu filho poderá acompanhá-lo por pouco tempo, e, então, vai voltar a cabeça para o lado.

Tente não colocar objetos acima ou atrás da cabeça do bebê. Isso promove a extensão e a curvatura, movimentos que não queremos estimular nesse momento (especialmente com bebês prematuros que têm uma predominância da atividade extensora). Por esta razão, você deve pendurar os móbiles na frente do bebê, e não sobre a cabeça dele. Pendure o móbile a vinte ou vinte e cinco centímetros do seu filho e levante-o quando ele começar a tentar pegá-lo. Dessa forma, ele não vai puxá-lo no meio da noite. Os móbiles — e na verdade, todos os brinquedos para recém-nascidos — são melhores quando feitos de cores contrastantes ou primárias (não em tom pastel), porque os recém-nascidos respondem melhor a grandes contrastes de cor (nosso cérebro é programado para responder a contrastes).

Sorria e converse bastante com o seu bebê. Olhar para o seu rosto acima e na frente vai ajudá-lo a aprender a manter a cabeça na linha média. Além disso, observar sua expressão facial mudando à medida que você fala com ele ensina ao bebê os sinais visuais que são a base da socialização.

Estímulos Vestibular e Proprioceptivo (Movimento)

Segurar, embalar e balançar o recém-nascido propicia a ele estímulo vestibular. Esse tipo de estímulo não só o tranqüiliza como também melhora a coordenação, o equilíbrio, o tônus muscular e a vigilância visual dele. É importante que o bebê tenha essa estimulação diariamente, pois, quando ele crescer, você terá muitas outras maneiras de prover, cada vez mais, estímulos vestibulares (e proprioceptivos). Neste momento, os bebês estão recebendo estímulo proprioceptivo — aprendendo como o corpo se movimenta no espaço — através dos movimentos aleatórios que fazem. Este sentido entra mais em foco nos meses seguintes, quando os bebês têm maior controle motor.

Quando você movimentar o bebê nos braços, tente movê-lo tanto vertical quanto horizontalmente (para cima, para baixo e para os lados). Veja qual maneira é mais calmante para o seu bebê e qual é mais excitante. Descobri que segurar um bebê de bruços nos braços e embalá-lo de um lado a outro é bastante eficiente quando ele estiver irritado. Deixe seu bebê experimentar movimentos diferentes movendo-o pelo ar ou balançando-o no seu colo (ou sobre uma almofada no seu colo). Tente dançar com o bebê no colo. Ande com ele no carrinho sobre superfícies ásperas e suaves. Preste atenção nas respostas do recém-nascido (por exemplo: ele está superestimulado? ou sentindo-se inseguro?) e ajuste os estímulos de acordo com elas.

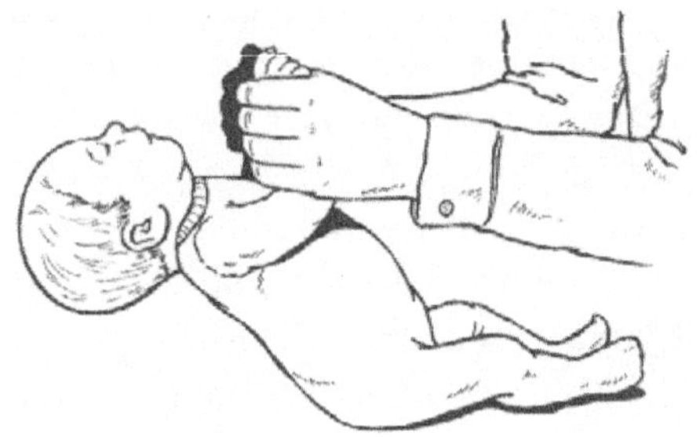

FIGURA 2.10

Maneira Incorreta de Pegar o Bebê no Colo

Aprendendo a Segurar o Recém-nascido no Colo

Nunca é cedo demais para aprender bons hábitos. Um "mau" hábito comum dos pais e dos responsáveis é puxar o bebê ao pegá-lo do chão ou do trocador. Costumamos levantar o bebê segurando-o embaixo dos braços e erguendo-o direto para uma posição sentado ou em pé. Quando nossos bebês adquirem maior controle motor, costumamos mudar a posição das nossas mãos e puxá-los pelas mãos (veja a Figura 2.10). Não há nada vantajoso em pegar um bebê desse jeito. Alguns pais acreditam que estão "alongando" os braços do bebê ou ajudando-o a desenvolver os músculos abdominais fazendo isto, mas não é verdade. Na verdade, esse movimento pode causar maior tensão no pescoço, ombros e braços do bebê. Particularmente, puxar bebês prematuros desse jeito pode causar luxações nos músculos do pescoço e das costas, especialmente se tiverem atrasos no controle da cabeça. Bebês com hipotonia muscular não devem ser erguidos pelas mãos, porque esse movimento pode alongar demais os ligamentos já frouxos nos ombros, cotovelos e punhos, possivelmente levando a uma subluxação (a articulação se mexe fora do alinhamento, mas não escorrega totalmente para fora do lugar) ou a um deslocamento.

Acredito que aprendemos a pegar nossos bebês no colo desse jeito no consultório médico. Essa é a maneira pela qual os médicos pegam os bebês — contudo, quando o fazem, estão avaliando as referências de desenvolvimento, como o controle da cabeça e do tronco. Da mesma forma, quando colocam o bebê em pé: observam os reflexos e as reações automáticas.

Existe uma maneira de pegar o bebê no colo que é benéfica ao desenvolvimento e também permite que ele faça mais "esforço" por conta própria. Ela exige um passo a mais. Vire seu filho de lado — com as suas mãos ao redor do corpo dele (embaixo dos braços dele) antes de erguê-lo. Esse simples passo tem muitos resultados positivos. Ajuda o bebê a trabalhar o endireitamento da cabeça (em vez de levar à extensão da cabeça e do tronco). Mais tarde, ajuda na rotação do tronco e na proteção lateral (uma reação que nos faz estender os braços para o lado), que os bebês desenvolvem para se proteger e não cair. Esta proteção lateral também ajuda na sustentação do peso nos braços e nos ombros, o que melhora a estabilidade dos ombros.

Pense em quantas vezes por dia você pega seu bebê no colo. Simplesmente adicionando este passo aos seus movimentos, você poderá ajudar a fortalecer o recém-nascido e a melhorar a estabilização dele mais rapidamente.

Estímulo Tátil

O estímulo tátil melhora a consciência perceptiva e a capacidade de resolver problemas. Estudos mostram que ele também melhora o ganho de peso e a função gastrintestinal dos bebês prematuros. O estímulo tátil também pode excitar ou acalmar o recém-nascido.

Toque

Passe um bom tempo fazendo carinho no seu bebê. Descubra quais são as partes do corpo em que ele gosta de ser tocado e quais não gosta. Pense no tipo de toque que você considera tranqüilizador — muita pressão é desconfortável e cócegas são excitantes (quando não irritantes) para a maioria de nós. Da mesma maneira deve ser considerado para o recém-nascido: toque leve (como cócegas) geralmente não é tão calmante como um toque mais firme.

Encostar vários objetos na palma da mão do bebê ajuda-o a descobrir formas, tamanhos e texturas. Tente colocar um chocalho na mão dele tocando-o nos dedos. Quando ele conseguir pegar, você vai precisar de muita força para tirar o chocalho dele.

Brinquedos Recomendados ao Recém-nascido

- "Argolas coloridas" (auxiliam na fixação visual e são um bom mordedor).
- "Chocalho" (auxilia na fixação visual e nos movimentos dos punhos).
- Brinquedos de textura e formato de fácil manipulação.
- Móbiles.
- Brinquedos que imitam sons (com guizos no seu interior, por exemplo).
- Brinquedos com displays coloridos e com luzes.
- Brinquedos que tocam músicas suaves

Os bebês mostram-se calmos quando são colocados sobre lã enquanto brincam. A lã dá calor e conforto. Além disso, o contato das fibras na pele do bebê proporciona a ele um estímulo tátil maravilhoso. Muitas famílias usam lã no carrinho ou no berço. Tente usar a lã quando seu filho estiver nu, ou só de fralda. Isso permite maior liberdade de movimento e maior estimulação sensorial.

Massagem

A massagem é uma maneira incrível de estabelecer vínculo e se comunicar com o seu filho. A maioria dos bebês adora o toque de pele com pele. Uma bela massagem de dez minutos não é apenas tranqüilizadora, mas também dá um estímulo tátil que ajuda os bebês muito sensíveis a ficarem menos sensíveis. É importante massagear seu filho diariamente (até duas vezes ao dia se possível).

Hora do Banho

Os primeiros banhos são geralmente oportunidades perfeitas para você e seu bebê estabelecerem vínculos. Ao banhá-lo acariciando-o com as mãos, você está causando não só um estímulo tátil, mas também visual e auditivo. Inicialmente, ele pode não gostar do banho. Tanto os pais quanto o bebê são novos nessa tarefa e ela pode ser estressante para todos. Então não se sinta forçado a dar banho em um horário estabelecido — antes de dormir ou logo ao acordar. Escolha um horário que seja melhor para você e para o bebê, e então o mantenha. Quando você está calma e segura, isso ajuda seu filho a se sentir da mesma forma.

Os banhos dos recém-nascidos são maravilhosos. Depois que se acostumam ao banho, a maioria dos bebês adora. Lembre-se de que a pele do bebê é muito sensível, então se certifique de que a temperatura da água esteja certa (ela

Referências de Desenvolvimento do Nascimento ao Primeiro Mês

Seu filho pode/vai:

- Focalizar rostos, em especial, bem como objetos que estejam de 20 a 30 centímetros de distância e pode seguir visualmente um objeto por um ângulo de noventa graus.
- Demonstrar algumas expressões faciais simples (como "mostrar a língua").
- Virar a cabeça com o som da sua voz e virar a cabeça para o outro lado ao perceber um perigo (como um movimento repentino em seu campo de visão).
- Assustar-se quando ouvir um barulho muito alto.
- Tranqüilizar-se ao colocar as mãos na boca.
- Sentir-se confortado e se aconchegar quando estiver em seu colo.
- Virar a cabeça para o bico do seio quando este tocar seu lábio.
- Levantar a cabeça brevemente para virá-la para o outro lado.
- Segurar seu dedo ou um brinquedo.
- Mover facilmente os braços e as pernas aleatoriamente.

deve estar neutra ao toque quando jogada no seu pulso). Passe algum tempo explorando o bebê na banheira. Esfregue a esponja por todo o corpo. Massageie o couro cabeludo e mexa nos dedos das mãos e dos pés. Não se esqueça da área do pescoço. Muitos bebês são especialmente sensíveis ao toque nessa região.

Alimentação

Toque o seu bebê durante a alimentação, seja na amamentação, seja quando estiver com a mamadeira. Deixe que ele segure seu dedo, pegue no seio para sentir mais conforto, e assim por diante. Alguns bebês preferem ser enfaixados para mamar (por segurança), enquanto outros podem adormecer se forem enfaixados (eles precisam de liberdade para mexer os braços e as pernas enquanto mamam). Além disso, muitos bebês gostam que conversem com eles enquanto sugam, outros costumam parar de sugar quando estão ouvindo. Decida o que funciona melhor com o seu filho.

Preocupações Mais Comuns

Meu filho de dois meses parece estar com fome a cada quarenta e cinco minutos ou uma hora, enquanto o filho da minha irmã mama a cada duas ou três horas. Estou fazendo alguma coisa errada?

Você não está fazendo nada errado. Cada bebê ingere o que precisa para se sentir satisfeito. Esta quantidade varia dependendo do peso, da altura e do nível de conforto do bebê. Se seu filho precisa ser alimentado a cada quarenta e cinco minutos, deixe que ele aproveite. Em pouco tempo e à medida que crescer, ele passará a ingerir mais a cada mamada. É importante verificar com o pediatra se o seu bebê está recebendo os nutrientes e as calorias adequadas.

Estímulo Auditivo

A estimulação auditiva encoraja a curiosidade e aumenta a socialização. Seu filho mostra que ouve os sons piscando ou virando a cabeça para o som. No geral, o bebê prefere que a estimulação auditiva seja gradativa (como, por exemplo, chamar suavemente o nome dele quando você chega perto do berço) a ser exposto a um choque repentino (como bater a porta e entrar no quarto falando alto).

Fale, fale e fale com o bebê. Use muitas expressões faciais exageradas e sinta-se à vontade para agir como criança. Mude o tom da sua voz. A maioria dos bebês prefere uma voz mais aguda ("conversa de bebê") a uma mais grave. Entretanto, se seu filho ficar incomodado ou irritado com sons mais agudos, tente abaixar a voz e falar de maneira mais calma e suave. Utilize preferencialmente um vocabulário simplificado, frases curtas e entonações exageradas. Novamente, todos os bebês (e os adultos) têm preferências de gosto. Seu filho vai gostar mais e absorver mais se estiver feliz e calmo. Compreenda as dicas dadas por seu bebê.

Checklist do Nascimento ao Primeiro Mês

O Que Você Pode Fazer

- Cubra seu filho de amor e de atenção. É importante perceber que *você não vai mimar seu bebê!* Os bebês precisam de atenção e de amor para sentirem-se felizes e seguros.
- Aprenda o que seu filho gosta e o que não gosta com relação a todos os sentidos.
- Estimule seu filho a focalizar você ou outros objetos.
- Massageie seu bebê.
- Evite luzes brilhantes e movimentos rápidos (ambos costumam assustar o bebê).
- Coloque o bebê em diferentes posições por todo o dia — de costas, de lado, de bruços.
- Converse com seu filho e seja boba o quanto quiser. Ao final do primeiro mês, ele vai estar sorrindo com as suas interações.
- Estimule o bebê a colocar as mãos e os dedos na boca (isso pode ser usado como um mecanismo de autoconforto). Você também pode dar um "amigo especial" (um brinquedo macio ou um pano de tecido macio cuja trama permita a ventilação) ao seu filho, para brincar. Ele vai receber estimulação tátil desse amigo e este pode se tornar um objeto de conforto mais tarde.

Chocalhos e sinos também produzem sons agradáveis e ocupam os recém-nascidos. Além disso, música clássica costuma acalmar na hora de dormir.

Preocupações Mais Comuns

Recentemente, comprei para o meu filho recém-nascido um brinquedo que acende e faz barulho quando é chutado. Pensei que ele fosse adorar, mas parece que fica irritado. Por quê?

Um brinquedo que tenha muita estimulação pode ser opressivo para o bebê — especialmente se for colocado no berço. Ver uma resposta às ações que praticam gratifica os bebês, mas se eles recebem esse tipo de estímulo, particularmente quando estão descansando, isso pode sobrecarregar os sentidos. Só bater o pé em uma superfície ou você massagear o pé dele com as mãos já é gratificante — não exagere na estimulação esforçando-se para dar ao seu filho "o melhor de tudo".

Estímulo Olfativo

Os cheiros ajudam o recém-nascido a identificar a mãe e também o ajudam a digerir o leite. Não é de surpreender que os bebês gostem de sentir o cheiro do leite materno, cheiros doces e cheiros de comida em geral. Eles não gostam de odores poluentes, como detergentes e cigarros.

A aromaterapia é muito popular entre os adultos atualmente como um meio de curar e de acalmar. Combinações de ervas, de especiarias e de óleos são utilizadas no tratamento. Embora uma discussão mais profunda sobre a aromaterapia esteja além do alcance deste livro, é interessante notar que ela já entrou no tratamento dos bebês também. Estudos também estão sendo conduzidos para determinar os efeitos fisiológicos de diversos odores sobre crianças hiperativas e sobre bebês prematuros na unidade neonatal.

Conclusão

Na qualidade de pais, depende de nós a criação de um ambiente rico e gratificante para os nossos filhos. Podemos — e devemos — dar-lhes informações através de todos os sentidos. Se dermos ao recém-nascido uma base sólida para se desenvolver, ajudaremos nosso bebê a ter padrões de movimentos favoráveis, biomecânica, postura e controle motor geral. A consciência corporal futura — construída sobre a base que damos a ele — não só auxilia a prevenir lesões físicas, mas também ajuda a prevenir deficiências sociais, emocionais e de aprendizagem ao longo do caminho. Em essência, o que esperamos dar aos nossos filhos, desde o nascimento, é o começo de um compromisso com a saúde e com a autoconsciência por toda a vida.

E Lembre-se Sempre...

- *Você não vai mimar seu bebê: se ele estiver irritado, pegue-o no colo. Ele está se comunicando com você.*
- *Amor nunca é demais para o seu filho.*

PARTE

2

Mais Rápido Que um Foguete

O Desenvolvimento de Seu Filho Durante o Primeiro Ano de Vida

CAPÍTULO

3

Sacudir, Chocalhar e Rolar

Desenvolvimento Físico e Atividades para os Primeiros Seis Meses

Para os pais de primeira viagem, os primeiros seis meses da vida de um bebê são emocionantes de assistir, pois as mudanças ocorrem diariamente. Quando os bebês estão segurando um chocalho, mantendo a cabeça na linha média, começando a rolar ou até balbuciando para nós, eles estão mostrando como seus movimentos inatos e aleatórios já estão se tornando propositais, funcionais e mais coordenados. Também notamos comportamentos distintos emergindo à medida que aprendemos a compreender os ritmos e as rotinas dos nossos bebês. As expressões faciais, que antes eram arbitrárias, agora ganham significado quando os pequeninos se esforçam para deixar claro seus gostos e suas necessidades. Os bebês começam a criar seus próprios sons, em vez de se assustar freqüentemente com eles.

Trabalhando com a Seqüência de Desenvolvimento

A maioria dos pais que vão ler este livro tem filhos que progridem na seqüência de desenvolvimento — da brincadeira de costas e de bruços para a de lado e rolar, depois sentar, engatinhar, apoiar-se para ficar em pé e andar (crianças com distúrbios sensoriais, hipotonia ou dificuldades neurológicas podem não seguir essa seqüência). Contudo, o que precisamos ter em mente é a *qualidade* dessa progressão — não quando ela ocorre. Nunca é demais ressaltar que cada criança tem um ritmo próprio de desenvolvimento. Cada criança é diferente. Contanto que seu filho se desenvolva dentro do padrão geral apresentado em cada capítulo deste livro, não se preocupe com parâmetros específicos ou com prazos. Preste atenção, sim, em como os movimentos estão ocorrendo. Seu filho consegue transferir o peso para os dois lados? Ele tem um bom controle da cabeça? Está usando as duas mãos para pegar objetos? Ele senta e engatinha? Também é importante lembrar que o movimento fortalece os músculos. Por essa razão, todos os bebês e crianças precisam de atividades motoras. A força motriz para essa movimentação é o ambiente que criamos para os bebês. Quanto mais estímulos adequados você apresentar a eles, mais estará intensificando aquele ciclo fundamental do estímulo sensorial — resposta motora — delineado no Capítulo 1.

A Importância da Rotina

É importante estabelecer uma rotina neste estágio. Estudos mostram que a rotina ajuda a criança a se sentir segura e no comando do ambiente. Durante os primeiros seis meses, existem três momentos em que acredito que a rotina seja extremamente útil. São eles: a hora das sonecas e de dormir, a hora do banho e a hora de comer.

Sonecas

Uma das coisas mais importantes para se lembrar ao determinar o horário da soneca é segui-lo à risca! Depois, quando seu filho tiver entre um e dois anos, você até pode ter a sorte de dizer "hora da soneca" e ele marchar para o quarto, pronto para descansar. Programe os passeios e as atividades em torno da hora da soneca — e esteja ciente das limitações e da capacidade do bebê para fazer a transição de uma situação à outra. Expor a criança a muita atividade antes ou logo depois da soneca geralmente não é uma boa idéia, pois, antes, seu filho se sentirá muito cansado e irritado para prestar atenção na atividade e, depois, não estará vigilante o suficiente para participar dela. Na verdade, ajudar seu bebê a fazer a transição para as atividades do dia depois da soneca é geralmente uma tarefa mais difícil do que colocá-lo para dormir. Seja paciente.

Banhos

Pessoalmente, gosto da rotina do banho no começo da noite (muitos pais costumam dar banho no bebê pela manhã — rotina que muda quando o bebê cresce). A rotina banho-mamadeira-livro-cama funciona bem para acalmar e sossegar o bebê, mesmo nos anos seguintes. Lembre-se, bons hábitos começam cedo.

Alimentação

É importante (e útil) estabelecer um horário de alimentação. A maioria dos recém-nascidos é alimentada quando reclama, mas ainda assim consegue aderir a um horário. Geralmente, eles se alimentam a cada três ou quatro horas — ou a cada duas ou três horas quando são "comilões". Ao crescer, seu filho vai se alimentar a cada quatro horas, e você pode até ter um bebê que consiga terminar o dia dormindo de cinco a seis horas entre as mamadas. Tente não estabelecer uma alimentação esporádica — nem você nem o bebê vão se sentir calmos ou descansados (e ele pode ficar constantemente com fome).

Hora de Dormir

Como parte da rotina banho-mamadeira-livro-cama, talvez você queira fazer carinho nas costas do seu filho e cantar uma música para ele no berço. Diminua gradativamente as luzes e diga boa-noite antes de cantar. Durante muitos anos cantei a mesma música para cada um dos meus filhos na hora de dormir. Quando me esquecia, meu filho me lembrava resmungando ou chorando, e, mais tarde, me dizendo. Esses rituais na hora de dormir proporcionam recordações maravilhosas nos anos seguintes. Se, durante a noite, você precisar trocar a fralda do bebê, mantenha as luzes fracas para não interromper o ciclo de sono.

As Aparências Podem Enganar

Uma amiga tem um filho de cinco anos, e a professora dele recentemente contou aos pais que ele tem dificuldade em segurar o lápis, rasgar e cortar o papel. Ela sugeriu aos pais que procurassem um terapeuta ocupacional para uma avaliação. A mãe, preocupada, procurou-me e decidiu confiar em mim. Ela me disse que estava surpresa com os atrasos aparentes do filho, já que ele passara por todos os estágios de desenvolvimento. Ainda assim, quando comecei a perguntar sobre os movimentos dele, ela percebeu que o filho nunca tinha engatinhado apoiando-se nas mãos e nos joelhos. Ele foi do rastejar militar (o rastejar do exército em que o soldado se move sobre a barriga) direto para o apoiar-se para ficar em pé. Ele também ficava cerca de duas horas por dia no cercadinho.

O que percebi nessa pequena troca foi que esse menino *não* havia progredido totalmente na seqüência de desenvolvimento. Ele enganou um pouco. Na verdade, ele compensou alguma fraqueza inata ou sensibilidade (ou ambas) e iludiu a todos . Talvez tivesse uma fraqueza nos ombros ou no tronco não detectada. Talvez sofresse de defesa tátil ou problemas vestibulares e proprioceptivos. De qualquer forma, agora, na pré-escola, fica mais difícil enganar as pessoas. Os desafios estão cada vez maiores. Esse é um ótimo exemplo de como uma seqüência de desenvolvimento incompleta pode levar a dificuldades no futuro.

O Desenvolvimento do Primeiro ao Terceiro Mês

Nos primeiros três meses, a flexão fisiológica (posição fetal), discutida no Capítulo 2, vai diminuindo. A gravidade e o aumento dos movimentos vão ajudando a estender o bebê que literalmente se desenrola da posição no útero. Esse alongamento dos músculos do bebê prepara-os para o uso funcional. Os músculos precisam ter um comprimento ideal para trabalhar de maneira eficiente. Logo, um músculo encurtado está em desvantagem fisiológica. Pense no seu bíceps. Você não fortalece esse músculo apenas com o braço dobrado totalmente, mas, sim, partindo da posição estendida, com o braço reto, para a posição dobrada.

Para que seu filho se movimente sobre uma superfície, os tendões e os músculos dele têm de esticar em algumas áreas e encolher (ou contrair) em outras para acomodar as mudanças de pressão que ocorrem nas partes do corpo quando ele transfere seu peso. Além disso, esses tecidos macios precisam ter a quantidade correta de elasticidade para essa acomodação ocorrer. Então, precisamos dar aos nossos filhos muitas oportunidades para que eles se movimentem e possam alongar os músculos e trabalhar suas reações de equilíbrio ao transferir o peso. Essas habilidades não vão acontecer se ficarmos com o bebê no colo o dia inteiro!

Habilidades em Supino (de Costas)

Ao brincar com seu filho, você vai perceber que ele, se estiver deitado de costas, ainda não consegue manter a cabeça centrada. Isso ocorre porque (como já mencionado no Capítulo 2) os músculos do pescoço ainda não se desenvolveram. Como conseqüência, sua visão lateral tende a se desenvolver mais rapidamente e ele vai conseguir focalizar com maior facilidade os brinquedos colocados ao lado dele. Até os dois meses, o bebê vai tentar bater nos brinquedos colocados ao lado dele. Geralmente, com três meses seu filho já é capaz de manter a cabeça na linha média e de trazer as mãos ao peito ou uni-las. Nessa fase, as mãos dele estão abertas e livres para pegar objetos. Contudo, não fique surpresa se seu bebê, ao pegar algum objeto, não soltá-lo automaticamente. Observe, por exemplo, a força que ele tem ao agarrar seu dedo — e o quanto você fica surpresa quando ele não o solta! Ele não está tentando mantê-la presa. A verdade é que ele só vai soltar objetos voluntariamente depois de desenvolver a capacidade de pegá-los.

Para trabalhar com a centralização da cabeça, coloque o bebê de costas, converse com ele e use recursos visuais (brinquedos, chocalhos) para estimulá-lo a manter a cabeça na linha média. Lembre-se, seu filho vai se sentir mais seguro se sua mão estiver apoiada sobre o peito dele.

Habilidades em Prono (sobre o Abdome)

Para os pais de primeira viagem, brincar com os bebês de bruços pode não parecer uma atividade necessária ou importante (particularmente quando os bebês não toleram essa posição por muito tempo), mas, na verdade, ela é fundamental para o seu desenvolvimento central (do tronco). Essa "pequena" atividade é a preparação para uma vida toda de atividades físicas. Caso você queira guardar uma frase deste livro sobre o desenvolvimento físico, então guarde esta: "Não desista da brincadeira de bruços!" Pelo bem-estar dos seus filhos na vida adulta — da postura à capacidade de prevenir dores e inflamações — não abra mão da brincadeira de bruços.

Brinquedos Recomendados para Bebês de Um a Três Meses

Embora os brinquedos a seguir sejam especialmente adequados para o bebê que esteja nessa fase, eles também podem ser usados durante todo o primeiro ano de vida.

- Espelho infantil: coloque um no berço. Os bebês aprendem a se divertir e recebem um enorme estímulo cognitivo e visual ao se olharem no espelho.
- Móbiles: do primeiro ao terceiro mês, coloque o móbile de 20 a 30 centímetros de distância do bebê. Quando ele conseguir alcançar com o braço esticado, afaste-o. Também mova o móbile para lados diferentes e tente evitar pendurá-lo atrás da cabeça do bebê. Pendurar o móbile na frente do bebê estimula a flexão desejada, enquanto atrás causa a extensão.
- Pequenos chocalhos que sejam fáceis de segurar.
- Brinquedos flexíveis e com texturas diferentes.
- Brinquedos com ventosas: eles são bons para colocar no suporte do balanço ou do carrinho e, mais tarde, no cadeirão. Eles permitem que o bebê bata no brinquedo sem que este caia constantemente (ou se perca na rua).
- Centro de atividades* com brinquedos acima da cabeça do bebê: eles são ótimos recursos visuais e o estimulam a alcançar, bater e cruzar a linha média. Também são excelentes para ajudar a desenvolver a estabilidade na região dos ombros e a ensinar causa e efeito (por exemplo: o bebê alcança um brinquedo e escuta um barulho quando consegue bater nele).
- Brinquedos macios: são fáceis de segurar e a sensação ao pegá-los é agradável. Além disso, quando você faz uma torre de blocos macios, seu filho não se machuca quando os derruba.
- Brinquedos de pelúcia: todos esses bichinhos que você ganhou quando o bebê nasceu são ótimos para a estimulação tátil, para abraçar e segurar.
- Peças de encaixar e derrubar: esses brinquedos visualmente atraentes ajudam a estabelecer relações causais e depois de permanência do objeto. Além disso, os bebês se divertem derrubando as peças quando você as encaixa. Mais tarde, eles vão gostar de encaixar sozinhos antes de derrubá-las.

---

* Tapete que contém um arco preso a ele onde são pendurados pequenos brinquedos que ficam dispostos como se fossem móbiles. Esse arco também é vendido separadamente e pode ser fixado no berço, carrinho etc. (N. do E.)

Quando seu filho aprender a brincar de bruços e virar a cabeça para olhar para alguma coisa, ele vai transferir ou mover o peso para o lado que estiver olhando (conhecido como *lado da face*). Devido ao aumento de peso naquele lado, os braços naturalmente deslizarão (ou virão): um para fora com a palma da mão para cima, e o outro para dentro com a palma da mão para baixo. O movimento para fora é chamado *supinação* e o movimento para dentro é chamado *pronação*. Essa resposta é uma preparação importante para muitas atividades que seu filho fará mais tarde. Pense em todas as atividades que fazemos, seja como bebês seja como adultos, que exigem a supinação do braço — comer, explorar e manipular objetos e até se vestir. Tente se alimentar ou colocar uma blusa sem virar o braço.

Ao brincar com um bebê de um mês deitado de bruços, você verá que o "bumbum" dele desceu e que há menos espaço entre o chão e os quadris e coxas dele. Isso é parte do alongamento do corpo que ocorre à medida que a posição fetal diminui e a força da gravidade vai prevalecendo. Conseqüentemente, o peso se transfere do pescoço do bebê, permitindo que ele levante a cabeça um pouco mais e a vire com maior facilidade. Isso, por sua vez, ajuda a aumentar a mobilidade no pescoço e na parte superior da coluna. Com dois meses, seu filho já consegue virar a cabeça totalmente para o outro lado quando está de bruços. Esse movimento da cabeça ajuda a melhorar a rotação da coluna, que é necessária para movimentos posteriores, como rolar, sentar, brincar, engatinhar e andar.

Preocupações Mais Comuns

Meu filho não gosta de brincar de bruços. O que devo fazer?

Lembre-se, brincar de bruços não é como fazer um exercício uma ou duas vezes por dia por dez minutos. É uma atividade para o dia todo — mesmo que seja por 30 segundos, ou um minuto, diversas vezes ao dia. Fazer com que seu filho fique de bruços por períodos breves e freqüentes vai ajudá-lo a se fortalecer e a se desenvolver. Se ele realmente detesta ficar de bruços, experimente algumas das atividades do Capítulo 2. A perseverança é a chave para fazer um bebê que facilmente fica frustrado se acostumar com a brincadeira de bruços.

Apoiar-se nos Braços para Sustentar-se de Bruços

O verdadeiro apoio nos braços começa perto dos dois meses, quando o bebê consegue tolerar o peso carregado sobre os ombros e as mãos. Entre um e dois meses, quando seu filho se apóia, seus cotovelos ficam localizados atrás dos ombros. Dos dois aos três meses, os cotovelos ficam na frente dos ombros. A capacidade do bebê de se levantar sobre os cotovelos quando eles estão na frente ou abaixo dos ombros ocorre quando os músculos dos ombros e da parte superior das costas estão trabalhando mais e conseguem suportar mais peso. Essa sustentação do peso apoiado nos braços ajuda a estender os punhos do bebê, o que ajuda a alongar os flexores do punho que estavam encurtados no útero. Por sua vez, o alongamento dos flexores do punho ajuda a abrir a mão do bebê.

Os bebês precisam de um bom desenvolvimento do pescoço (controle da cabeça) para ter um bom desenvolvimento dos ombros. Se o bebê não conseguir manter a cabeça erguida, não conseguirá se apoiar sobre os antebraços (e depois sobre os braços esticados). Como conseqüência, tanto o desenvolvimento dos ombros como o da musculatura do tronco serão afetados. Para estimular o controle da cabeça, segure seu filho ereto e acima do seu ombro. Você vai perceber que a cabeça dele se move para cima e para baixo nessa posição porque ele está trabalhando os músculos da cabeça e do pescoço. Logo ele vai ganhar mais força e controle muscular, e esse movimento vai parar. Seu bebê vai gostar de manter a cabeça erguida e de poder olhar melhor.

Durante esse período, seu filho começará a fazer brincadeiras pélvicas. Quando ele brinca de costas e levanta as pernas, ele está trabalhando os músculos abdominais e conseqüentemente a pélvis inclina para trás. Quando ele brinca de bruços, a pélvis inclina para frente. Experimente — você vai sentir a mesma coisa (e talvez pense no Elvis...). Precisamos desse movimento pélvico para manter controle sobre os movimentos musculares e torná-los suaves. Também precisamos do movimento pélvico para que as nossas reações de equilíbrio ocorram corretamente. Quando seu filho estiver de bruços, ao brincar com ele, coloque a mão no bumbum dele e faça uma leve pressão para baixo (em direção ao chão) e para trás (em direção aos pés). Isso ajuda o bebê a usar a pélvis como base de apoio e também ajuda a diminuir o peso sobre seu rosto, o que facilita levantar e virar a cabeça. Geralmente, só o peso do seu braço já é uma pressão suficiente para ajudá-lo.

Referências de Desenvolvimento do Primeiro ao Terceiro Mês

- O bebê sorri.
- Reconhece rostos.
- Acompanha visualmente até a linha média.
- Começa a reagir quando você sai do campo de visão dele e a compreender a permanência do objeto.
- Levanta a cabeça e vira-a quando está de bruços; consegue erguer a cabeça a 45 graus com dois meses e a 90 graus com três meses.
- Vocaliza *ah, ã, ê, uh*.
- Faz movimento de pedalar bicicleta quando está deitado de costas.
- Leva as mãos à boca; chupa os dedos.
- Expressa os gostos e os desgostos; chora quando está desconfortável.
- Rola para virar de lado.
- Começa a brincar com os pés.

Preocupações Mais Comuns

Quando minha filha de três meses está brincando de bruços, ela costuma se levantar até estender os braços. Isso significa que ela é mais forte do que os bebês da idade dela? Ela está preparada para atividades diferentes?

Nesta idade, realmente não é bom ver o bebê se levantar com os braços estendidos. Geralmente, isso significa que o bebê está trapaceando, travando suas articulações. Pode parecer uma superforça, mas não é. Isso cria uma ilusão de força idêntica à de quando levantamos um bebê de três ou quatro meses. Você pode pensar que ela tem um grande controle, quando, na verdade, só está travando as articulações. A razão pela qual alguns bebês se apóiam dessa maneira é a falta de estabilidade nos ombros — na verdade é mais fácil para um bebê travar as articulações do que se apoiar usando os músculos dos ombros, do peito e da parte superior das costas ao mesmo tempo. Outros bebês se movem desse jeito porque não gostam da sensação de ficar com a barriga em contato com o chão e levantam-se com toda força para evitar que isso aconteça.

Com três meses, seu bebê já está estendendo ativamente a cabeça, o pescoço e os músculos da parte superior das costas quando se apóia de bruços. As pernas podem estar abrindo mais ou abduzindo. Esse movimento causa um alongamento dos músculos da parte interna da coxa (os adutores). Novamente, o alongamento de um músculo ajuda a prepará-lo para o uso posterior. Seu bebê vai precisar dos músculos internos e externos da coxa para rolar, engatinhar e, por fim, andar.

Quando o bebê se apóia com três ou quatro meses, você também pode notar que as omoplatas (escápulas) saltam. Isso é conhecido como *escápulas aladas* e geralmente desaparece quando os músculos ao redor trabalham mais. Tanto engatinhar de barriga quanto virar em círculo enquanto se apóia ajudam a desenvolver esses músculos, o que será discutido na segunda metade deste capítulo. Escápulas aladas prolongadas também podem ser sinal de hipotonia.

Quando seu filho está apoiado de bruços ou brincando deitado de costas, os pés se encostam. Partindo de uma perspectiva tátil, isso ajuda a preparar os pés para a posição vertical mais tarde. Brincadeiras com os pés também são importantes para o desenvolvimento proprioceptivo do bebê, já que o ajudam a entender onde estão os pés em relação ao resto do corpo.

Uma Mãozinha: O Uso da Mão

As mãos dos bebezinhos são como pequenas samambaias — elas começam bem fechadas e depois vão relaxando, abrem e se esticam. Sustentar o peso quando se está de bruços ajuda a estender os punhos do bebê, o que, por sua vez, ajuda a abrir as mãos. Mas você pode dar uma ajuda extra ao seu filho. Massageie as palmas e os dedos dele e passe brinquedos de diferentes texturas sobre as mãos dele. A experiência tátil geralmente ajuda a relaxar a mão, além de dar um estímulo sensorial de como é ficar com as mãos abertas. (Lembre-se, se for bom, seu bebê vai repetir a atividade ou o movimento cada vez mais.) Se as mãos do seu filho permanecerem fechadas aos quatro ou cinco meses de idade e ele não conseguir segurar objetos, consulte seu pediatra.

O Desenvolvimento do Quarto ao Sexto Mês

Durante os próximos três meses, o bebê vai continuar desenvolvendo habilidades motoras importantes. Algumas delas serão refinamentos das habilidades que ele aprendeu nos primeiros três meses. Outras serão realizações completamente novas.

Habilidades em Supino

Dos quatro aos seis meses, quando o bebê estiver brincando deitado de costas, você vai perceber que há maior extensão dos braços para pegar brinquedos ou, até mesmo, tocar o seu nariz. Entretanto, seu filho pode ainda não conseguir pegar objetos ao lado do corpo — isso exige grande controle dos músculos abdominais oblíquos (flexores) e rotatórios. Ainda de costas, você também vai notar que ele pega os joelhos. Esse movimento fortalece sua musculatura, o que aumenta sua capacidade de pegar objetos, sua consciência corporal (especialmente das extremidades inferiores), além de melhorar o sentido do tato e o controle viso-motor.

Quando você quiser trabalhar o alcance dos objetos, coloque o bebê deitado de costas em posição semi-reclinada (como no bebê conforto). Seu filho vai então trabalhar o controle muscular de diferentes ângulos. Estimule-o a estender os dois braços para pegar os objetos (tente não favorecer um lado mais do que o outro). Não se esqueça de alternar a posição dos objetos, fazendo com que o bebê possa pegá-los em ambos os lados do corpo, acima e na frente dele. Não coloque objetos que dificultem o alcance do bebê — você não quer promover a hiperextensão do pescoço.

Brinquedos Recomendados para Bebês de Quatro a Seis Meses

- Centro de atividades.
- Livros com texturas e figuras que se destacam.
- Bolas.
- Brinquedos de causa-e-efeito.
- Brinquedos que podem ser fixados no carrinho.
- Brinquedos macios.
- Mordedores com texturas (para a estimulação oral-motora e a coordenação viso-motora). Um grande segredo no mundo "terapêutico" é usar brinquedos para cachorros vendidos em pet shops. São fabulosos brinquedos de borracha texturizada para mastigar — maravilhosos para a dentição dos bebês (compre-os sem pintura).
- Argolas de encaixar (para morder por enquanto).
- Livros ilustrados feitos de tecido, papelão e plástico: procure livros com figuras familiares ao bebê — eles vão ajudar seu filho a identificar objetos, animais e pessoas que vê regularmente. Você pode montar um álbum com fotos da família, dos animais de estimação e dos objetos do dia-a-dia.

Seja em uma posição semi-reclinada seja sentado com apoio, você perceberá movimentos mais intencionais do seu filho para alcançar objetos com as duas mãos. Provavelmente, ele vai chacoalhar a maioria dos objetos que tiver nas mãos. Ele também é capaz de ver os objetos por ângulos diferentes virando voluntariamente o braço para cima e para baixo (supinação e pronação). No começo deste capítulo mencionei que esse movimento era passivo nos primeiros meses: quando o bebê brincava de bruços e virava a cabeça para o lado, um braço movia-se para cima e o outro para baixo, ou se estendia para alcançar um objeto. Agora esse movimento é voluntário — seu filho tem controle consciente sobre a movimentação.

Quando o bebê estiver deitado de costas, você talvez perceba a formação de muitas "pontes". Acredite ou não, os bebês realmente conseguem ficar na posição de ponte (curvam a barriga para cima com o peso sobre as mãos, os braços, as costas e os pés). Para quem pratica ioga, essa é uma postura que exige esforço. É *incrível* os bebês terem força nos braços, nas pernas e no tronco para realizar essa postura! Esse exercício causa os mesmos efeitos musculares tanto

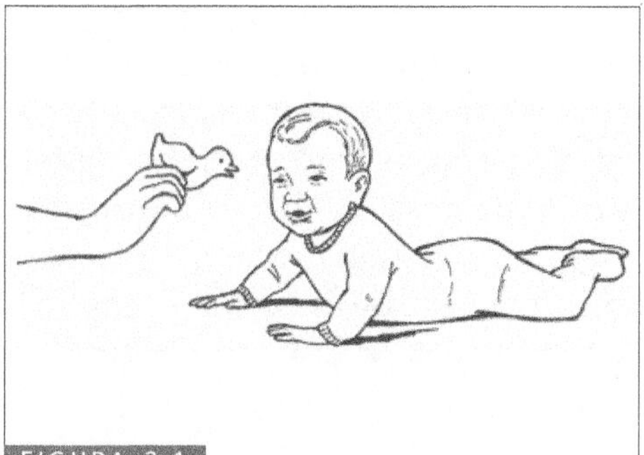

FIGURA 3.1

Habilidades em Prono

no bebê quanto em nós, o que não é surpresa. Ele trabalha e isola os músculos extensores do quadril, que usamos para sentar e andar.

Habilidades em Prono

Quando o bebê estiver brincando de bruços, você vai notar que ele mantém as pernas pressionadas contra a superfície por mais tempo, tem melhor controle pélvico (dos quadris) e maior capacidade para suportar o peso. Isso é importante porque, se os quadris e as pernas não abaixassem até a superfície, o peso do bebê permaneceria anterior — ou para frente — e ele teria de hiperestender a cabeça e entortar os ombros para olhar para frente e apoiar-se. Dessa forma, um equilíbrio bem desenvolvido entre os músculos flexores (da frente) e extensores (de trás) da perna, do estômago e do pescoço não poderia ocorrer. Além disso, não ocorreria a estabilidade dos ombros, resultando em fraqueza nos ombros e nos padrões posturais compensatórios. A atual capacidade do bebê de manter as pernas abaixadas estabelece uma postura mais estável, que permite que o tronco e os braços trabalhem com mais eficiência (veja a Figura 3.1).

Segurar objetos é uma boa atividade para ser trabalhada com seu filho quando ele estiver na posição de bruços. Segure um brinquedo por baixo, por cima e pelos dois lados. Segurar brinquedos na lateral estimula a rotação de bruços (rotação de prono). Embora esse tipo de rotação — ou movimento em círculo — não ocorra de verdade até os sete ou oito meses, você pode começar a estimulá-lo. A rotação de bruços é importante porque trabalha a capacidade de o bebê transferir o peso de um membro ao outro, fortalece os músculos laterais do tronco e estimula a ativação dos flexores e dos extensores (especialmente na área da cabeça e do pescoço). É também pré-requisito para engatinhar.

Durante a brincadeira de bruços, você perceberá também que seu filho consegue ficar apoiado nos antebraços com um bom controle dos ombros, ao mesmo tempo que trabalha a musculatura da cabeça/pescoço e do peito. Provavelmente ele também já está se levantando e estendendo os braços, com boa extensão dos punhos e dos dedos (agora que ele já se apóia nos antebraços há muitos meses, ganhou estabilidade suficiente nos ombros para se levantar com os braços estendidos). Também tem um equilíbrio muito melhor entre os músculos extensores da parte superior das costas e os músculos flexores abdominais, o que conta para a boa postura que vemos nesse estágio. O bebê, no entanto, ainda pode perder o equilíbrio e cair para o lado ao virar a cabeça para olhar alguma coisa. Utilize a queda em benefício dele, enquanto ele estiver de lado, e continue insistindo que ele alcance objetos nesta posição. Não demonstre nervosismo quando seu bebê cair. Nesse estágio, cair é muito comum, e, como vocês provavelmente estarão brincando sobre um tapete ou um cobertor macio, o tombo não vai machucar o bebê. Os bebês tendem a ficar mais assustados quando vêem que os pais estão preocupados.

Preocupações Mais Comuns

Quando minha filha rola e fica de bruços, os braços dela ficam presos embaixo do seu corpo. O que devo fazer?

Essa situação geralmente ocorre quando o bebê tem dificuldade em transferir o peso e afastar o corpo dos braços. Você pode ajudá-la colocando a mão sobre o bumbum dela e afastando devagar o corpo dos braços. Por exemplo, se o braço direito estiver preso, coloque o peso dela no lado esquerdo para que este braço possa se mexer livremente até a posição correta e ela possa se apoiar. Praticar continuamente esse ato de rolar ajuda. Lembre-se de virar o bebê para os dois lados. Não favoreça apenas um dos lados.

Você vai notar que, enquanto o bebê estiver de bruços e apoiado, ele tentará pegar o objeto com uma das mãos e manterá o outro braço estendido. O ombro não "desmoronará" tão facilmente (tente manter-se nessa posição e veja quanto tempo você consegue!). Isso nos mostra que os músculos dos ombros estão mais fortes e toleram cargas maiores de peso. De fato, quanto mais o bebê virar a cabeça para olhar para os objetos (ou tentar pegá-los), mais os músculos dos ombros vão trabalhar e ficar mais fortes. À medida que a capacidade de transferir mais peso aumenta, as reações de equilíbrio também aumentam e continuam a melhorar durante as brincadeiras de bruços. Como conseqüência, seu filho talvez queira ficar mais de bruços do que de costas nesse período. Com cerca de cinco meses, ao ficar de bruços, seu filho também já consegue manter as pernas para baixo com mais facilidade. Isso faz com que ele consiga arrastá-las ao tentar alcançar um objeto, o que resulta na movimentação para trás. Para alguns bebês, este é o primeiro indício de uma mobilidade independente (além de rolar) — e alguns bebês se tornam peritos nisso.

Deitar de Lado e Rolar

Ultimamente, você deve estar vendo seu filho rolar bastante de lado. Neste momento, o bebê provavelmente parece estar "caindo" para o lado e então rolando, que é um movimento mais controlado por ele. Como mencionei no Capítulo 1, se um movimento é bom para o bebê, ele vai repeti-lo diversas vezes. Conseqüentemente, quanto mais ele praticar, mais controle terá sobre o movimento. Dessa maneira, começará a rolar para o lado propositalmente.

Preocupações Mais Comuns

Minha filha não está se apoiando de bruços, rolando ou engatinhando, e, de acordo com o que consta nos livros, ela deveria estar. Por quê? De resto, tudo parece normal. Devo me preocupar?

É importante saber que, embora a progressão do desenvolvimento seja geralmente a mesma para todos os bebês, o grau varia de um bebê para outro. Por exemplo, todos os bebês sentam antes de andar, mas a idade em que aprendem a sentar e a andar varia. Alguns bebês também não gostam de certas fases da seqüência de desenvolvimento (como brincar no chão) e, dada a oportunidade, minimizam o tempo que passam nisso. Se sua filha, com 10 meses, não senta, mas adora ficar em pé, então ela pode estar abreviando parte da seqüência de desenvolvimento. Caso isso ocorra, é importante consultar um pediatra.

Estudos mostram que recém-nascidos que dormem de costas têm atrasos nas aquisições motoras grossas, como rolar e engatinhar (esses atrasos não são permanentes — os bebês se recuperam). Apesar disso, é importante que seu filho durma de costas, porque estudos também mostram que dormir assim diminui o risco da SIDS (Síndrome da Morte Súbita Infantil). O que esses estudos realmente nos mostram é que nossos filhos precisam ficar o máximo possível de bruços quando acordados — e não que devemos mudar os padrões de sono deles. É muito melhor manter seu filho seguro do que se preocupar com potenciais atrasos mínimos de desenvolvimento, mesmo porque, ao aumentar a brincadeira de bruços, isso poderá ser compensatório.

Se seu bebê não estiver se apoiando de bruços aos quatro ou cinco meses e tiver pouco controle da cabeça — ou ainda se não estiver engatinhando aos 10 meses — você deverá consultar um pediatra.

Para ajudar o bebê com o endireitamento e o controle lateral da cabeça, role-o para deitar de lado. Ao colocá-lo nessa posição, ele vai levantar a cabeça para o lado. Nessa idade, a cabeça vai permanecer sobre a superfície quando estiver deitado de lado. Eventualmente, ele vai conseguir levantá-la nesta posição (veja a Figura 3.2).

Para ficar deitado de lado, o bebê precisa de um bom alinhamento e também trabalhar os músculos flexores e extensores. Sendo assim, quanto mais tempo o bebê ficar brincando nessa posição, maior equilíbrio e controle desenvolverá sobre os músculos da frente e de trás (flexores e extensores). Deitado de lado, a pélvis precisa estar em posição neutra — nem muito para frente nem para trás. Para facilitar essa postura, você pode colocar as mãos na pélvis do bebê. Quando você mover devagar a pélvis para trás, os músculos flexores abdominais vão trabalhar mais, e, quando você mover devagar a pélvis para frente, os músculos extensores das costas vão trabalhar mais.

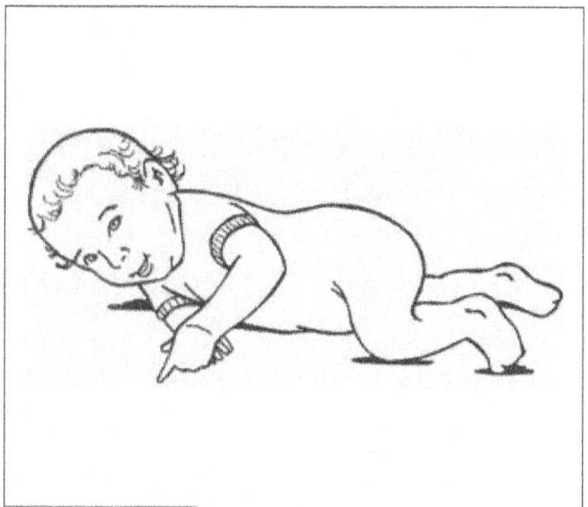

FIGURA 3.2

Deitar de Lado e Rolar

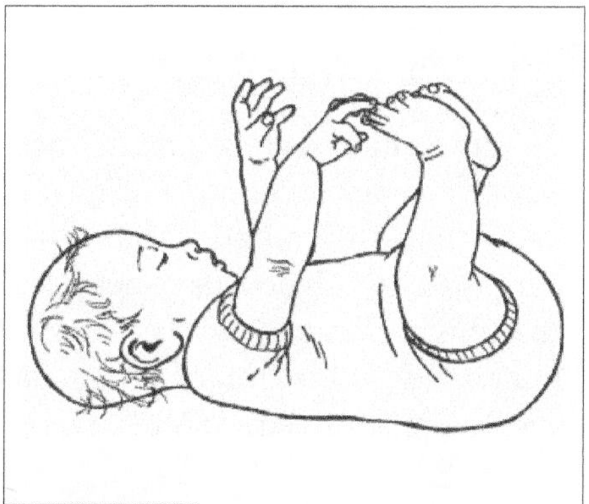

FIGURA 3.3

Brincar com os Pés

Preocupações Mais Comuns

Trabalho em casa e não posso estar todo o tempo com o meu filho de quatro meses. Pensei que um cercadinho fosse mantê-lo seguro e ocupado. Ele é muito novo para ficar em um cercadinho sozinho?

Se você tem interesse em manter seu filho em um cercadinho mais tarde, realmente é melhor começar logo. Se esperar até que ele esteja se movendo por toda a casa, ele poderá se sentir preso. No entanto, se o cercadinho for um local onde ele se sinta confortável, ele poderá realmente curti-lo como um espaço só dele. De qualquer maneira, não deixe o bebê no cercadinho por muito tempo — os bebês não gostam de ficar sozinhos por longos períodos. Ser colocado no colo pelos pais ou responsáveis ajuda a dar segurança emocional. E também é importante saber que, embora os cercadinhos sejam ótimos para dar limites, eles limitam a curiosidade do bebê e, dessa forma, o estímulo sensorial.

Brincar com os Pés

Por volta dos cinco meses, você também vai perceber que, ao ficar deitado de costas, o bebê começa a brincar muito mais com os pés (veja a Figura 3.3). Como mencionei anteriormente, brincar com os pés é ótimo para dessensibilizá-los, para que depois os bebês possam ficar em pé e andar. Isso também faz os músculos abdominais trabalharem. Precisamos desses músculos para tudo: rolar, deitar de lado, sentar e andar. São eles que mantêm as costas retas e as reações de equilíbrio em ordem.

Quase Sentado

Entre quatro e seis meses, alguns bebês estão a caminho de se sentar sozinhos, enquanto outros estão se estabilizando, ou seja, apoiando-se para sentar e utilizando uma ou as duas mãos. Não fique alarmada se seu filho ainda não conseguir se manter sentado. Lembre-se de que cada bebê tem o seu próprio ritmo de desenvolvimento. Também considere que para sentar é preciso ter boa musculatura abdominal, das costas e dos quadris. Esses músculos já trabalham intensamente bem antes de o bebê realmente sentar. Se o seu filho continuar se apoiando com os braços, talvez seja bom você brincar mais com ele de bruços e de lado para fortalecer os músculos do tronco. Quando você sentar o bebê para brincar, vai precisar dar suporte aos quadris, o que vai ajudá-lo a ficar ereto e liberar as mãos para explorar e manipular brinquedos.

Talvez você já tenha percebido que, embora o bebê tenha um bom controle da cabeça quando está de bruços ou sentado com apoio, a cabeça ainda tende a tombar para frente se ele estiver sentado sem apoio. Isso ocorre porque os músculos extensores da coluna ainda não estão fortes o suficiente para suportar a cabeça e o pescoço. Você pode melhorar a força do seu filho dando-lhe apoio total, sentando-o no seu colo — ou sentando-se atrás dele para apoiar a cabeça e o tronco — e depois ir diminuindo esse apoio (abaixando a posição da sua mão nas costas dele) aos poucos. Não deixe a cabeça dele ir para frente. Aos seis meses, seu filho já deve ter controle total dos movimentos da cabeça, o que significa que a cabeça não cai para frente, para trás ou para os lados.

Referências de Desenvolvimento do Quarto ao Sexto Mês

- O bebê vira em direção à sua voz; reconhece os pais.
- Reconhece a diferença entre rostos alegres e tristes.
- Presta atenção — ouve quando você está falando com ele.
- Alcança objetos com os braços estendidos.
- Tem bom controle da cabeça.
- Acompanha visualmente objetos que estão além da linha média.
- Observa a própria mão.
- Pega objetos com cada uma das mãos (o bebê não deve ter uma mão preferida neste momento).
- Tem uma percepção maior de permanência do objeto e de relações causais (por exemplo, ele procura o sino/chocalho quando ouve o som, em vez de apenas ficar assustado).
- Brinca com os pés com mais freqüência.
- Rola de trás para frente — também pode estar rolando de frente para trás.
- Consegue manter a cabeça erguida a 90 graus, brincando de bruços.
- Pode sentar-se com apoio ou levantar-se com as próprias mãos.

Aos cinco meses, é possível que você note também muitos movimentos de "natação" (braços e pernas se movendo no ar) durante a brincadeira de bruços. Isso se deve à enorme quantidade de atividades extensoras que ocorrem nessa idade. Seu filho também pode gostar de ficar em pé. Na verdade, toda vez que você tenta sentá-lo, ele quer se levantar. Essa atividade nova e excitante dá novos estímulos vestibulares e proprioceptivos a ele. Embora seu pequeno explorador adore ficar em pé, *por favor,* não se concentre nessa atividade. Ainda não é para valer; é uma ativação extensora. Seu filho realmente adora a sensação de se empurrar contra uma superfície, o que faz os músculos trabalhar mais. Uma maneira de você provocar esta mesma sensação é empurrar ou inclinar os pés do bebê quando ele estiver deitado de costas. Além disso, para ficar em pé, ele precisa antes desenvolver habilidades de "níveis inferiores".

Por fim, muitas pessoas acreditam que essa é uma boa idade para colocar o bebê no andador. O mito comum é de que o andador o ajuda a ter independência, a manter o equilíbrio, a promover a exploração espacial e a fortalecer os músculos da perna. Discutirei sobre os andadores com mais profundidade no Capítulo 4. Basta dizer aqui que os andadores *não* são benéficos para o bebê. Existem atividades muito mais atraentes e vantajosas para o seu desenvolvimento, que podem ser feitas nesse estágio.

Atividades Sensoriais para Seu Bebê de Um a Seis Meses

O melhor momento para estimular o bebê, quando estiver sozinha com ele, é aquele em que ele está vigilante e contente — por exemplo, totalmente acordado depois de uma soneca ou depois da alimentação (a menos que seu filho seja do tipo que dorme depois de comer). Lembre-se de procurar os sinais do bebê que dizem quando ele está concentrado e quando já se cansou. Depois de já ter recebido bastante estímulo sensorial, o bebê fecha os olhos, vira a cabeça para o outro lado, chora, fica agitado e até soluça. Siga os sinais do seu filho e não o sobrecarregue! Do contrário, em vez de ajudá-lo a se concentrar e a acompanhar, você só vai frustrá-lo, transformando uma experiência positiva em negativa. Seu bebê sempre a avisará quando estiver pronto para mais estimulação.

Atividades para a Hora do Banho

Por volta dos cinco ou seis meses, com a musculatura das costas do bebê mais madura, você pode considerar a idéia de sentá-lo na banheira para dar-lhe banho. Um certo controle na hora de sentá-lo é necessário para essa atividade, então, siga seu julgamento para saber se o seu filho está preparado (você não quer que ele escorregue e afunde na água, o que seria assustador para ambos). Para dar-lhe mais apoio, use uma bóia (existem algumas infláveis, que facilitam o banho para você). Alguns bebês não gostam de água no rosto e, nesse caso, é melhor lavá-lo por último e delicadamente.

Uma experiência sensorial totalmente nova ocorre na banheira. É uma experiência fabulosa para vocês dois. Você não precisa de uma banheira cheia de brinquedos; um patinho de borracha e uma esponja estão ótimos. Seu filho vai permanecer ocupado com eles até que a água da banheira fique gelada demais para ficar ali — confie em mim! Você pode fazer bolinhas de sabão e soprar algumas perto dele. Tentar pegá-las é uma ótima atividade viso-motora e estourá-las também é muito divertido (bebês com problemas sensoriais, como defesa tátil, podem não gostar da hora do banho. Certos produtos, como o sabonete infantil, e algumas atividades, como soprar bolinhas de sabão, podem ser demais para eles tolerarem. Veja o Capítulo 10 para mais informações).

Estímulo Visual

Nessa idade, prestar atenção ao desenvolvimento visual do bebê é muito importante, porque o movimento do bebê é fundamentado em motivação, e a principal fonte de motivação é o estímulo visual. Além de ajudar a desenvolver a coordenação motora, o estímulo visual favorece a comunicação entre vocês. Durante os primeiros meses, o maior estímulo que você pode oferecer ao seu filho é você mesma! Os bebês *adoram* observar rostos — especialmente o da mãe e o do pai — bem como observar os seus movimentos. Com quatro ou seis semanas, seu filho vai sorrir quando você falar com ele ou lhe mostrar rostos em fotografias. Aos três meses, o bebê geralmente se diverte olhando para os movimentos das próprias mãos também. É maravilhoso ver os bebês se divertindo sozinhos. Auto-entretenimento ou brincadeira é uma habilidade importante que os bebês precisam aprender para se acalmar e é ótimo para a autonomia deles. Também é bom combinar estímulo auditivo com visual. Por exemplo, utilize chocalhos. O bebê vai ver o chocalho e vai tentar alcançá-lo ao ouvir o som.

Quando estiver trabalhando com o estímulo visual, evite que outras atividades o distraiam, já que manter a concentração é difícil para um rapazinho tão novo. Lembre-se de prestar atenção aos sinais do seu filho. Você saberá que ele já teve estimulação visual suficiente se ele fechar os olhos, virar a cabeça para o outro lado, chorar, ficar agitado ou soluçar.

Uma ótima posição para trabalhar com o estímulo visual é a reclinada, posição em que o bebê fica, por exemplo, quando está no bebê conforto. Nessa posição, torna-se mais fácil para ele prestar atenção porque o assento dá suporte, permitindo que ele se concentre no que vê e não onde está e como está se movendo. Você também pode realizar atividades visuais com o bebê deitado de costas. Se escolher essa posição, coloque sua mão sobre o peito dele. Essa pressão delicada, porém firme, ajuda a mantê-lo no chão, o que dá uma sensação de segurança para que ele não se sinta perdido no espaço. Também ajuda a manter a cabeça dele na linha média. Quando o sentido proprioceptivo do bebê estiver mais desenvolvido e o corpo parecer mais organizado, ele vai precisar de menos conforto.

Quando você não estiver trabalhando diretamente com atividades visuais, é bom mudar a posição do bebê no berço. Isso dá a ele a chance de olhar para você e para o que estiver ocorrendo ao seu redor sob ângulos e perspectivas diferentes.

Brincadeiras de Costas

Quando o bebê estiver deitado de costas, incline-se sobre ele, com o rosto acima do dele. Você pode utilizar as mãos para colocar a cabeça dele na linha média. Então mova a cabeça para os lados e estimule-o a seguir seu rosto com os olhos (ou com a cabeça toda) de um lado ao outro. Faça caretas engraçadas. Você também pode segurar brinquedos coloridos ou brilhantes — como chocalhos prateados ou prismas de plástico — para maior estímulo. Movimente-os de um lado a outro.

Com dois meses, o bebê consegue ver o teto. Para ajudá-lo a focalizar imagens mais distantes, experimente brinquedos que reflitam a luz no teto para estimular seu filho quando estiver deitado de costas. Brinquedos suspensos, como móbiles, são recursos visuais excelentes e também estimulam a intenção de pegá-los.

Brincadeiras de Bruços

Quando o bebê estiver brincando de bruços, utilize os brinquedos como pistas visuais — para que ele endireite a cabeça, apóie-se nos braços e depois possa alcançá-los. Com três meses de idade, você pode começar a usar brinquedos de "causa e efeito" (veja as listas de brinquedos).

Brincadeiras com Espelho

Coloque um espelho no chão, na frente do bebê, quando ele estiver de bruços. Ver a si mesmo vai estimulá-lo a erguer a cabeça e a levantar-se sobre os braços. Pegar o bebê no colo, acima do seu ombro enquanto ele olha para o pai, o irmão ou a si mesmo no espelho também é uma boa maneira de trabalhar com o controle da cabeça utilizando estímulo visual.

Fazer seu filho vê-la pelo espelho também é uma ótima atividade. Sorria para o bebê. Aos dois meses, ele já corresponde ao seu sorriso . Entre quatro e seis meses, os bebês adoram tentar pegar objetos que estejam além do alcance deles. Coloque o bebê deitado de costas, de bruços e de lado e guie as mãos dele até os brinquedos em todas essas posições (contudo, não puxe as mãos dele — isto vai gerar um reflexo que faz o braço voltar para trás).

Estímulos Vestibular e Proprioceptivo

Queremos favorecer o desenvolvimento de todos os sistemas corporais, e isso inclui o sistema sensorial. O sistema vestibular influencia o tônus muscular e desenvolve nosso senso de equilíbrio. O sistema proprioceptivo nos avisa onde estão nossos membros em relação ao corpo e no contexto do ambiente. Ele nos informa o que os músculos estão fazendo em um dado momento. Esses dois sentidos, como já vimos, se desenvolvem à medida que aprendemos a nos mover no espaço, e é por isso que os bebês são instintivamente compelidos a se mover contra a gravidade. Conseqüentemente, queremos que eles continuem a se mexer!

Como Ativar o Estímulo Vestibular

Embale o bebê em seu colo ou em uma cadeira de balanço. Além disso, mexa o bebê verticalmente (para cima e para baixo). Também role o seu filho. Não tomamos consciência disso, mas, como pais, colocamos nossos filhos em posições diferentes em vez de rolá-los. Na verdade, rolar é muito mais benéfico. Quando você coloca o bebê deitado de costas ou de bruços, está fazendo todo o trabalho por ele. Já quando você o rola, está ajudando-o a transferir o peso, a endireitar a cabeça e a trabalhar na ativação dos músculos da frente e de trás.

Para rolar o seu filho e virá-lo de bruços, pegue uma perna (esta será a perna de cima) e faça-a cruzar o corpo — o corpo vai acompanhá-la. Quanto mais lentamente você tirar o bebê da posição de lado, mais controle muscular isso vai exigir. Para permanecer de lado, ele precisa que a musculatura da frente e de trás estejam trabalhando. Ao rolar o bebê, você também vai ajudá-lo no endireitamento lateral da cabeça (endireitamento da cabeça para os lados). Role-o para os dois lados e não favoreça o lado "mais fácil" se seu filho exibir um.

Leve seu filho para passear no carrinho. A movimentação e os pulinhos no carrinho são estímulos vestibulares. Empurre o carrinho tanto devagar quanto rápido. E quando seu filho tiver um bom controle da cabeça, use um balanço apropriado, no seu quintal ou em um *playground*. Coloque o bebê no balanço e ponha os braços dele sobre a frente da cadeirinha (a maioria dos bebês prefere se inclinar para frente ao invés de para trás). Gosto de levar uma fraldinha comigo e colocá-la sobre o braço do balanço porque muitos bebês tentam mordê-lo e babam. Sente-se no chão e converse com o bebê, ou cante para ele, enquanto o empurra suavemente.

Com quatro ou seis meses, seu filho vai ter desenvolvido um bom controle da cabeça e melhorado o controle motor. Conseqüentemente, você já pode brincar com ele com uma bola para exercícios (a de tamanho médio, com 60 centímetros de diâmetro, funciona melhor). Coloque o bebê sobre a bola, de bruços, segure o tronco dele e role a bola suavemente para os lados, para frente e para trás. Não tenha pressa: alguns bebês podem tolerar e gostar de serem movidos mais rapidamente do que outros. Seu filho também pode gostar de sentar no seu colo para ter mais apoio, enquanto você senta na bola e suavemente pula e transfere o peso em todas as direções. Como mais um benefício, se seu filho tem muitas cólicas, pular sobre a bola pode confortá-lo. Brincar sobre a bola também é uma maneira maravilhosa de ativar os músculos dos bebês com hipotonia muscular. Continue embalando, pulando, delicadamente, e fazendo "aviãozinho" com o seu filho. Todos esses jogos colocam o bebê em posições diferentes para se mover contra (ou desafiar) a gravidade.

Como Ativar o Estímulo Proprioceptivo

Estimule o bebê a colocar as mãos nos pés. Brinque com os dedos das mãos e dos pés com jogos do tipo "mindinho..." e "este porquinho foi..." ou "vou pegar seu joelho/pé/barriga" e assim por diante. Faça-o bater palminha. Levante os braços dele sobre a cabeça e brinque de "que nenê grande!". Experimente brincar de bater palmas juntos com músicas apropriadas para bebês". Esses jogos vão ser os favoritos por muito tempo.

Estímulo Tátil

No Capítulo 1, discutimos a importância do estímulo tátil. A maneira como o corpo do bebê responde a diversas texturas e pressões durante movimentos diferentes corresponde a como ele integra as informações sensoriais e forma um conceito sobre seu corpo e o mundo, entre outras coisas.

Massageie seu filho e acaricie-o. Embora seja importante reservar um tempo especial para uma massagem, você pode dar ao pequenino esse tipo de estímulo tátil a qualquer hora do dia. Enquanto estiver segurando ou carregando seu filho no colo, faça carinho nas pernas dele, nos braços e na sola dos pés, ou, simplesmente, segure os pés.

Coloque objetos de texturas diferentes nas mãos do bebê. Fazendo isso você não só estará dando estímulo tátil, mas também fornecendo informações sobre formas, tamanho e solidez. Esse também é um bom modo de estimular o bebê a levar a mão à boca e, ao mesmo tempo, dessensibilizá-la.

Continue ajudando seu filho a experimentar texturas diferentes no corpo. Passe algodão, toalha e brinquedos de pelúcia sobre a pele dele. Continue colocando seu filho sobre a lã — agora que ele está se mexendo um pouco mais, vai gostar mais da sensação (meu filho de cinco anos ainda brinca com seu cobertor de lã e deita sobre ele para ler).

Se seu filho parecer sensível a diferentes texturas, deixe-o experimentá-las devagar, no seu próprio ritmo. Esse é o jeito dele de dominar os próprios medos. Em meu consultório, tenho um brinquedo especial (um porco-espinho de borracha) que uso como estimulação ou sensibilização tátil. Enquanto alguns bebês vão direto nele — para apertar e colocar na boca — outros olham, tentam tocar de leve e, então, afastam-se. Eles tentam novamente, tocam-no com um dedo, até que lentamente se apossam dele. Seu filho pode exibir uma resposta parecida a texturas cremosas (como iogurte ou macarrão) ou a grama e areia (especialmente quando começar a andar). Deixe-o ficar confortável no seu próprio ritmo e não o force a experimentar algo que claramente não quer. Tente, devagar, fazê-lo sentir novamente as texturas de que ele não gostou. Se ele tiver dificuldade com elas em determinado período, repita a experiência uma ou mais semanas depois. Você também pode demonstrar na sua pele primeiro, para ver se isso ajuda a estimulá-lo. Lembre-se de que a massagem e a pressão mais profunda também ajudam os bebês e as crianças a tolerar sensações e texturas diferentes.

Entre quatro e seis meses de idade, podemos aumentar as experiências oral-táteis do bebê por meio dos vários alimentos que introduzimos e aumentar o número dos brinquedos com texturas diferentes e dos mordedores que ele leva à boca. Os bebês (perto dos seis meses) adoram amassar papel. Deixe-os fazer isso, mas fique por perto, porque eles vão querer comê-lo. Seu filho também vai adorar derrubar torres nessa idade. Deixe-o manipular tipos e formatos diferentes de blocos e faça torres para ele. Além disso, deixe-o brincar com blocos e objetos que apresentem texturas diferentes (espuma, borracha e plástico, por exemplo).

Estímulo Auditivo

Lembre-se, cada bebê reage aos sons de maneira diferente. Alguns não se incomodam com sirenes e aspiradores, enquanto outros ficam muito incomodados quando ouvem barulhos altos e inesperados. No entanto, é importante dar estímulo auditivo usando freqüências e volumes diferentes. Queremos que os nossos filhos fiquem familiarizados com diversos sons diferentes. Localizar sons e ter a capacidade de identificar as relações de causa e efeito através do som (se ele mover o braço, o chocalho vai fazer barulho) são habilidades muito importantes.

Também é importante saber reconhecer as respostas do seu filho ao som — como virar os olhos, sorrir ou piscar excessivamente (virar a cabeça é uma resposta mais avançada ao som). Já que os bebês se movem em resposta ao som, o estímulo auditivo também favorece o desenvolvimento motor. Como sabemos, o estímulo auditivo também tem papel significativo no desenvolvimento da fala.

Coloque música para o bebê ouvir. A música suave geralmente acalma os bebês. Existem ótimos CDs para bebês e crianças pequenas no mercado. A música clássica, em particular, acalma na hora da soneca e de dormir. O tempo e o ritmo desse tipo de música acalmam os bebês. Se você lembrar as letras e não ficar constrangida, cante canções de ninar para o seu filho. A experiência será relaxante e aproximativa para ambos (e seu filho não vai se importar se sua afinação não for perfeita!).

Quando mostrar figuras de animais, diga o nome do animal e imite o som que ele produz. Coloque um sino no tornozelo do seu filho. Toda vez que ele chutar, o sino vai tocar. A maioria dos bebês realmente gosta de instigar esse ciclo de causa e efeito e vai repeti-lo infinitas vezes. Diga o nome do bebê quando falar com ele. Isso favorece a percepção gradativa de que ele é uma pessoa também e individual (ele vai começar a reconhecer o próprio nome e o de vocês), além de ajudá-lo a localizar sua voz.

Coloque pequenos chocalhos, de formatos e tamanhos diferentes, na mão do bebê. Isso trabalha sua capacidade de segurar objetos. Além disso, o som estimula o movimento do braço, a linha média e a transferência de um objeto de uma mão para outra. Também gera o início das brincadeiras de causa e efeito; ele chocalha o objeto e obtém um som como resultado.

Utilize instrumentos ou brinquedos musicais. Eles não precisam ser muito elaborados — uma panela e uma colher podem se transformar em um ótimo instrumento. Use os brinquedos que produzem som para estimular a movimentação do bebê. Quando ele estiver de bruços ou sentado com apoio, segure o brinquedo na frente dele, um pouco acima dele e nas laterais. Seu filho vai virar para procurar o barulho. Estimule-o a tentar pegá-lo também. Quando ele estender o braço, diga o nome do brinquedo ("Você pegou o sino!").

Checklist do Primeiro ao Sexto Mês

O Que Você Pode Fazer

- Crie rotinas para o bebê: sonecas, hora do banho, hora da alimentação.
- Brincar no chão é a chave do desenvolvimento. Brinque em todas as posições — de costas, de bruços, de lado e sentado com apoio.
- Proporcione brincadeiras com movimentação no espaço (estímulo proprioceptivo e vestibular).
- Deixe seu filho explorar os brinquedos oralmente.
- Dê-lhe oportunidade de segurar e brincar com objetos de texturas diferentes.
- Sente o bebê na cadeirinha para alimentá-lo.
- Veja se o bebê já consegue sentar corretamente sem apoio antes de usar o cadeirão para alimentá-lo.
- Use brinquedos de causa e efeito para trabalhar a permanência do objeto e as relações causais.
- Comunique-se com seu filho: converse bastante com o bebê. A menos que ele dê sinais de que esteja cansado ou estressado, ele sempre a ouvirá. Além do estímulo auditivo, você estará aumentando a cognição dele. Sorria bastante. Você ficará surpresa com os sorrisos dele em retribuição! E com isso estará ensinando a respeito das relações causais.
- Continue massageando o bebê diariamente, ou até duas vezes ao dia. Isso vai ajudar a acalmá-lo, além de aumentar o sentido tátil. E não menos importante, vai aumentar o vínculo entre vocês.

Estímulo Olfativo

Todos sabemos que tipo de efeito vários odores causam em nós. Como o sentido do olfato geralmente é elevado nos bebês, é importante manter seu filho longe de odores nocivos e deixá-lo experimentar aromas agradáveis, como leite materno, boa comida e flores. Assim como os filhotes, os bebês ficam tranqüilizados com o cheiro dos pais e com os cheiros familiares do ambiente. Lembre-se de que alguns aromas que consideramos agradáveis — como perfume, colônia ou loção após-barba — podem causar irritação nos bebês ou ser desagradáveis e/ou muito fortes para eles.

À medida que o bebê progride mês a mês, ele começa a utilizar o sentido do olfato como um mecanismo protetor — fica agitado ou afasta-se de coisas que lhe são nocivas, como a fumaça do cigarro ou leite estragado. Observe esses sinais.

Estímulo Gustativo

Neste estágio, o bebê começa a levar as mãos à boca junto com todo tipo de brinquedo, o que gera muita preocupação para os pais. Mesmo assim, você deve estimular essa atividade, porque essa brincadeira dessensibiliza a boca, diminuindo a sensibilidade do bebê aos alimentos, à escovação e aos objetos que ele leva à boca. Além disso, mastigar e chupar objetos ajuda a desenvolver a musculatura oral-motora necessária para depois ser utilizada em uma mastigação mais desenvolvida e na fala (veja no Capítulo 5 sobre o desenvolvimento oral-motor) e ensina a reconhecer texturas, formatos e tamanhos. Sugar facilita a digestão porque ativa as enzimas digestivas e ajuda o bebê a aprender como conseguir estímulo tátil sozinho. Os bebês também aprendem sobre o paladar nessa idade, experimentando os sabores diferentes do leite materno, da mamadeira e da água. Junto com o sentido do olfato, o paladar tem papel fundamental na introdução de novos alimentos.

Quando os alimentos semi-sólidos forem introduzidos na alimentação, entre quatro e seis meses, tanto o paladar quanto o olfato vão desenvolver-se. Seu bebê logo lhe mostrará (de um jeito não muito agradável — cuspindo comida em você) que não gosta de certos sabores, texturas ou odores. Cuspir é mais uma maneira visível de expressar sua opinião, assim como ficar irritado e virar a cabeça para o outro lado.

Estímulo Cognitivo

As habilidades cognitivas nesta idade são geralmente medidas pela coordenação motora (bater e pegar brinquedos) e pela habilidade expressiva (vocalizar sons, mostrar sinais de prazer e de desconforto, reagir aos pais e rir para eles).

A maioria das atividades que discutimos até aqui aumenta o desenvolvimento cognitivo. Acompanhar visualmente, sorrir e tentar pegar objetos são sinais de cognição. A cada vez que o bebê pega um brinquedo e o derruba, ele vai desenvolvendo a compreensão da permanência do objeto. A cada vez que sorri para você e você retribui o sorriso, ele está aprendendo sobre as relações causais.

Pratique a permanência do objeto: jogue um brinquedo no chão. Seu filho vai vê-lo caindo e, vendo-o no chão, conseguirá entender que ele ainda existe, pois é o mesmo objeto que você jogou. Os bebês adoram a emoção desse "jogo" e querem praticá-lo por conta própria constantemente. Brinque de "achou". Cubra e descubra o rosto enquanto diz "achou!". Seu filho vai adorar esse jogo, que aumenta a compreensão da permanência do objeto e das relações causais.

E Lembre-se Sempre...

- *Faça as atividades de acordo com a tolerância do bebê; não o exercite da maneira como nos exercitamos. Estabeleça períodos freqüentes de exercícios, porém de pouca duração.*
- *A repetição é importante. Nós podemos nos cansar de uma atividade repetida muitas vezes, mas nossos filhos não. A repetição ajuda a adquirir o domínio de todo tipo de habilidade de desenvolvimento.*

CAPÍTULO

4

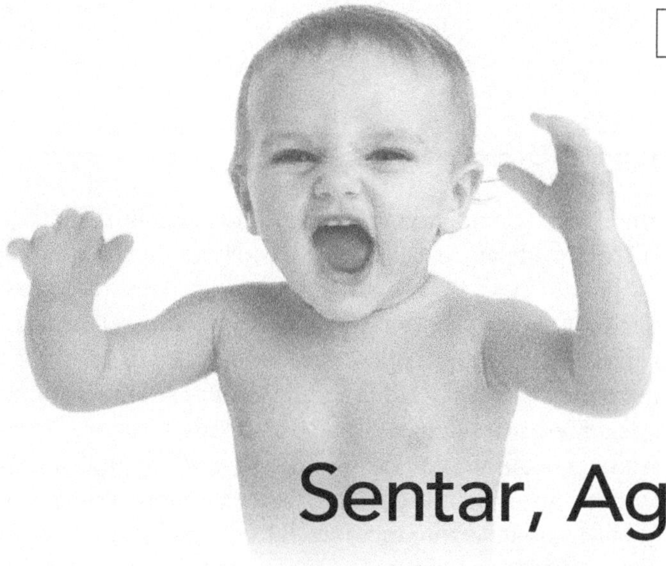

Sentar, Agachar e Ficar em Pé

Desenvolvimento Físico e Atividades do Sétimo ao Décimo Segundo Mês

O período entre o sétimo e o décimo segundo mês apresenta uma grande transição. A crescente independência do bebê somada ao domínio de seus movimentos vai emocioná-la e surpreendê-la constantemente. Você verá claramente como os movimentos voluntários dele agora superam os aleatórios. Por exemplo, agora ele pode pegar um objeto com uma das mãos enquanto a outra está ocupada explorando a boca, brincando com o pé ou alisando a barriga.

Como os movimentos do seu filho são voluntários agora, os membros dele se tornam mais funcionais. Os braços ajudam a perceber o mundo cada vez mais. As mãos são os instrumentos para a vida. De fato, utilizamos as mãos para aprender (sobre formas, estruturas e texturas e para interpretar as informações sensoriais), para manusear coisas, para compartilhar nossas emoções e para nosso sustento. Também utilizamos as mãos para organizar o corpo. Quando o bebê está deitado de costas e aperta a mão contra o peito, ele está organizando e assim se acalmando. Mesmo quando o bebê agarra seu dedo, ele está se tranqüilizando. No entanto, quando estiver bravo, vai abrir os braços e afastá-los do corpo.

Destreza com as Mãos e os Dedos

Os movimentos aumentam consideravelmente durante a segunda metade do primeiro ano de vida. Você pode até ficar exausta vendo com que freqüência ele muda de posição — deitado de bruços para agachado em quatro apoios, sentado e de volta à posição de bruços — sem parar. Da sua conquista inicial, rolar, até o domínio do engatinhar, se apoiar para ficar em pé e dar os primeiros passos, ele vai finalmente conquistar a verdadeira independência com o andar. Tudo isso durante esses seis meses! Imagine se você tivesse um treinador físico que dissesse: "Nos próximos seis meses, vou fazer você levantar 50 quilos antes do café, correr 15 quilômetros antes do almoço e nadar 2.500 metros depois, e então vamos fazer algumas acrobacias que incluem saltos duplos mortais depois de uma apresentação de solo". Isso equivale ao que seu bebê está realizando — e esse é apenas o lado físico! Gradativamente ele vai percebendo que sua capacidade de explorar o mundo será ilimitada. Essa nova autonomia vai eventualmente levar seu filho às tentativas e tribulações do primeiro ano, bem como ao "maravilhoso segundo ano".

Para o bebê utilizar as mãos, ele precisa de um bom tônus postural, estabilidade, mobilidade e um sistema nervoso intacto. Também precisa da coordenação viso-motora corretamente desenvolvida, da percepção visual e da cognição. Apesar de ser uma longa lista de conquistas para alguém que chegou por aqui há apenas seis meses, não é preciso se assustar com ela, pois são os movimentos do bebê que o ajudam a desenvolver todas essas habilidades exigidas. Por exemplo, o simples ato de estender o braço e pegar algo estimula o cérebro e aumenta a coordenação viso-motora.

Seu filho tem controle voluntário dos braços e das mãos antes de tê-lo nas pernas. Esse desenvolvimento é possível por causa da estabilidade dos ombros, alcançada com as brincadeiras no chão durante os primeiros seis meses (em geral, precisamos ganhar estabilidade para obter mobilidade). Ganhamos estabilidade nos braços a partir dos ombros e obtemos estabilidade nos dedos a partir dos punhos e palma das mãos. A escápula dá estabilidade para que o osso do braço possa se mexer. O cotovelo então gradua o movimento do braço para que o movimento da mão possa ser mais preciso. O antebraço ajuda a *posicionar* a mão enquanto o punho dá *estabilidade* e *mobilidade* a ela. Pode parecer exaustivo falar sobre o desenvolvimento distal (da mão) tão detalhadamente, não da importância das mãos, e sim da complexidade de cada movimento que fazemos. Por exemplo, pense nas diferentes posições que fazemos com o punho: quando escrevemos, o punho está estendido; quando comemos, o punho está em posição neutra; e quando fechamos as calças, flexionamos o punho.

Durante este período, a destreza dos dedos do bebê aumenta consideravelmente. Você pode notar o desenvolvimento da habilidade dos dedos na forma de pinça. A bolacha que ele inicialmente revolvia pela mesa do cadeirão vai, aos 12 meses, ser delicadamente segurada entre o polegar e o indicador. É claro que existe uma progressão dessa habilidade — e, assim como na maioria das conquistas do bebê, há muito além do que os olhos podem ver. Aos nove meses, ele já pode pegar objetos pequenos utilizando uma pinça lateral (usando o polegar e a lateral do indicador) e logo depois progredir para uma pinça inferior (usando a parte interna do indicador e do polegar). Ao mesmo tempo, ele pode bater palmas e "fazer tchau". Você pode se surpreender ao ver que seu filho agora é um colecionador — ou melhor, um "apropriador" — tentando pegar e segurar diversos objetos ao mesmo tempo.

Essa maior habilidade para manipular objetos pequenos impulsiona o estímulo sensorial porque permite uma exploração muito mais detalhada e a manipulação de todo tipo de coisa que atrai a atenção do pequenino. Soltar objetos pequenos também se torna mais intencional. Você se lembra como o seu filho costumava segurar seu dedo com força e não soltava? Agora ele já consegue soltar, porque o reflexo de preensão enfraqueceu e foi suplantado pelos movimentos voluntários. Aos 11 meses, você vai se surpreender ao ver seu bebê sentado enchendo potes e depois os esvaziando e adorando jogar os brinquedos no chão. Ele fica freqüentemente apontando, mexendo e finalmente consegue soltar aquela argola brilhante do chaveiro! A pinça inferior (uso da parte interna do indicador e do polegar) agora já se desenvolveu e tornou-se uma verdadeira pinça (ele usa as pontas do polegar e do indicador). A exploração manual agora toma o lugar da exploração pela boca. O pequenino também adora imitá-la nesse estágio. Ele pode começar a rabiscar nos seus papéis ou balbuciar com o telefone na mão. Dê a ele uma colher e ele vai mexer seu próprio café imaginário.

Atendendo às Prioridades

Continuamos com a importância da coordenação motora fina para o desenvolvimento físico e para nossa capacidade de aprendizagem. Entretanto, antes de o bebê adquirir uma forte coordenação motora fina, ele precisa ter desenvolvido as seguintes habilidades:

- Estabilização dos ombros e dos punhos (através das atividades de sustentação do peso nas extremidades superiores).
- Bom desenvolvimento do polegar. Precisamos do polegar para segurar corretamente, apertar, e como preparação sensorial para a mão. Isso significa que precisamos de boa oposição do polegar, que ocorre quando o

polegar está abduzido ou afastado da mão, e a articulação distal do polegar está flexionada — pense na posição do seu polegar quando você segura uma caneta.

- Desenvolvimento dos arcos das mãos. Tente fazer a letra C com a mão e note a posição da palma. Ou observe a posição da palma da mão quando estiver segurando uma caneta. Isso é o arco da mão. Uma maneira de desenvolvê-lo é o bebê engatinhar enquanto segura um brinquedo.
- Força adequada nos músculos das mãos e dos dedos, adquirida principalmente pelas diversas atividades de manipulação que fazemos um pouco mais tarde, entre o primeiro e o segundo ano de vida (colorir, brincar com massinha de modelar etc.).
- Pressão do toque, que envolve segurar os brinquedos com a pressão correta — nem muito forte nem muito fraca.

O Desenvolvimento do Sétimo ao Nono Mês

Atividades no Chão

Todas as atividades realizadas no chão que seu filho já está dominando com seis meses — e todas as outras que ele aprenderá nos próximos seis meses — ajudam a preparar e a fortalecer a região dos ombros e do tronco para maior controle postural, funcionamento das mãos e equilíbrio. Essas atividades incluem brincadeiras de bruços, apoiado nos braços, deitado de lado, equilibrando-se em quatro apoios (ou posição de engatinhar), balançando-se sobre as mãos e os joelhos, virando de bruços e engatinhando (que vamos discutir na seção sobre locomoção).

Brincadeiras em Prono e em Supino

Agora seu filho provavelmente já prefere brincar de bruços a brincar de costas. Isso é bom, porque brincar de bruços é muito mais funcional nesse estágio. Brincar de bruços aumenta o uso e a força da região dos ombros, dos extensores do quadril e dos músculos abdominais, que são necessários para manter o bom alinhamento em todas as posições. O bebê já pode se virar de bruços, como o movimento de um compasso. Com sete meses, pode até se arrastar de barriga no chão. Nem todos os bebês chegam a se arrastar; de qualquer modo, isso exige os mesmos movimentos do engatinhar com quatro apoios. Para arrastar-se, o bebê precisa transferir o peso da parte superior do tronco para o braço de apoio e estender o outro braço. Simultaneamente, a parte inferior do tronco transfere seu peso para a perna dobrada (ou flexionada) oposta ao braço estendido. O braço e a perna oposta vão se mover para frente quando o tronco transferir o peso para eles, e assim por diante.

Nesse estágio, é importante estimular o bebê a virar-se quando estiver de bruços ou fazê-lo se movimentar em círculo (veja a Figura 4.1). Essa atividade é boa para a co-contração, ou ativação, dos grupos musculares e do controle abdominal. Para estimular essa atividade, experimente colocar brinquedos na lateral do bebê de modo que estes fiquem longe o suficiente para que ele precise se mover e/ou estender o braço para pegá-los. Mova os brinquedos em um arco contínuo (fazendo um círculo) nas duas direções. Só não coloque o brinquedo tão distante a ponto de frustrar o bebê.

Perto dos sete meses, você talvez perceba que seu filho já realiza com perfeição as reações de equilíbrio em supino (de costas). Ele consegue ficar encolhido em posição de bola sem cair para os lados e até leva os pés à boca. Isso mostra que o bebê tem bom tônus abdominal e um maior sentido proprioceptivo de onde o corpo está no espaço.

Preocupações Mais Comuns

Minha filha fica muito entediada ao brincar de bruços. Essa posição a deixa irritada o tempo todo. Ela fica muito mais alegre quando a pego no colo, pois assim ela pode olhar à sua volta. Por que isso não é bom?

Em primeiro lugar, porque os bebês não ficam "entediados" — eles sentem-se frustrados e com pouca concentração. Mesmo assim, é fundamental continuar com as brincadeiras no chão para melhorar o desenvolvimento do centro (do tronco) da sua filha. Se o tronco estiver fraco, a postura dela pode sofrer com isso. Além disso, habilidades motoras

FIGURA 4.1
Virando-se de Bruços

FIGURA 4.2
Apoiar-se de Lado

mais avançadas — como andar, correr e futuramente praticar um esporte — também podem ficar comprometidas. Parte do motivo pelo qual as dores lombares em adultos são tão prevalentes deve-se à musculatura fraca e ao pouco controle postural. Vamos tentar educar nossos filhos desde cedo, e talvez possamos evitar que tenham muitas dores nas costas mais tarde.

Apoiar-se de Lado

Embora, antes, deitar de lado fosse bom para trabalhar os músculos da frente e de trás, apoiar-se de lado é agora uma posição funcional para brincar. Seu filho pode agora se apoiar sobre um braço e manipular objetos com o outro, ao mesmo tempo em que mantém a cabeça ereta e não cai (veja a Figura 4.2).

Apoiar-se de lado é uma ótima posição para brincar porque exige muita sustentação do peso sobre um ombro, bom alongamento do tronco do lado, o qual está sustentando o peso, e a "dissociação das extremidades inferiores" (quando uma perna fica dobrada e a outra estendida). Essa postura também é importante para a mobilidade e a rotação pélvica, que ajuda a preparar o corpo para atividades mais avançadas, como andar. É preciso muito controle e equilíbrio para manter essa postura enquanto se brinca. Se você praticar ioga, vai conhecer essa postura como *prancha de lado*. Se não lhe é familiar, tente fazê-la. De qualquer maneira, você vai entender imediatamente o quanto é difícil manter essa postura. Imagine quanto esforço o seu filho faz!

Apoiar-se de lado é importante para aumentar a força dos ombros e a co-contração ou ativação dos músculos flexores e extensores (isto é, fazer os músculos da frente e de trás trabalharem juntos, como descrito no Capítulo 1). Se seu filho ainda não brinca nessa posição, isto pode significar que ele ainda esteja trabalhando a estabilidade do tronco, ou que ele ainda não tenha estabilidade suficiente nos ombros para suportar o seu peso sobre um braço: você pode ver a falta de estabilidade do tronco quando ele senta e põe uma mão para baixo (para se estabilizar) enquanto estica ou brinca com a outra mão. A partir dessa posição, apoiado de lado, o bebê costuma virar para brincar de bruços, ou fica sobre quatro apoios quando já está preparado para isso.

Em Quatro Apoios

Alguns bebês já podem ficar sobre as mãos e os joelhos, algo conhecido como *posição em quatro apoios*. No começo, os cotovelos do bebê costumam ficar travados quando ele está nessa posição. Além disso, quando o bebê começa a tirar a barriga do chão, ela tende a cair e as costas ficam curvadas. Isso se deve à musculatura abdominal fraca ou à grande separação (abdução) das pernas, ou, ainda, a uma combinação das duas coisas. Mas, rapidamente, balançar sobre as mãos e os joelhos se torna um novo passatempo, que permite ao bebê brincar com a amplitude de movimentos dos braços. Balançar é um estímulo vestibular e proprioceptivo para as articulações que sustentam o peso. Também fornece estímulo sensorial às mãos e aos joelhos.

No começo, nessa posição, os quadris e os braços não têm força suficiente para agüentar o peso do corpo. Com o tempo e a prática, o controle do quadril e do tronco do bebê, bem como a estabilidade nos ombros, vai aumentar (veja a Figura 4.3). Além disso, toda a sustentação do peso sobre o quadril ajuda a desenvolver essa articulação. Este desenvolvimento é fundamental para a capacidade de engatinhar e andar (se o quadril for pouco desenvolvido devido a uma má formação ou problema neurológico que iniba a sustentação do peso, ela será rasa. Conseqüentemente, o osso da perna pode escorregar para fora ou deslocar facilmente).

Posição de Urso

Aos nove meses, seu filho será capaz de fazer a transição entre estar de bruços ou sentado para ficar em quatro apoios mais facilmente, em razão do melhor controle motor e a maior mobilidade do quadril. Alguns bebês de oito ou

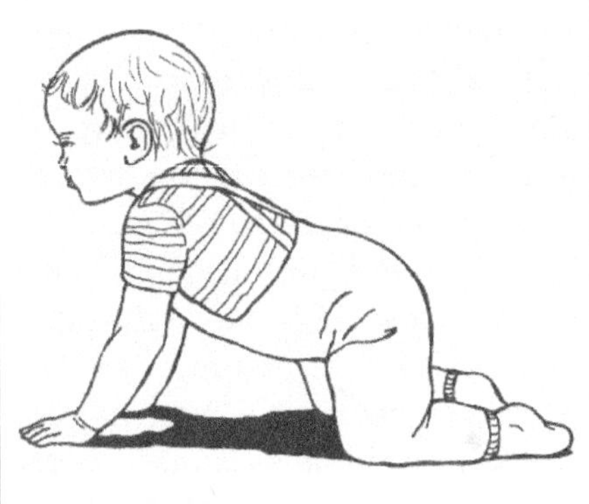

FIGURA 4.3 Boa Postura em Quatro Apoios

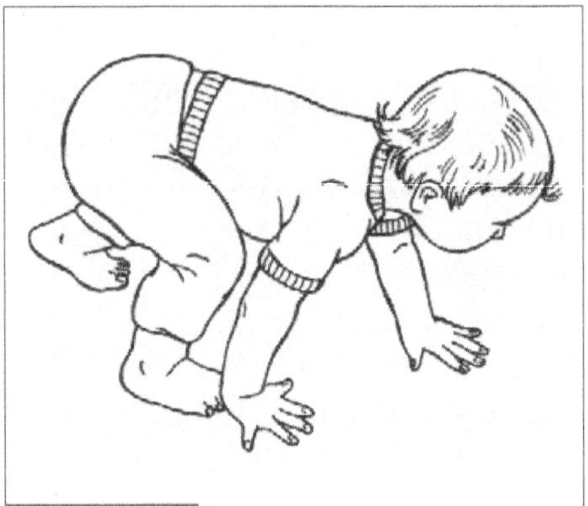

FIGURA 4.4 Andar na Posição de Urso

nove meses ficam na posição do *urso* sem precisar de ajuda. Eles passam do apoio nas mãos e nos joelhos para as mãos e os pés (veja a Figura 4.4). Essa posição é mais difícil do que a de quatro apoios (engatinhar) porque exige uma excelente estabilidade na região dos ombros e maior controle das extremidades inferiores: joelhos, tornozelos e pés. Alcançar essa posição vai dar ao bebê mais força na parte superior do corpo e também vai ajudá-lo a alongar os tendões das pernas. Quando o seu filho começar a ficar em pé, a posição de urso também vai ajudá-lo a prevenir acidentes quando cair: ele pode cair na posição de urso e dessa forma impedir a queda no chão. Se o bebê não estiver fazendo essa posição, não se preocupe. Existem diversas sugestões sobre como facilitá-la quando ele estiver um pouco mais maduro.

Mobilidade Pélvica

Assim como a articulação do quadril, a da pélvis muda bastante durante o primeiro ano de vida. Em primeiro lugar, a mobilidade da pélvis aumenta. Você verá uma inclinação anterior (para frente) da pélvis quando seu filho ficar com os braços esticados durante a brincadeira de bruços, e uma inclinação posterior (para trás) quando ele estiver deitado de costas brincando com os pés. Quando ele começar a sentar de lado, você vai notar uma rotação pélvica. Engatinhar também estimula essa rotação. Com nove meses, você vai ver ainda mais movimentos de rotação.

Quando o bebê começa a ficar em pé, ele não faz rotação da pélvis, mas move-a para os lados ao transferir o peso. No entanto, quando começar a soltar

FIGURA 4.5

Posição de Borboleta

uma das mãos que ele segurava a mesa ou o sofá, você vai notar a rotação da pélvis (porque um pé vira externamente).

Pense em todas as coisas simples que fazemos que exigem movimento pélvico. Só para sentarmos, precisamos da inclinação pélvica posterior. Para levantarmos, precisamos da inclinação anterior. Tanto subir degraus quanto andar exigem rotação pélvica, assim como virar para trás para conversar com alguém ou ver alguma coisa.

Sentar-se

Uma vez em quatro apoios, o bebê pode passar para a posição sentado, que simplesmente chamamos de "sentar-se". Este é um grande marco! Você se lembra de todas as vezes que o rolou para que ele se sentasse? Agora ele já tem alguma independência e faz isso sozinho. Geralmente, ele consegue isso levando o peso para trás, sobre as pernas, e usando a rotação do tronco para completar o movimento. É nesse momento que começamos a perceber o aparecimento da rotação do tronco, que é fundamental para praticamente tudo que fazemos — entrar e sair das posições (movimento transicional), pegar algo ao lado do corpo, andar, correr e equilibrar-se.

Estando sentado, seu filho pode cair inicialmente — especialmente se transferir o peso rápido demais. Se os extensores forem mais fortes que os flexores, ele pode cair para trás ou colocar uma das mãos no chão para se estabilizar. Da mesma forma, se o controle do tronco do bebê não estiver maduro o suficiente, ele vai ou cair para o lado ou colocar uma das mãos no chão para se estabilizar. Essa resposta é conhecida como *proteção lateral*. Mas, se o controle do tronco estiver bom, ocorre uma resposta de equilíbrio e seu filho consegue sentar. Para sentar sem cair, o bebê também precisa de uma musculatura abdominal forte (para manter as costas eretas) e um bom controle da cabeça (para que ela não caia para frente nem para trás).

Agora, a maioria dos bebês, quando está sentada, consegue colocar as pernas em posições diferentes. Contudo, alguns bebês podem ainda usar a posição

FIGURA 4.6 Posição de Borboleta Modificada

FIGURA 4.7 Sentado Alongado

de borboleta (com os quadris abduzidos e rodados externamente e os joelhos dobrados para dar maior apoio; veja a Figura 4.5). Essa nova mobilidade facilita ao bebê sentar e sair dessa posição. Ele ainda vai usar a proteção lateral para evitar a queda caso perca o equilíbrio. A proteção lateral também possibilita que ele transfira seu peso enquanto tenta alcançar um objeto. As reações de equilíbrio, agora mais desenvolvidas, também permitem que ele tente alcançar algo e comece a virar de lado sem cair. A combinação de maior equilíbrio com maior liberdade de movimentação das pernas deixa as mãos do bebê livres para manipular objetos e, assim, receber mais estímulo sensorial (que aumenta a cognição).

Aos oito meses já senta perfeitamente e é a posição preferida. Seu filho não precisa mais ficar na posição de borboleta porque consegue utilizar o tronco para se estabilizar (veja a Figura 4.6). Você notará que as pernas ficam mais juntas e os joelhos esticados (veja a Figura 4.7). Entretanto, o bebê pode voltar a ficar sentado na posição de borboleta quando estiver fazendo atividades motoras finas (como brincar com blocos) para ter maior estabilidade. Sentado, seu filho pode agora fazer a rotação da coluna com boa extensão das costas (para uma boa rotação, ele também precisa de bom controle diagonal através dos músculos abdominais oblíquos). Essa nova habilidade permite a ele que, sentado, estenda os braços em todas as direções e ainda fique em quatro apoios e volte a se sentar sem dificuldade. Ele também vai precisar da rotação para ter bom equilíbrio e mobilidade. Quando somos adultos, a necessidade de uma boa rotação da coluna é bem aparente também. Se você já teve a infeliz experiência de ter dor nas costas ou outros problemas que exigissem cuidados com os movimentos da coluna, deve saber o quanto a mobilidade e o funcionamento ficam limitados.

FIGURA 4.8

Sentado em *W*

Como tantas outras coisas relacionadas ao movimento, pensamos que nossas capacidades estão garantidas até deixarmos de tê-las. Esta é mais uma razão para prestar mais atenção ao desenvolvimento físico do seu filho. Aos nove meses, o bebê pode estar estável para sentar de lado e brincar. Ele não precisa mais utilizar as pernas para dar apoio.

No entanto, crianças com hipotonia muscular têm dificuldade em sentar com bom alinhamento e com a incorporação da rotação do tronco em seus movimentos. A rotação do tronco exige equilíbrio entre os músculos flexores e extensores, algo que essas crianças podem ainda não ter. Se seu filho não estiver sentando com as pernas abertas e as costas eretas até os nove meses, peça ao pediatra para verificar o tônus muscular dele.

Preocupações Mais Comuns

Percebi que minha filha sempre vira as pernas de um jeito estranho quando está sentada, formando um W. Parece que deve realmente doer os joelhos! Por que ela faz isso?

Alguns bebês costumam ficar sentados em *W*, com as pernas viradas para trás (veja a Figura 4.8). Crianças que geralmente não têm muita estabilidade no tronco usam essa posição. Ao ficarem com as pernas para trás, elas aumentam sua base de apoio. Conseqüentemente, não precisam se preocupar com o equilíbrio. Entretanto, a pélvis fica bloqueada em uma posição, tornando difícil a rotação para entrar e sair da posição em *W* e para brincar. As crianças que sentam constantemente nesta posição podem ter hipotonia muscular e, assim, atrasar-se para engatinhar ou andar. Sentar-se nesta posição também pode afetar os ligamentos e a estrutura óssea do quadril e dos joelhos. Se seu filho está sempre sentado nessa posição, coloque as pernas dele para frente e diga "Pernas para frente". Você também pode tentar mover os quadris dele para um dos lados (com as pernas juntas e dobradas) e observar se ele traz as pernas para frente a partir dessa posição. Dessa forma, ele também vai sentir como é transferir o próprio peso. Depois de um tempo, você só terá de dizer "Pernas para frente" e seu filho vai mudá-las sozinho.

FIGURA 4.9

Bebê Inclinando para Trás

Se seu filho tem uma tendência a se inclinar para trás e encolher os ombros quando está sentado (veja a Figura 4.9), tente apoiá-lo segurando o tronco dele e estimule-o a ir para frente colocando brinquedos na frente dele. Observe se as costas e os ombros relaxam. Quanto mais acima você colocar a mão no tronco dele, mais apoio vai dar (veja a Figura 4.10). Quanto mais abaixo segurar, mais seu filho vai trabalhar os músculos do tronco e as reações de equilíbrio (veja a Figura 4.11). Talvez você precise colocar as mãos nos ombros dele e pressioná-los delicadamente (veja a Figura 4.12).

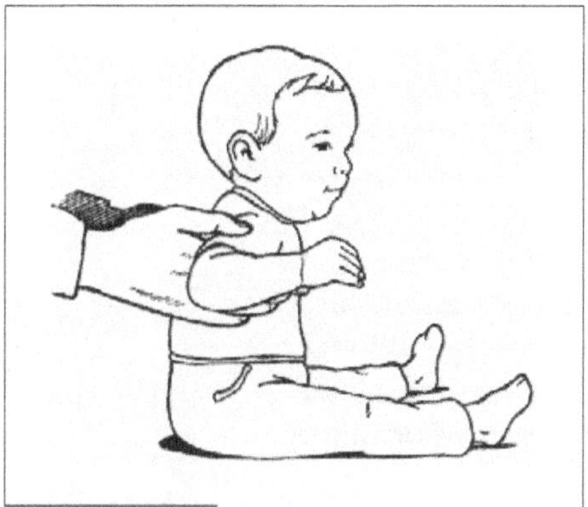

FIGURA 4.10

Segurando o Tronco Mais Acima

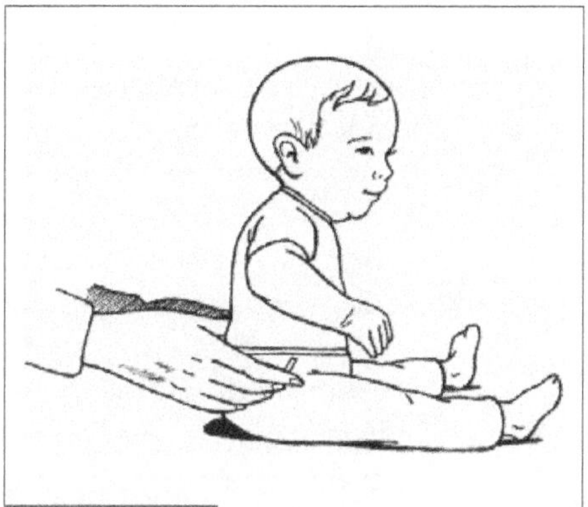

FIGURA 4.11

Segurando os Quadris

FIGURA 4.12

Pressionando Delicadamente os Ombros

Preocupações Mais Comuns

A coluna da minha filha fica curvada quando a coloco sentada. Isso é normal?

Sim, todos os bebês começam a sentar com a coluna curvada. Primeiro eles se apóiam colocando as mãos no chão na frente deles. À medida que a musculatura da coluna se fortalece, as crianças começam a sentar-se corretamente e não precisam mais do apoio dos braços. O que não devemos fazer é colocar nossos filhos sentados muito cedo. Sua filha deve usar corretamente a musculatura das costas primeiro nas posições no chão. Por exemplo, ela deve conseguir se apoiar de bruços e se estabilizar. Você também precisa observar se ela tem um bom controle da cabeça e uma ativação abdominal, quando ela estiver deitada de costas brincando com os pés.

Durante esse período, pode parecer que o bebê ou decidiu ser ginasta ou fica de bruços para empolgar a busca. Ele adora tombar o corpo e a cabeça para trás contra o encosto do cadeirão, ou trombar em você quando está no seu colo. Isso tudo faz parte da grande atividade extensora que ocorre naturalmente enquanto o bebê aprende sobre as limitações e as extensões dos movimentos. Ele está testando sua força e até onde pode ir. Conseqüentemente, está recebendo um estímulo sensorial incrível com seus esforços. Embora todos esses movimentos forçados sejam irritantes para você no começo, saiba que os flexores (músculos abdominais e frontais) vão modificar essa atividade criando uma força oposta ao movimento extensor. A atividade extensora ocorre antes da flexão e dá a estabilidade que precisamos para ficar em pé. Mas é a flexão que nos dá equilíbrio e controle. Essa ativação flexora (abdominal em especial) estabiliza a caixa torácica e a região dos ombros.

Locomoção

Engatinhar, ajoelhar, apoiar-se para ficar em pé e dar os primeiros passos são tipos de locomoção que ocorrem nesse estágio do desenvolvimento do seu filho. Lembre-se de que o que você considera "engatinhar" — arrastar-se para frente de bruços — *não* é engatinhar, é o "rastejar militar". Engatinhar é mover-se em quatro apoios, tema que trataremos a seguir.

Engatinhar

Estando sentado, o bebê consegue agora ir para frente e ficar sobre as mãos e os joelhos (em quatro apoios) e começa a se mover a partir dessa posição ou a engatinhar. Logo depois que seu filho se sentir confortável em quatro apoios e balançando para trás, ele vai começar a engatinhar. Nesse ponto, muitos bebês usam o engatinhar como o principal método de locomoção. Alguns bebês podem até engatinhar para trás. Na verdade, isso é muito comum. Para estimulá-lo a engatinhar, tente colocar os brinquedos fora do alcance dele.

Quando o bebê ganha mobilidade, a vida fica realmente exaustiva para você! Bebês a caminho não se distraem com facilidade, eles seguem seu destino e nada (exceto, se você os segurar) os detém de seu curso. Aos 10 meses, eles até saem da sua vista engatinhando, apreciando suas excursões independentes sem perceber seu terror momentâneo de "perdê-los". Vire-se por um minuto e talvez alguma "investigação" do seu filho provoque confusão. O tempo dispensado ao telefone só para falar meia frase já pode ser o suficiente para que você precise correr atrás do pequenino que estará prestes a esmagar o dedo na porta do armário da cozinha. Ou talvez ele esteja ocupado puxando o fio do telefone que você tentou esconder. O mais preocupante é que seu filho se tornou um aspirador humano. Ele adora pegar as menores partículas do chão e colocá-las na boca. Papel de bala, moeda, pedacinho de papel, brinquedo do irmão mais velho — tudo vai para a boca e, se você não for veloz, pode ser ingerido de vez em quando. O que perturba é que esse comportamento pode durar anos. Mesmo assim, esse estágio do desenvolvimento é particularmente excitante para a família toda — e você vai se gabar e lembrar dele com orgulho por muitos anos. Ainda que você considere os estágios do rastejar e do engatinhar (para não mencionar o do andar!) uma maratona de vigilância, saiba que são estágios cruciais do desenvolvimento do seu filho.

Engatinhar, em especial, facilita para que os dois lados, esquerdo e direito, do cérebro trabalhem juntos; auxilia na integração sensorial e na habilidade cognitiva; e aumenta a força e a coordenação, especialmente nos ombros, punhos, mãos, dedos (necessários para a habilidade de manipulação posterior) e quadris. Engatinhar também põe o peso na borda ulnar (no lado do dedo mínimo) na mão, que ajuda a preparar a mão para as habilidades mais refinadas, como escrever.

Referências de Desenvolvimento do Sétimo ao Nono Mês

- O bebê consegue se sentar.
- Passa do sentado com apoio (aos sete meses) para sentado independente (aos nove meses).
- Indica o que quer.
- Responde ao "não".
- Fala *mama, papa, dada.*
- Engatinha.
- Explora o ambiente.
- Apóia-se para ficar em pé.
- Fica em pé segurando-se em alguém ou em algo.
- Compreende a permanência do objeto; brinca de "achou".
- Bate coisas uma na outra.
- Consegue utilizar os dedos na hora de comer.
- Segura dois objetos (um em cada mão).
- Transfere objetos de uma mão à outra.
- Faz tchau.
- Tem reações de proteção lateral (para os dois lados) e para frente.

Preocupações Mais Comuns

Eu li que os bebês não precisam engatinhar — que o desenvolvimento deles não fica comprometido se pularem esse estágio. Essa informação é verdadeira?

É verdade que as atividades motoras grossas, como andar, não são necessariamente afetadas se um bebê não engatinhar — de fato, muitos bebês não gostam de engatinhar e você não pode forçá-los. Entretanto, na qualidade de pais, precisamos ver o todo do desenvolvimento do nosso filho. Talvez seu filho ande "na hora certa", mas isso não significa que a força de seus ombros, braços e tronco seja suficiente para ajudá-lo a subir, pular, saltar, pegar e manipular objetos pequenos. Colocar o bebê no chão é muito importante para aumentar as forças proximal (ombros, tronco e quadris) e distal (membros e mãos), e essas forças são cruciais para o desenvolvimento do seu filho.

Se seu filho inicialmente não quiser engatinhar, existem diversas atividades e jogos para ajudá-lo a aumentar a força muscular. Vamos examiná-los em capítulos posteriores.

Durante o engatinhar com padrão cruzado — o engatinhar que conhecemos — um lado do corpo se alonga enquanto o outro se contrai (veja a Figura 4.13). O corpo faz esse movimento para muitas habilidades motoras mais elevadas. Quando os músculos abdominais, dos ombros e os extensores do quadril estão fracos, podemos ver um padrão de engatinhar em que os joelhos ficam encolhidos abaixo dos quadris (minimizando o uso dos extensores) e o peso fica atrás dos ombros (tirando assim o peso dos ombros). Isso não permite o movimento ideal dos músculos, ou seja, eles não trabalham com eficiência. Se a região dos ombros não consegue suportar as forças opostas que ocorrem durante o engatinhar com padrão cruzado, o bebê pode se mover para frente com o braço e a perna do mesmo lado, simultaneamente (engatinhar unilateral, veja a Figura 4.14). Uma maneira de fortalecer o bebê é estimulá-lo a pegar objetos com uma das mãos enquanto estiver em quatro apoios. Isso exige controle e estabilidade e melhora a força dos ombros e dos braços, assim como aumenta o tônus do tronco e o equilíbrio.

Bebês adoram engatinhar embaixo de mesas e para dentro de caixas. Então, da próxima vez que receber uma caixa grande, guarde-a. Abra as extremidades da caixa, criando um túnel maravilhoso ou um local particular para seu filho descansar. Ficar observando o bebê descobrir como sair também é divertido. Para estimular mais a exploração, espalhe pela casa pequenas cestas ou latas que contenham brinquedos diferente.

Durante esse período de desenvolvimento, você pode ficar preocupada com os joelhos do seu filho — especialmente se seu piso for de madeira ou de cerâmica. Vesti-lo com calças compridas costuma ser suficiente para evitar joe-

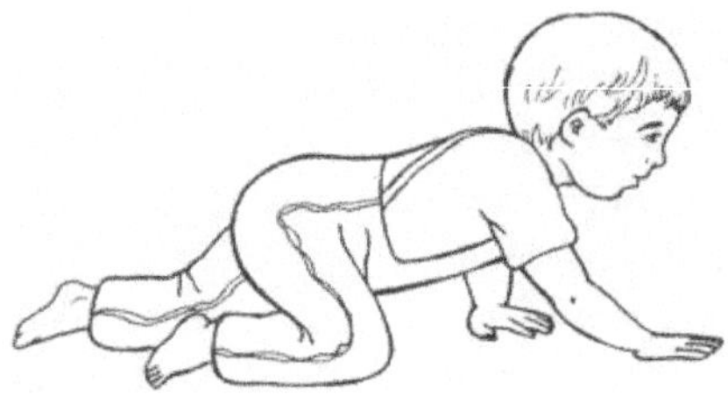

FIGURA 4.13 Engatinhar com Padrão Cruzado

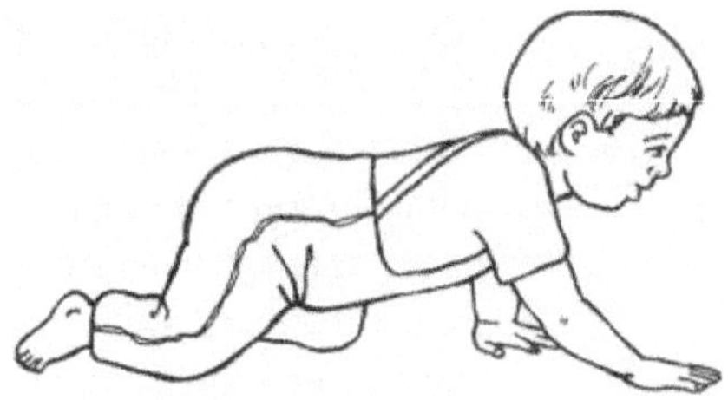

FIGURA 4.14 Engatinhar Unilateral

lhos machucados, porém alguns bebês precisam de mais proteção. Colocar faixas esportivas que absorvem o suor nos joelhos do seu filho resolverá o problema.

Uma atividade divertida é fazer o bebê subir em você ou em objetos (como almofadas grandes do sofá). Essa atividade, além de ser ótima para o equilíbrio e a coordenação do bebê, trabalha seus músculos. É preciso ter controle, capacidade de transferir o peso e movimento do tronco para frente — habilidades que também serão necessárias para andar.

Ajoelhar

Com oito ou nove meses, alguns bebês conseguem ficar ajoelhados a partir da posição de quatro apoios. Para isso eles vão se apoiar em um móvel ou em você. Eles precisam de um bom controle do tronco e do quadril para ficar ajoelhados (crianças com hipotonia muscular fazem essa atividade bem mais tarde). Ao ajoelharem, os bebês praticam uma leve "dança do bumbum", movendo o quadril para frente e para trás. Esse movimento trabalha a mobilidade do quadril e fortalece os músculos extensores necessários para engatinhar corretamente e depois andar. Se o bumbum do bebê continuar empinado, pressione-o levemente para ajudá-lo a voltar à posição. Isso mantém as costas eretas e trabalha o alinhamento correto e o uso dos grupos musculares apropriados (veja a Figura 4.15). Se o bumbum continuar empinado e seu filho não conseguir manter a pélvis reta depois de brincar nessa posição por diversas semanas, mencione o fato ao pediatra. Seu filho pode ter hipotonia muscular subjacente e talvez não esteja trabalhando a musculatura de maneira eficiente.

Preocupações Mais Comuns

Quando minha filha está engatinhando, ela tende a manter o peso atrás dos ombros — como se fosse um gatinho ou cachorrinho pronto para atacar. O que isso significa?

Sua filha pode ter uma fraqueza na parte superior do corpo. Para aumentar a força nos braços, brinque com jogos como carrinho de mão (você segura as pernas dela para cima enquanto as mãos permanecem no chão) ou aviãozinho (você a faz "voar" pelo ar e ela aterrissa com as mãos enquanto você dá apoio ao corpo dela) ou faça outros exercícios para a sustentação do peso nos braços, como andar de urso (veja a Figura 4.4 deste capítulo) ou rolar de bruços sobre uma bola de mais ou menos 30 centímetros de diâmetro enquanto você segura as pernas dela.

Se seu filho costuma ficar ajoelhado mantendo os dedos encolhidos embaixo dos pés, corrija essa posição dobrando os dedos ao contrário. Quando o bebê mantém os dedos embaixo dos pés, ele precisa transferir o peso para frente, para os joelhos, e não utiliza a parte inferior da perna como apoio. É provável que ele não tenha estabilidade para permanecer ereto e vá sentar com o bumbum encostado nos calcanhares. Nas tentativas para permanecer ereto, ele vai tentar endireitar os quadris aumentando a curva das costas e dessa forma utilizar demais os extensores das costas para ficar ajoelhado. Todos esses movimentos compensatórios forçam desnecessariamente os músculos e as articulações.

Colocar o bebê ajoelhado muito cedo pode causar o aumento da *lordose* lombar (uma curva excessiva na parte inferior da coluna; veja a Figura 4.16) e tensão no músculo flexor do quadril. Então deixe o bebê ficar nessa posição por conta própria.

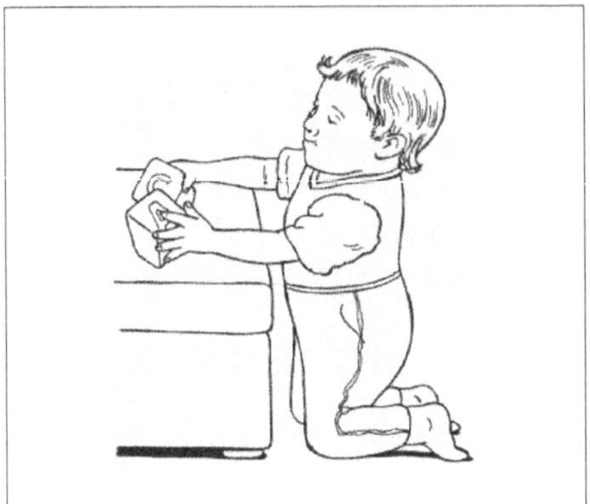

FIGURA 4.15

Bom Alinhamento com o Bumbum Recolhido

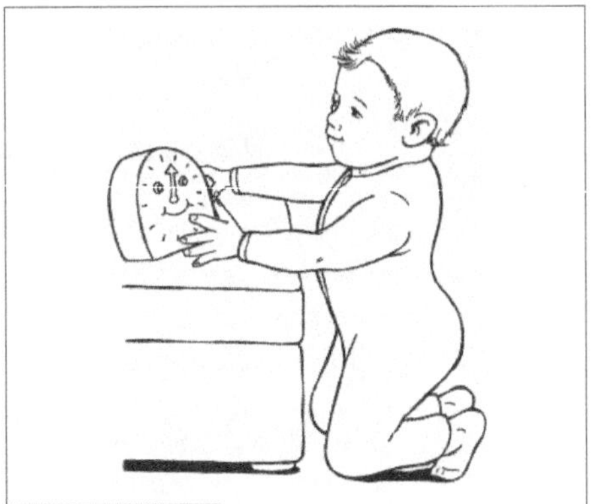

FIGURA 4.16

Aumento da Lordose com o Bumbum Empinado

Apoiar-se para Ficar em Pé

Seu filho já pode estar apoiando-se para ficar em pé. Para tanto, ele precisa de uma superfície de apoio para segurar e erguer-se. Quando os bebês começam a fazer esse movimento, eles utilizam os braços para se apoiar e depois ficam em pé com as duas pernas . Um método mais maduro seria passar por uma posição semi-ajoelhado. Para ficar semi-ajoelhado, o bebê coloca um pé no chão a partir da posição de joelhos (veja a Figura 4.17). Isso exige bastante mobilidade da coluna e do quadril, bem como a capacidade de transferir o peso e a estabilidade suficiente para se apoiar em uma perna. No início, o bebê não vai ter controle suficiente para agüentar todo o peso sobre a perna de apoio nessa posição. Como conseqüência, ainda vai precisar de algum apoio para ajudá-lo a se levantar. Se a criança continuar se apoiando para ficar em pé com as duas pernas, ela pode ter outras questões envolvidas, como dificuldade em transferir o peso ou hipotonia muscular.

FIGURA 4.17

Semi-ajoelhado

Quando estão em pé, os bebês tendem a usar uma ampla base de apoio para aumentar a estabilidade, confiando mais nas pernas do que nos braços. Não se preocupe se os pés do seu filho estiverem virados para dentro ou para fora nesse estágio. Posições engraçadas dos pés são parte normal do desenvolvimento (veja os Capítulos 5 e 6). Os bebês ainda não conseguem transferir o peso nessa posição — o que significa que não podem levantar uma das pernas. Alguns conseguem se inclinar e endireitar as duas pernas (dando pequenos pulinhos), enquanto outros simplesmente deixam as pernas estendidas. Logo eles terão estabilidade suficiente para segurar a superfície de apoio com um braço e tentar alcançar objetos com o outro, fazendo assim uma rotação do tronco em pé. Se seu filho ainda não estiver sentando sozinho ou engatinhando, não permita que ele brinque freqüentemente nesta postura (em pé), porque ele precisa desenvolver mais os músculos do tronco.

Preocupações Mais Comuns

Agora que minha filha se apóia para ficar em pé, ela não quer fazer mais nada. Ela adorava brincar de "achou" e esconde-esconde. Agora só olha para o outro lado quando tento fazer essas brincadeiras com ela. O que está acontecendo?

Quando o bebê para de progredir em uma área, isso costuma indicar que ele está concentrado em outra área do desenvolvimento. Por exemplo, um bebê que está começando a andar pode não manipular os brinquedos com a mesma freqüência porque está concentrado na nova tarefa.

À Prova de Bebê ou Não

Agora que seu filho está engatinhando por aí, ele pode sempre voltar a um local "favorito", como uma estante ou uma gaveta em particular. Ele até pode gostar de uma porta especial do armário da cozinha. Nenhuma dessas fixações vai deixá-la feliz. Repetidas vezes, seu filho vai derrubar os livros de uma determinada prateleira, ou tirar as roupas de uma determinada gaveta, ou remover todas as panelas de determinado armário. Tente não dizer "não" o tempo todo. Guarde-o para situações potencialmente perigosas, e não simplesmente irritantes. Os bebês precisam explorar. Se você se cansar de pôr os livros de volta na estante o dia todo e de dobrar as roupas, tente reorganizar essas áreas. Além dos livros, experimente colocar alguns brinquedos prediletos na estante. Em vez de colocar roupas que precisam ser dobradas, coloque lenços naquela gaveta. Não se frustre, vá a favor da maré. Cada estágio do desenvolvimento passa tão rápido — aproveite.

Dito isso, existem outras áreas básicas que você precisa deixar mais seguras para o seu filho. Pode ser preciso colocar grades para prevenir acidentes, especialmente perto de escadas. Existem protetores especiais para impedir que o bebê coloque o dedo na tomada. Muitas empresas vendem tiras de borracha ou elástico para serem colocadas ao redor de cantos afiados (como os da mesa de centro). Cadeados e trincos estão disponíveis para os armários da cozinha e do banheiro, além de ser importante manter os banheiros fechados. As portas devem ter trincos fora do alcance, ou cadeados, principalmente portas de tela. Não deixe, de maneira nenhuma, os produtos de limpeza ou os remédios ao alcance do bebê. Fios elétricos podem ser encapados ou redirecionados, se forem externos. Todos os brinquedos com componentes pequenos que pertençam aos irmãos mais velhos devem ser retirados. Os botões do fogão também devem ser trancados ou removidos.

Existem empresas especializadas que vêm à sua casa, verificam o que é necessário para a segurança do bebê e dão recomendações para deixar a casa mais segura. A maioria das empresas pode instalar o que elas sugerem, mas muitas sugestões serão de senso comum, e você terá de pagar pela ajuda deles. Se você ficar algum tempo em quatro apoios, poderá ver o que pode ser perigoso para o seu filho. Não é necessário um "perito" para ditar o óbvio. Contudo você precisa de tempo para cuidar desses riscos.

Andar com Apoio

Logo depois de aprender a se apoiar para ficar em pé, o bebê vai começar a dar os primeiros passos ou andar apoiando-se nos móveis. Assim como no engatinhar, você pode estimulá-lo colocando brinquedos um pouquinho fora do alcance dele. Andar com apoio ajuda a fortalecer os músculos adutores e abdutores e também ajuda a dar formato ao *acetábulo* (a parte do osso ilíaco onde o fêmur se encaixa). Os bebês inicialmente andam de lado (com a frente voltada para o objeto de apoio); depois começam a se virar para a direção em que estão se movendo. Esse movimento ajuda na rotação da pélvis sobre as pernas e ativa os músculos para prepará-los para andar.

Quando o bebê dá o primeiro passo sozinho, ele descobre um mundo totalmente novo. Os pais ficam ansiosos para que isso aconteça e, quando acontece, sentem-se tão orgulhosos quanto o bebê. Mas é importante não se empolgar e querer passar do primeiro passo para uma caminhada pela sala em um único dia! Embora alguns bebês façam isso, a maioria não faz (na verdade, alguns bebês não andam até terem entre 14 e 18 meses). Erguer os dois braços do bebê acima da cabeça e fazê-lo andar também não o ajudará a se tornar capaz de andar sozinho com boa postura e controle motor. Em vez disso, deixe-o empurrar brinquedos ou uma cadeira infantil. Essa atividade dá a ele a sensação de independência e ele exercita os músculos de maneira mais eficiente.

Embora seja uma atividade divertida colocar o bebê em pé, tente não fazer isso com muita freqüência. Pode ser mais fácil para ele ficar em pé contra a gravidade do que trabalhar todos os músculos no chão — mas não é a melhor coisa. O desenvolvimento de sua própria capacidade de engatinhar, ajoelhar e apoiar-se para ficar em pé (e mais tarde agachar para ficar em pé) é extremamente importante para ele . Mantenha-se firme mesmo vendo-o frustrado ao passar por essa seqüência. E ele *vai* querer ficar em pé com mais freqüência — afinal, isso abre um mundo novo para ele experimentar.

Você pode notar que seu filho inicialmente anda de maneira "engraçada" — um andar parecido com uma marcha. Isso se deve aos pés afastados, à rotação externa dos quadris e à flexão excessiva do joelho e do quadril (que traz as pernas muito para cima). Quando o bebê ganhar mais controle, equilíbrio e autoconfiança, esse passo de "perna dura" vai desaparecer.

Como estímulo tátil, é importante permitir que o bebê fique descalço sobre várias superfícies: chão, tapete, grama, areia etc. Os bebês gostam de explorar sua amplitude de movimentos, indo contra a gravidade e movimentando os músculos da perna sob novas e excitantes formas. É comum ver bebês andando na ponta dos pés, mas isso não deve ser constante — os bebês precisam colocar o peso nos calcanhares para ativar corretamente os músculos e depois a mecânica do andar. Se o andar na ponta dos pés continuar, converse com o pediatra.

Preocupações Mais Comuns

Minha filha de nove meses acabou de aprender a se apoiar para ficar em pé. Mas, quando levanta, ela fica na ponta dos pés. Isso é um problema?

Muitos bebês começam a se apoiar ficando na ponta dos pés. Depois de brincar por mais ou menos um minuto, o bebê deve relaxar as pernas e os pés, descendo os calcanhares. Se ele não o fizer , você pode ajudá-lo segurando na cintura dele e transferindo delicadamente o peso para os calcanhares. O retorno sensorial do chão aos calcanhares já deve ser suficiente para mantê-los abaixados. Se, depois de alguns meses, o bebê continuar a ficar em pé, a andar com e/ou sem apoio na ponta dos pés a maior parte do tempo, pode haver uma razão subjacente (como hipotonia muscular ou um problema sensorial oculto). Consulte o pediatra.

Atividades para Ficar Quase Sentado, Sentado e Ajoelhado

Os parágrafos seguintes ressaltam os exercícios que você pode fazer com seu filho nesse estágio. Estão incluídos aqui exercícios para as pernas e agachamentos.

Leg Press para Bebês

Faça o bebê empurrar os pés contra as suas mãos ou contra o seu peito quando ele estiver deitado de costas. Esse movimento ajuda a trabalhar os músculos abdominais, a alongar os músculos da coluna e a flexionar a cabeça. Também causa pressão — uma boa estimulação tátil — nos pés.

Sentar o Bebê no Colo

Sente-se em uma cadeira e coloque o bebê sentado no seu colo de costas para você. Segure-o pela cintura. Incline-o lentamente para frente e para trás. Esse movimento ajuda a trabalhar a musculatura da coluna e do abdome. Você pode sentir isso: sentada ou em pé, incline-se para trás e você vai sentir os músculos abdominais trabalhando. Incline-se para frente e vai sentir os músculos das costas trabalhando. Entretanto, quando sentar com seu filho no colo, tente não abraçá-lo o tempo todo (sei que isso pode ser difícil). Quanto mais afastado ele estiver do seu corpo, mais vai precisar trabalhar sozinho.

Sentar o Bebê entre Suas Pernas

Sente-se no chão com as pernas esticadas e abduzidas (abertas). Sente seu filho entre as suas pernas. Deixe-o encostar as costas de leve no seu peito, sem curvar a coluna. Quando você se mover para o lado, o bebê vai mover-se também. Dessa forma, você pode ajudá-lo a aprender a transferir o peso, com apoio. A partir dessa posição, ele também pode tentar alcançar brinquedos que estejam na frente dele e nos lados.

Sente-se no chão com as pernas esticadas. Sente o bebê de lado sobre a sua coxa. Segure a barriga e as costas dele. Você pode se sentar perto de um sofá ou de uma parede para apoiar as costas. Lentamente incline seu filho para trás. Esse movimento vai ajudar a ativar os músculos abdominais do bebê. Quanto mais acima você segurar nas costas dele, mais apoio estará dando. Quando ele ficar mais velho, segure mais abaixo nas costas dele, perto da cintura. Isso fará o corpo dele trabalhar mais.

Agora, coloque seu filho sentado sobre sua perna com as pernas abertas, como se ele estivesse montado em um cavalo. Faça-o tentar pegar os dedos do pé. Ele pode usar os braços para voltar à posição enquanto usa simultaneamente os extensores do quadril para ter um controle dinâmico da coluna. Quando o bebê se apóia para voltar a sentar, o peso é transferido a diversas partes dos pés dele. Isso auxilia a preparar os pés para as transições levantar e depois andar.

Para conseguir respostas similares, volte a colocar o bebê sentado de lado sobre sua coxa. Faça-o se abaixar para pegar um brinquedo e levantar novamente. Contudo, abaixar até o chão pode ser difícil para alguns bebês no começo.

Você precisa colocar o brinquedo sobre um banquinho ou sobre alguns blocos. Isso permite que o bebê fortaleça a musculatura das costas pouco a pouco.

Abraçar a Bola

Coloque seu filho sentado no chão com uma bola entre as pernas. A bola para exercícios (mencionada no Capítulo 3) funciona bem porque é macia e suave para as mãozinhas dele se apoiarem. À medida que a bola se move entre as pernas do bebê, ela trabalha a musculatura do tronco e as reações de equilíbrio. Nessa posição, procure manter os joelhos dele (e dessa forma as pernas) retos. Se os dedos dos pés estiverem virados para fora, então as pernas têm rotação externa. Você sabe que as pernas estão alinhadas, ou neutras, quando os dedos apontam para cima. É melhor para a coluna do seu filho quando as pernas estão no ponto neutro. Se as pernas estiverem viradas para fora, a pélvis tende a ir para uma inclinação posterior (para trás), o que curva um pouco a coluna.

Ajoelhar

Quando seu filho começar a ajoelhar, é importante ter uma caixa de brinquedos para que ele possa se apoiar. Uma ótima atividade para a posição ajoelhada é você tirar um brinquedo da caixa, colocá-lo no chão, ao lado do bebê, e fazer com que ele se abaixe e pegue o brinquedo. Ele deve então colocá-lo de volta na caixa ou entregá-lo a você. Não se esqueça de alternar os lados. Outra atividade é colocar ímãs na geladeira e fazer o bebê alcançá-los ajoelhado.

Tente fazer seu filho derrubar você ou o papai. Fique em quatro apoios e estimule o bebê a derrubá-la. Além de trabalhar com a força do tronco e o equilíbrio, esse movimento de empurrar dá um retorno proprioceptivo às articulações.

Para dar maior estímulo às articulações e ajudar a aumentar a força dos ombros e dos braços, brinque de carrinho de mão com seu filho. Essa brincadeira põe o máximo de peso na parte superior do corpo. A partir da posição de quatro apoios, levante as pernas do bebê e segure seu quadril ou tronco. Se ele tolerar essa posição, experimente fazer uma torre de blocos e faça-o derrubar enquanto estiver na posição do carrinho de mão.

O Desenvolvimento do Décimo ao Décimo Segundo Mês

O período entre o décimo e o décimo segundo mês é de grande exploração. No geral, os bebês ficam mais ousados. Eles sempre estão em movimento. Agora quando sentam, têm total controle do tronco e podem fazer a rotação do torso. Os músculos abdominais oblíquos trabalham para dar apoio às costelas e à pélvis. Os bebês podem ficar em pé sozinhos colocando todo o peso sobre as pernas, alcançar a mobília ou até andar sem auxílio. Ainda tendem a se mover rapidamente quando estão em pé, porque é necessário mais equilíbrio e controle para se mover devagar. Quando estão aprendendo a se soltar, os bebês dessa idade caem bastante; eles não estão acostumados a se equilibrar (na verdade, as reações de equilíbrio não são perfeitas até os cinco anos). Conseqüentemente, quando eles ficam em pé, elevam os braços. Isso significa que estão usando a extensão do tronco para dar maior estabilidade. Eles começam a andar sozinhos com um passo robotizado e as pernas afastadas (uma base de apoio mais ampla). Quando o controle do tronco melhora ao ficar em pé, não é necessária tanta extensão, e os braços começam a abaixar para a lateral do corpo. Alguns bebês podem até movimentar os braços em padrão cruzado (braço e perna opostos vão para frente simultaneamente). Essa habilidade bastante avançada só pode ocorrer quando o tronco estiver estável, permitindo assim a contra-rotação da região dos ombros e da pélvis.

Aos 10 meses os bebês costumam se concentrar em atividades motoras finas. No começo do desenvolvimento, os braços e as mãos eram utilizados para dar equilíbrio e movimento, depois para segurar e levar objetos à boca e agora para manipular e explorar objetos. Boa habilidade manipulativa e visual e processamento do pensamento envolvendo solução de problemas ajudam no desenvolvimento cognitivo do seu filho. Quando estão trabalhando com a coordenação motora fina, os bebês podem voltar a sentar em posição de borboleta para terem maior estabilidade, o que permite que prestem mais atenção na tarefa à mão. Você também pode notar que, quando o bebê tenta pegar algo além de seu alcance, o outro braço vai para cima e para trás (a escápula aduz), como se estivesse assumindo uma posição de esgrima. O bebê fica nessa postura para aumentar a estabilidade do tronco e para evitar muita transferência de peso (para que não caia).

Preocupações Mais Comuns

Meu filho tem 11 meses e ainda não está engatinhando. O que devo fazer?

Seu filho gosta de brincar de bruços? Consegue sentar sozinho? Como está o tônus muscular do tronco? Ele rola ou sente medo do movimento? Você o faz ficar bastante de bruços? Se ele não tem ficado muito tempo nessa posição, tente fazer atividades para melhorar a sustentação dele de bruços, como as mencionadas no Capítulo 3. Elas vão deixar o tronco, o pescoço e os ombros mais fortes, para que ele seja capaz de engatinhar. Também faça brincadeiras para a sustentação do peso na parte superior do corpo (como o carrinho de mão ou rolar sobre a bola). Quando estiver sentado, faça-o ativar os músculos abdominais fazendo as atividades mencionadas neste capítulo. Estimule o bebê a ir na direção dos objetos que estejam fora do alcance dele quando estiver de bruços. Lembre-se de que a estimulação visual é uma grande motivação para a movimentação do seu filho.

Engatinhar e ajoelhar tornam-se mais freqüentes, e apoiar- se para ficar em pé costuma ser feito através da posição semi-ajoelhada. Alguns bebês, na verdade, têm controle suficiente para brincar com uma perna ajoelhada sem apoio. Quando o bebê anda com apoio, ele incorpora muito mais rotação do tronco e pode descer para a posição sentado sem se jogar.

Muitos bebês nessa idade adoram subir nas coisas. Ter um pequeno objeto em casa em que ele possa subir pode evitar muitas subidas em camas e móveis. Muitas lojas para crianças vendem casinhas ou túneis com escorregadores. Caminhadas diárias no parque também são excelentes para a estimulação sensorial e a coordenação motora nessa idade. Leve uma bolsa com você, com bolha de sabão, baldinho, bola, giz, roupas limpas, lencinhos e um pequeno *kit* de primeiros-socorros (anti-séptico, atadura etc.). Coloque seu filho no balanço para crianças pequenas. Deixe-o subir em escorregadores e rampas baixos. Deixe que ele brinque na areia, mesmo que ele queira comê-la, e diga repetidas vezes que a areia não é para comer. Faça castelinhos com ele. Coloque a areia no baldinho. Leve-o para andar perto de um chafariz. Deixe-o cheirar a grama e as flores.

Quando seu filho chegar ao primeiro aniversário, já terá estabilidade e mobilidade para remover grampos, abrir caixas, jogar objetos no lixo e talvez até colocar o círculo no espaço correspondente no brinquedo das figuras geométricas. Também poderá mostrar suas habilidades arquitetônicas, construindo uma torre com dois cubos. Agora ele tem controle suficiente para soltar os objetos — sabe jogar objetos dentro de um copo. Lembra-se de quando seu filho começou a puxar seu cabelo? Você se surpreendeu com a força da pegada dele e com as centenas de vezes que precisou repetir "com cuidado" ou "toque devagar". Agora ele já aprendeu o controle graduado, que significa que ele sabe distinguir a força de suas ações — por exemplo, entre segurar um bloco e segurar uma fruta macia.

Os bebês dessa idade adoram imitar. Sob a sua supervisão, deixe-o tentar fazer traços no papel com giz de cera. Eles também adoram rasgar papel. Essa é uma ótima maneira de livrar-se de todos os catálogos que você recebe pelo correio. (Algumas pessoas não deixam o filho fazer isso porque crêem que assim como ele pode rasgar revistas poderá rasgar livros sem saber a diferença. Nessa idade os bebês vão rasgar qualquer coisa que encontrarem, se estiverem com vontade de rasgar. Então use o bom senso.)

Preocupações Mais Comuns

Meu filho tem acessos de raiva que parecem vir do nada. Isso significa que ele vai ter um temperamento ruim ou ficar constantemente aborrecido?

Não necessariamente. Anote as vezes em que seu filho tem esses acessos. Eles ocorrem quando você está andando rápido ou devagar? Os dentes estão nascendo? É depois do banho? Em lugares novos? Você vai se surpreender quando observar as respostas consistentes que seu filho dá a diversas atividades ou situações. Quando se familiarizar com o que ele gosta e não gosta, você poderá modificar seu comportamento para que ele se sinta mais à vontade. Se seu filho continuar a ter acessos de raiva freqüentes e inexplicados, consulte o pediatra.

Atividades para Ficar Sentado, Ajoelhado e em Pé

Os parágrafos seguintes destacam exercícios avançados que você pode fazer com seu filho nesse estágio. Estão incluídos aqui exercícios para sentar, ajoelhar, agachar, bem como atividades com bola.

Sentar com as Pernas Esticadas

Coloque seu filho sentado no chão com as pernas esticadas. Coloque um brinquedo entre elas. Quando ele for para frente para pegá-lo, vai alongar os tendões das pernas. Se os tendões estiverem curtos, a pélvis fica em inclinação posterior (a coluna vai se curvar). Qualquer um que alonga nessa posição sabe o quanto ela pode ser dolorosa se os tendões estiverem curtos. Para a maioria de nós, isso ocorre todo tempo, então ajude seu filho agora para evitar que ele sinta dores musculares crônicas depois.

Brincar Semi-ajoelhado

Faça seu filho pegar objetos enquanto se equilibra ajoelhado em uma perna. Se ele não conseguir se equilibrar nessa posição, ele pode utilizar uma superfície de apoio, como a mesa de centro. Alguns bebês conseguem brincar sozinhos nessa posição aos 10 meses, enquanto outros não conseguem mantê-la até os 18 meses. Nem preciso dizer que essa posição exige muito equilíbrio, bem como controle abdominal e extensor.

Brincar Agachado

Quando o bebê estiver agachado, role bolas para ele e faça-o devolver. Faça-o pegar um brinquedo acima e abaixo de seu centro de gravidade. Isso permite que as articulações das pernas trabalhem em graus diferentes para manter um bom controle flexor e extensor (chamamos isso de controle mediano das articulações). O objetivo é manter os movimentos suaves e equilibrados, não incoordenados ou descontrolados (veja o Capítulo 1).

Referências de Desenvolvimento do Décimo ao Décimo Segundo Mês

- O bebê permanece em pé sozinho.
- Apóia-se para ficar em pé.
- Anda segurando a sua mão.
- Compreende a permanência do objeto; descobre o brinquedo escondido embaixo do copo.
- Tem boa rotação enquanto anda com apoio.
- Pode rolar a bola para uma pessoa.
- Compreende perguntas em contexto. "Onde está sua mamadeira?", "Onde está seu sapato?".
- Pode produzir duas ou três palavras.
- Imita atividades.
- Utiliza brinquedos de empurrar.
- Aponta.
- Ajuda a se vestir e despir.
- Põe um cubo em um copo.
- Vira as páginas de um livro.
- Procura por você.
- Acena "não" com a cabeça.
- Joga objetos
- Consegue beber em copo (derramando um pouco).
- Tenta fazer uma torre com dois cubos.

Preocupações Mais Comuns

Minha filha de 10 meses ainda não sustenta seu peso nos pés. Devo me preocupar?

Alguns bebês ainda não estão interessados nessa atividade, e outros ainda não a "associam" aos pés. Se sua filha fica ativamente tirando o pé do chão, é uma indicação de que o sistema sensorial ainda não está maduro. Procure fazer alguns jogos de bater o pé no chão e pressione a sola fortemente. Aos 12 meses, se sua filha ainda não estiver suportando o peso nos pés, consulte um pediatra. Pode haver algum problema subjacente.

Sentar no Banco

Coloque seu filho sentado sobre um banquinho ou uma caixa. Os pés dele precisam ficar no chão (que é a superfície de apoio) para que possam trabalhar ou empurrá-lo. O quadril e os joelhos devem ficar a noventa graus. As costas não devem ter apoio. Nessa posição, o bebê pode pegar um objeto do chão, o que faz seu peso ir para os pés, preparando-os assim para as atividades em pé. Depois, ele volta para a posição, ativando os músculos extensores das costas. Você também pode fazê-lo utilizar as duas mãos para pegar uma bola ou objetos e levá-los perto da altura da cabeça. Isso trabalha o cruzamento da linha média, o uso bilateral das mãos e a rotação do tronco.

Brincar com Bola

Novamente, brincar com uma bola para exercícios (de 50 a 60 centímetros de diâmetro) é divertido e bom para a propriocepção das articulações, o movimento, o equilíbrio, o alinhamento postural e o tônus muscular. Faça seu filho deitar de bruços sobre a bola. Você pode mover a bola em direções e velocidades diferentes. Preste atenção no temperamento do seu filho. Alguns bebês se assustam por estar sobre a bola quando são muito novos, ou quando são movidos de maneira muito rápida.

Sentar sobre a Bola

Esta é uma posição mais avançada do que sentar no banco e exige maior equilíbrio. Coloque seu filho sentado em uma bola de 30 a 35 centímetros de diâmetro. Sentado na bola, ele pode dar alguns pulinhos. Também pode mover a bola em direções diferentes para trabalhar os músculos abdominais e do tronco.

Empurrar e Brincar

Estimule o bebê a se mover em brinquedos como o tico-tico e a empurrar carrinhos de brinquedo de bebê e de supermercado. Brinquedos em que as crianças possam se locomover são ótimos para o planejamento motor (estimulam a imaginar como subir e descer), o equilíbrio, o estímulo proprioceptivo (nos pés) e o trabalho coordenado das pernas. Brinquedos de empurrar também dão estímulo proprioceptivo e aumentam o equilíbrio.

*Andadores, Exersaucers e Jumpers**

Exersaucers e andadores são itens populares usados por muitos pais e responsáveis. Mais de dois milhões são vendidos anualmente. De fato, mais de 70% dos bebês são colocados neles antes de andar sozinhos. Em outras palavras, os bebês ficam em pé muito antes de aprenderem a se apoiar para levantar. Para a maioria das grávidas que ganham ou compram um andador, talvez seja inevitável a vontade de utilizá-lo; entretanto, clichê ou não, só porque todo mundo faz não quer dizer que seja certo.

Então, por que os andadores são tão ruins? Primeiro, deixe-me responder por que os pais tendem a usá-los. A razão mais comum é que eles acreditam que esse aparelho ajuda a fortalecer os músculos da perna do bebê para andar. Os bebês também costumam adorar os andadores, e muitos pais me disseram que sentem que os bebês ficam entediados quando estão fora dele. Outros disseram que usam o cercadinho para manter o bebê fora de perigo quando não podem vigiá-lo.

De todas essas razões para utilizar esses aparelhos, a última é totalmente válida. Mas aqui vai a má notícia: embora eu nunca tenha lido um estudo que prove os benefícios dos andadores, existem muitos estudos mostrando que seu uso pode, na verdade, ter efeitos prejudiciais sobre a saúde ou o desenvolvimento da criança. Em um estudo foi realizada uma eletromiografia (EMG) em

---

* O *exersaucer* é um aparelho bastante similar ao andador, mas não permite a mobilidade do bebê por não conter rodinhas e por não deixar que os pés do bebê toquem o chão. O bebê fica em pé sobre uma plataforma.
O *jumper* é um tipo de balanço onde o bebê fica sentado e com os pés no chão. Seu *design* lembra um pára-quedas e as alças do *jumper* podem ficar presas ao batente da porta ou a uma armação de metal.
Os dois produtos ainda não estão disponíveis no Brasil.

seis pares de irmãos gêmeos do sexo masculino com 10 meses. Um grupo de gêmeos passava um total de duas horas por dia no andador, enquanto o outro não tinha treinamento específico e também não utilizava o andador. O propósito do estudo era determinar se a atividade muscular era diferente entre os dois grupos. Os resultados mostraram diferenças significativas entre eles. Os bebês colocados no andador andaram sozinhos mais tarde do que os bebês que não foram colocados nele. Também houve menos uso do glúteo máximo (um músculo extensor do quadril) e do quadríceps (o músculo responsável pela extensão dos joelhos) no grupo do andador. No geral, o estudo de 1977, realizado por Ira B. Kaufman e Marcella Ridnour, descobriu que "o uso do andador infantil modificou a mecânica da locomoção infantil notadamente".

O uso excessivo do andador pode resultar em má postura, que afeta o desenvolvimento posterior. Algumas dessas posições indesejadas incluem a extensão da cabeça/pescoço, a elevação dos ombros e a retração da escápula (a adução da escápula que ocorre quando os braços estão para cima e para trás para dar maior equilíbrio). Também há propensão ao aumento da lordose lombar (pouco uso abdominal) e aos joelhos rijos (pernas estendidas). Há o apoio do peso nos dedos dos pés, o que pode levar a criança a andar futuramente na ponta dos pés e ao desenvolvimento excessivo dos músculos da panturrilha (músculos extensores da perna). Por fim, o centro da gravidade do bebê passa para frente quando ele se inclina para frente, o que interfere no desenvolvimento do equilíbrio.

Antigamente só havia o andador e minha mãe me colocava nele. Uma vez caí para frente e levei 15 pontos na região do olho esquerdo. Tive sorte. Mesmo assim, logo que voltamos do pronto-socorro, minha mãe me colocou novamente no andador. Ironicamente, embora muitas pessoas conheçam os efeitos das atividades que podem ser prejudiciais aos bebês e crianças — como não usar o cinto de segurança, ingerir substâncias tóxicas e não usar capacete em certas atividades —, poucas sabem o número de acidentes relacionados ao uso do andador. Os acidentes incluem tombar para frente, cair da escada, bater o rosto, traumatismos cranianos, ferimentos na cabeça, perda de dentes, concussões, membros fraturados e escoriações. Houve tantas visitas ao pronto-socorro por causa do andador que, no início dos anos 90, a Associação Médica Americana (AMA) requereu que a Comissão de Segurança de Produtos de Consumo proibisse os andadores. Embora eles não tenham sido proibidos, foram instituídas exigências de segurança mais rigorosas. Em razão disso, o desenho de alguns andadores foi ajustado para permitir que o bebê fique em pé, mas não tenha mobilidade. O produto resultante — o *exersaucer* — se tornou o tipo predominante de "andador" nos Estados Unidos.

Embora a revista *Consumer Reports* recomende o *exersaucer*, o indicativo de aprovação da revista está fundamentado em medidas de segurança (na comparação com o andador), não no desenvolvimento. Mesmo reduzindo ou eliminando os perigos mecânicos e das escadas, as conseqüências motoras e cognitivas permanecem.

Estudos mostram que o uso prolongado do andador pode afetar o desenvolvimento cognitivo. A criança pode ver algo do outro lado da sala, mas não consegue chegar até ele, explorá-lo e manipulá-lo. Ela tem de esperar até que o brinquedo seja colocado no suporte na frente dela. É esta interferência na exploração que pode afetar o desenvolvimento cognitivo. Alguns profissionais discutem que os bebês conseguem se recuperar cognitivamente quando passam a andar sozinhos. Contudo, acredito que o vital brincar no chão se perde para sempre, e todos os benefícios associados à brincadeira no chão não podem ser recuperados. Falando de modo geral, quando o bebê fica em pé, ele não gosta de voltar para o chão. Por isso, o uso desses aparelhos pode contribuir para que o bebê não engatinhe (engatinhar, como já discutido neste capítulo, é importante para o desenvolvimento da parte superior do corpo, a seqüência direita-esquerda, a estabilização dos punhos e o alongamento dos dedos).

Em virtude de todos os argumentos anteriores, fica claro que, entre os dois, o *exersaucer* é o menos prejudicial. Mas, mesmo com o advento do *exersaucer*, o andador não desapareceu. Na verdade, muitas pessoas ainda compram os dois. O *exersaucer* é grande e não cabe em muitos lugares, já o andador é mais compacto e mais fácil de ser transportado. Comprar os dois é esperar acidentes.

É compreensível que os pais precisem de um lugar seguro para colocar os bebês quando não podem ficar de olho — ou mesmo durante aqueles momentos em que estão furiosos ou exaustos demais para brincar com eles. O problema é o *uso excessivo* do aparelho — quando você começa a utilizá-lo, facilmente passa a confiar demais nele. Geralmente, os pais e responsáveis não aceitam abrir mão dessa conveniência. Uma mãe, certa ocasião, disse-me que eu *não* era mãe, porque sugeri que ela substituísse o aparelho pelo chão, pelo cadeirão, por um balanço e, isso mesmo, até um cercadinho. Ela ficou indignada. "Qualquer um com filhos na mesma idade dos meus gêmeos sabe o quanto eles ficam chateados com os mesmos brinquedos, ou quando mantidos em uma única posição — e o quanto ficam frustrados quando ficam no chão. Quanto à idéia do balanço, *você* pode tentar embalar meu filho até dormir como alternativa para o aborrecimento dele. Acho isso ridículo". Eu também. Como mãe, sei que uma pessoa não pode estimular ou entreter um bebê o dia inteiro. Mas precisamos encontrar alguns horários de recreação durante o dia: entre a hora de comer, tirar uma soneca, vestir, trocar a fralda ou dormir. Quando não podemos brincar com o bebê, podemos buscar outras alternativas e não usar apenas o *exersaucer*. Não coloquei nenhum dos meus filhos no *exersaucer* e eles nunca ficaram chateados com isso. Nunca é demais ressaltar um dos princípios centrais deste livro: ter a capacidade de explorar o ambiente aumenta o desenvolvimento cognitivo e motor. Não prive seu filho de brincar no chão. Existem alternativas excelentes além do uso do *exersaucer* ou do andador. Tente deixar seu filho no chão enquanto fica de olho nele. Use um cercadinho ou uma área protegida para que ele brinque com segurança. E, por fim, procure utilizar o balanço para bebês.

Os *jumpers* oferecem problemas parecidos com os do *exersaucer* ou do andador. Os pais tendem a colocar bebês muito pequenos neles, geralmente quando eles ainda nem sentam ou engatinham. Permitir que o bebê fique em pé nessa fase faz com que os músculos extensores fiquem desenvolvidos demais, além dos problemas posturais mencionados anteriormente com os andadores. Portanto, não há vantagem para o desenvolvimento com o uso do *jumper*.

Para que você não pense que sou a única com esse ponto de vista, aqui está uma frase de uma pediatra que mudou com a família da cidade para o subúrbio: "Nunca vi tantos pais com tantos aparatos para colocar os bebês sentados. Quando essas crianças terão a chance de se mover e se desenvolver?". Ela estava falando de um dia comum na vida de um bebê — ir da cadeirinha para o assento do carro, depois para o carrinho do supermercado, voltar para o carro, voltar para casa e então ser colocado no *exersaucer*, no balanço ou no andador — e mais tarde sair de novo para dar uma volta no carrinho de bebê. Pense nisso e observe se não está utilizando em excesso esses aparelhos para cuidar do seu pequenino.

Atividades Sensoriais para Seu Bebê de Sete a Doze Meses

Nesta idade, ainda é muito importante fazer atividades sensoriais para continuar o desenvolvimento das habilidades visuais e cognitivas do bebê, bem como dos sentidos vestibular e proprioceptivo. O tato, a audição, o paladar e o olfato estão se desenvolvendo rapidamente.

Estímulos Visual e Cognitivo

Os bebês nesta idade são orientados visualmente — o que eles vêem ajuda a motivá-los a se mover e explorar. Eles vão examinar o tamanho, o formato e a textura dos objetos e começar a compreender que esses objetos possuem lados (frente/trás, cima/baixo). Continue lendo diariamente para seu filho. A leitura aumenta não só o estímulo visual, mas também o auditivo, a memória e a coordenação viso-motora (os bebês, nesse estágio, estão começando a apontar para as figuras). Nessa fase, seu filho adora jogar coisas e depois olhar para ver onde caíram. Para demonstrar a permanência de objeto, esconda brinquedos embaixo de um pano ou bloqueie-os com algum obstáculo e veja se seu filho consegue descobrir como encontrar ou pegar o brinquedo. Aos oito meses, seu filho deve conseguir encontrar um brinquedo escondido no armário ou dentro de um pote com tampa. O bebê vai participar alegremente de jogos sociais agora — brinque com fantoches e de "achou" com ele.

Neste ponto você estará fazendo sons para seu filho imitar, o que também serve como forma de interação social. Agora você pode adicionar o componente físico e dar um brinquedo a ele. Ele vai querer ficar com o brinquedo. Convença-o a devolvê-lo. Então devolva a ele, e assim por diante. Aos nove meses, o bebê entende a função de um objeto: o copo é para beber, o chocalho faz barulho. Você pode colocar diversos objetos na frente do seu filho e ajudá-lo a fazer as associações corretas.

Estímulos Vestibular e Proprioceptivo

Seu filho está melhorando o desenvolvimento do sentido proprioceptivo e vestibular através dos movimentos no chão e no ar. Ele está aprendendo as limitações na amplitude do movimento e conhecendo o corpo na relação com os outros objetos. Então se mexa com o bebê!

Contanto que você não seja rude, entre em uma algazarra com seu filho. A maioria dos pais (especialmente as mães) se preocupa com esse tipo de brincadeira. Mas, na verdade, os bebês adoram voar pelo ar ou ser balançados, de maneira rápida, de um lado a outro. Dance com seu filho no colo. Segure-o no colo e mexa-o para cima e para baixo e lateralmente (de um lado a outro). Brinque de "aviãozinho" e de "gangorra" com o bebê. Deitada no chão, coloque seu filho em cima de você e o balance. Brinque de "porquinho" com os dedos do pé para aumentar a consciência dele em relação a esta parte do corpo.

Brinque de cavalinho com seu filho: sente-se em uma cadeira com as pernas cruzadas, coloque o bebê no seu tornozelo, segure as mãos dele e levante e abaixe a perna. Se tiver vontade, leve-o de cavalinho nos seus ombros. Os bebês adoram ficar nessa posição e é bom para o equilíbrio e o controle do tronco. Brinque de "balançar o bebê" usando um lençol: ponha-o no meio do lençol, segure as duas pontas (são necessárias duas pessoas para fazer isto) e balance gentilmente seu filho enquanto canta músicas. Ou empurre bolas, carrinhos e outros brinquedos de rodinhas. Brinque com bolas de tamanhos diferentes e comece jogando a bola para trás e para frente. Isto é bom para o equilíbrio, a coordenação e a interação no brincar. Aos 12 meses, seu filho talvez goste de aulas de natação. Nadar é uma atividade maravilhosa para promover o movimento, a sensação e a consciência proprioceptiva e vestibular, bem como a socialização e o vínculo entre vocês dois.

Estímulo Tátil

Para ajudar seu filho a apreciar o sentido do tato, continue massageando-o diariamente. Deixe o bebê começar a tocar objetos sozinho, com suas próprias mãos. Coloque objetos nas mãos, nos pés e na barriga dele. Pressione a sola dos pés e a palma das mãos (especialmente se ele for sensível ao toque). Continue proporcionando a ele novas experiências com texturas — tipos diferentes de tapete, grama, lama etc.

Nessa idade, seu filho não está apenas segurando e levando objetos à boca. Ele realmente é capaz de rodar objetos na mão (o que significa que pode virar a mão para cima e fazer a supinação do braço de propósito). Estimule as atividades motoras finas e melhore a coordenação motora fina aumentando a consciência do bebê em relação às suas mãos e corpo. Brincar na linha média o ajudará nisso. Também é importante aumentar a coordenação viso-motora, bem como a exploração dos objetos através de sua manipulação (o que vai melhorar o uso bilateral das mãos). Garanta ao bebê a oportunidade de pegar objetos pequenos para explorar, jogar, bater, derrubar, torcer, apertar e chocalhar. Alimentar-se sozinho também melhora a coordenação motora fina. Deixe seu filho bater um ou dois potes — bater duas coisas, uma contra a outra, é ótimo para a atividade na linha média, para o uso bilateral das extremidades superiores e para a convergência dos olhos. Bater verticalmente — de cima para baixo — ocorre bem antes de o bebê bater dois objetos, um contra o outro.

Você também pode trabalhar nas seguintes habilidades motoras. Encher e esvaziar é bom para a coordenação viso-motora e para a percepção do tamanho. Faça seu filho empilhar e derrubar (bebês nessa idade estão começando a empilhar; elaborar "cidades" vem depois). Junte as bolinhas de tamanho adequado (as de plástico que encaixam umas nas outras são ótimas) e puxe-as para separá-las. Faça-o pegar e segurar dois objetos (um em cada mão). Experimente pintura a dedo colocando iogurte ou espaguete na tampa do cadeirão e deixe seu filho espalhar tudo — um Picasso a caminho! Permita que ele brinque com todo tipo de comida — do gelo ao macarrão. Isso é excelente para explorar texturas e para aumentar a coordenação motora fina e a exploração. Seu filho pode abaixar alavancas e virar maçanetas (nesse estágio os bebês adoram explorar e dominar as coisas). Coloque bolachas em um pequeno pote ou recipiente e deixe o bebê pensar em como pegar a bolacha para comer. Pratique beber no copo. Crie atividades para os dedos fazendo furos na caixa de ovos e deixe seu filho enfiar os dedos nos furos. Use um tabuleiro com pinos — colocar os pinos nos furos ajuda a isolar o dedo indicador do resto da mão.

Estímulo Auditivo

Aumentar o estímulo auditivo do bebê é essencial nessa idade. Continue conversando com ele. Imite os sons que ele faz e peça a ele para imitar os seus. Mais uma vez, leia para ele todos os dias durante períodos *curtos* de tempo — ele também quer fazer outras coisas. Classifique e aponte todos os objetos e partes do corpo que aparecerem no contexto. Também é interessante começar a falar sobre a seqüência dos acontecimentos — ou apontar detalhes — com o bebê. Por exemplo, em vez de dizer "Vamos trocar a fralda", diga "Agora vamos trocar sua fralda. Primeiro, precisamos tirar a calça, depois abrir a fralda, limpar e secar, colocar a fralda nova e então te vestir". Em vez de dizer "Veja a figura", diga "Veja o céu azul na figura e o rosto da menina".

Estímulos Gustativo e Olfativo

Nesta idade, os sentidos do paladar e do olfato do bebê estão expandindo rapidamente. A introdução de novos alimentos regularmente é uma fonte constante de estimulação sensorial. No entanto, lembre-se de que é importante observar qualquer reação adversa que siga a introdução de um alimento novo.

A Base da Nossa Sustentação: O Desenvolvimento dos Pés

Nos Capítulos 3 e 4, mencionamos as diferentes atividades que ajudam a preparar os pés para andar: cada vez que o bebê brinca com os pés, coloca-os na boca ou bate-os no chão, a estimulação tátil e proprioceptiva está ocorrendo. Cada vez que o bebê rola sobre os pés, senta sobre eles ou utiliza-os como apoio (quando está apoiado de lado, ajoelhado ou engatinhando), está ajudando a moldá-los.

Brinquedos Recomendados para Bebês de Sete a Doze Meses

- Brinquedos de causa e efeito: brinquedos que saltam para fora quando a tampa é levantada e pião de corda.
- Brinquedos para primeiros passos que conferem equilíbrio, coordenação e sensação de aventura. Prefiro aqueles com a base mais estreita para as pernas do bebê se encaixarem e os pés tocarem o chão.
- Brinquedos de empurrar para estimular o andar e dar a sensação de realização (apropriados para bebês que já estão ficando em pé, andando com apoio e mostrando o desejo de ir além).
- Mesas de atividades para ele se levantar e brincar.
- Cubos e copos, os primeiros para empilhar e os segundos para servir de receptáculo dos cubos.
- Argolas de encaixar.
- Bonecas.
- Bichinhos de pelúcia (grandes e pequenos para a estimulação tátil, para abraçar e para brincar de imitações).
- Livros: livros *pop-up*, para encontrar figuras, do alfabeto, livros ilustrados e coloridos, com a imagem de fazenda e animais.
- Instrumentos musicais para a habilidade de audição e de imitação.
- CDs ou cassetes musicais com canções infantis.
- Bolhas de sabão: eficientes para a habilidade visual e a brincadeira de causa e efeito.

O pé de uma criança é muito diferente do pé de um adulto. Além de ser menor, ele é mais plano e flexível. Sua curvatura é mais difícil de ser detectada por causa da camada grossa de gordura que cobre a sola do pé (além disso, a curvatura pode ser pequena até os três anos). O pé do seu filho passa por muitas mudanças que resultam em posições que podem fazê-lo parecer ter pernas arqueadas, joelhos juntos, joanetes ou "pé chato". Na verdade, a maioria dos bebês parece ter pernas arqueadas até, mais ou menos, um ano e meio. Quando seu filho começa a ficar em pé, ele vira os pés para fora para aumentar sua base de apoio e ajudar no equilíbrio. Quando começa a andar, os pés do bebê se endireitam. Durante os diversos estágios de crescimento e desenvolvimento, algumas crianças ficam com as pernas arqueadas, mas depois as corrigem dos cinco aos sete anos.

Os Critérios Bem Equilibrados

O Que Você Pode Fazer: De Sete a Doze Meses

- Continue massageando o bebê.
- Continue brincando no chão.
- Estimule-o a engatinhar.
- Concentre-se em atividades de sustentação de peso, especialmente para a parte superior do corpo.
- Brinque bastante de pegar objetos enquanto o bebê estiver em quatro apoios (mãos e joelhos).
- Tente incorporar atividades na posição sentada na rotina diária.
- Lembre-se de não colocar seu filho em pé com muita freqüência — deixe que ele se apóie para levantar.
- Tente evitar a "armadilha do andador".
- Sensibilize os pés do bebê às diferentes superfícies.
- Estimule a habilidade de manipulação.
- Tente ir diariamente a um parque local.
- Estimule-o a comer com os dedos e a beber no copo com a sua assistência (você pode introduzir o copo aos sete ou oito meses).

Continue deixando seu filho brincar descalço para ajudar a fortalecer todos os músculos do pé. Isso também ajuda a desenvolver as reações de equilíbrio nesta parte do corpo. Além disso, andar em brinquedos como o tico-tico ajuda a fortalecer esses músculos. Evite deixar seu filho de meias — elas são escorregadias e podem causar quedas. Também é difícil trabalhar as reações de equilíbrio calçando meias. Botas antiderrapantes podem ser usadas no piso frio. Por fim, massageie os pés do bebê — os benefícios vão muito além de relaxar os pequenos músculos cansados; isso ajuda a dar estímulo tátil aos pés que podem ser hipo ou hipersensíveis ao toque.

Sinais de Alerta do Desenvolvimento durante o Primeiro Ano

Os sinais de alerta seguintes costumam indicar hipotonia muscular e também podem ser sintomas de problemas de integração sensorial. Se seu filho estiver exibindo alguns destes comportamentos, você deve aumentar a vigilância na coordenação motora e no estímulo sensorial. É importante descobrir por que estes atrasos estão ocorrendo.

- Rolar cedo, com um ou dois meses (pode indicar que seu filho não gosta da sensação da superfície ou é sensível a uma posição em particular).
- Não conseguir manter a cabeça na linha média (a cabeça rola para o lado) com alguns meses.
- Manter as mãos quase sempre fechadas.
- Não conseguir estender os braços para apanhar algo.
- Estender e pegar objetos com o mesmo braço constantemente.
- Exibir dominância da mão antes dos 18 meses (pode ser indicativo de fraqueza em um dos lados).
- Não rolar.
- Quando, deitado de costas, levar os pés à boca (aos cinco ou seis meses) e as pernas apresentarem muita rotação para fora. Isso é trapaça, seu filho não está alongando bem os tendões nem trabalhando de fato os músculos abdominais.
- Virar os dedos dos pés para baixo sentado ou em pé (virar os dedos costuma ser sinal de estar empregando muita tensão nas pernas para compensar a hipotonia muscular no tronco, ou de reações inadequadas de equilíbrio).
- Fazer força para ficar em pé quando você tenta sentá-lo (quer ficar em pé ao invés de sentado).
- Sentar freqüentemente na posição em *W*.
- Em vez de engatinhar, andar como coelhinho (trazendo as duas pernas para frente ao mesmo tempo, e não uma de cada vez).
- Continuar engatinhando com as mãos fechadas e/ou os pés fora do chão para evitar tocar a superfície.
- Andar persistentemente na ponta dos pés em vez de sustentar o peso nas solas dos pés.

- Ter dificuldade em progredir dos alimentos semi-sólidos para os sólidos, ou não mastigar os alimentos que lhe são oferecidos.

E Lembre-se Sempre...

- *Por mais frustrante que seja para você, tolere a necessidade do seu filho de explorar cada canto. Ao mesmo tempo, tome precauções para manter a segurança.*
- *Além de dar estímulo sensorial, brincar no chão ajuda o bebê a aprender a se mover. Engatinhar desenvolve força na parte superior do corpo e permite as primeiras explorações para seu filho aprender com o ambiente.*
- *Elogie a "obra" e não o "autor": tente não dizer "boa menina" ou "bom menino". Diga "bom trabalho" ou "que engatinhada fantástica".*

CAPÍTULO

5

Do Balbuciar e Murmurar ao Sugar, Engolir e Mastigar

O Desenvolvimento Oral-motor durante o Primeiro Ano de Vida

A Base da Linguagem

A linguagem inicia-se no nascimento. A linguagem é o choro, o sorriso ou o abrir de boca do o recém-nascido quando este olha para você. Em seu sentido mais completo, a linguagem é a maneira como nos comunicamos, seja através do toque, da expressão facial, da linguagem corporal e da fala. Ela é tanto receptiva quanto expressiva. A linguagem receptiva refere-se à maneira por que absorvemos as informações que vemos, ouvimos e sentimos, e por que compreendemos essas informações, enquanto a linguagem expressiva refere-se à maneira por que passamos informações, seja por meio da fala, da escrita ou da gesticulação. Desde cedo, seu filho começa a utilizar todos os sentidos para o desenvolvimento da linguagem. Além dos sentidos, outros fatores fundamentais fazem parte esse desenvolvimento. Assim como o movimento, o desenvolvimento da fala tem uma relação de dependência com a carga genética, o tônus muscular e o ambiente. Ela também interage com a capacidade auditiva e do intelecto (embora eu tenha mencionado que não há relação entre a inteligência e o andar cedo, parece haver uma forte relação entre a fala e a inteligência).

Durante o primeiro ano de vida do bebê, seu desenvolvimento oral-motor é exponencial. Inicialmente ele responde aos sons se assustando, mas com doze meses compreende frases curtas como "Bata palmas!", "Que grande!" e "Tchau!" (que são repetidas muitas vezes). O recém-nascido conhece você pela voz (não só pela visão ou pelo olfato) e comunica-se de diversas formas. Ele balbucia quando você fala com ele e pode demonstrar que ouviu algo pelos movimentos dos olhos. Ele pisca, mas ainda não consegue localizar o som nesse estágio. Entretanto, o bebê utiliza claramente a visão e o som juntos. Ele também é atraído visualmente pelos brinquedos que fazem barulho e começa a discriminar seus respectivos sons. Os reflexos orais do recém-nascido, como o reflexo de procura ou o de sucção, também são utilizados para a comunicação e para ajudá-lo a trabalhar os músculos oral-motores, para que mais tarde possa falar. Esses reflexos estão presentes do nascimento aos três meses mais ou menos. Nosso reflexo de vômito, que é mais um reflexo protetor, permanece conosco por toda a vida.

Quando o bebê completa um mês de idade, você pode começar a distinguir seu choro. Pode notar a diferença do choro de "estou cansado e com fome" do "minha fralda está molhada" ou do choro de desconforto e um resmungo "preciso de atenção". Seu filho vai ter reações diferentes a diversos sons. Por exemplo, ele pode se assustar com um barulho alto e repentino e simplesmente olhar para você (momentaneamente nessa idade) quando você falar com ele. Você talvez note também como ele vira a cabeça para olhar para as pessoas. Ele também emitirá sons para expressar contentamento.

Entre dois e quatro meses, seu filho poderá fazer sons vocálicos produzidos na parte de trás da garganta: */ah/ /uh/ /ã/ /ó/* (*ah* como em *dá*, *uh* como em *bu*, *ã* como em *mãe*, *ó* como em *vó*). Embora essas vogais pareçam propositais, nesse momento elas são mais reflexivas. As expressões faciais do bebê vão mostrar como ele está. Elas também são ótimas oportunidades para fotos — os bocejos, as caretas de desconforto, o pequeno "ó" de curiosidade — são marcas registradas das quais você vai sempre se lembrar. Logo seu filho estará rindo e emitindo gritinhos — especialmente se você continuar fazendo essas caretas tolas para ele.

Aos três ou quatro meses você vai notar diversas entonações quando o bebê balbuciar ou chorar. Ele agora é capaz de virar a cabeça e até sorrir quando você fala com ele. Pode se acalmar com a sua voz. Sons de consoantes podem começar a emergir, porém no início ele provavelmente os realizará um de cada vez. Pode até começar a combinar consoantes e vogais: *mama-ahah-papa*. Isso é conhecido como ecolalia ou repetição das sílabas. Muitos bebês não conseguem isso até os seis ou sete meses.

Com cinco meses, seu filho pode responder ao nome dele virando a cabeça em direção ao som de sua voz. O verdadeiro balbuciar se desenvolve logo depois (aos seis ou oito meses) e o bebê usa a vocalização agora como uma forma de interação social — ele imita você e responde-lhe. Ele pode até falar sozinho quando se vê no espelho. Vai repetir sílabas (como *ba-ba-ba*), como se estivesse cantando. Também pode começar a reagir ao "não" (embora ele consiga, em parte, compreender o contexto da palavra, ele também reage à mudança de tom na sua voz). Consoantes vindas do fundo da garganta como *C* e *G* podem ser ouvidas, bem como as consoantes originadas na ponta da língua (*T, D, N, R, L*). Seu filho também troca sons quando coloca a mão na boca. Observar (e ouvir) o pequenino enquanto ele coloca o punho na boca e emite sons — que ficam cada vez mais altos — é como assistir a um comediante emitindo sons estranhos pelo microfone.

Aos sete meses, o bebê também está fazendo experiências com os sons — a produção deles começa a ocorrer separadamente do movimento. Em outras palavras, ele não precisa mais estar em movimento para produzir sons. Ele parece estar conversando (utilizando sons, não palavras) e suas entonações variam ainda mais. O balbuciar continua por, pelo menos, três segundos e pode durar até três minutos. Seu filho claramente presta atenção quando falam com ele ou quando outras pessoas estão conversando. Ele pode até parar o que estiver fazendo para ouvir com atenção. Pode também começar a falar com você quando ouve seu nome ou outras palavras familiares. Os bebês nessa idade geralmente produzem sons ("falam") para continuar o "diálogo" depois de alguém falar com eles. Seu filho vai responder gesticulando (mexendo os braços, por exemplo) a frases familiares, como "que grande!", "faça tchauzinho" e "venha aqui". Dessa maneira, ele está comunicando-lhe que compreende o que você diz. Ele pode misturar consoantes e vogais que se originam em áreas diferentes da boca, dos lábios (*P, B, M*), atrás dos dentes (*D, T, S*) e perto do fundo da garganta (*ah-oh*).

Entre oito e doze meses, embora o bebê não possa apontar, ele demonstra seus desejos e suas vontades pela produção de sons (*ã-ã* ou *eh-eh*). Bebês nessa idade tendem a estender os sons vocálicos: *aaaa, aa, aaaa*. Ele agora balbucia continuamente. Alguns bebês começam a "cantar" junto com as músicas. Gesticular e imitar são trivialidades. Seu filho diz "não" com a cabeça, mexe e levanta os braços e talvez até a puxe quando quiser atenção. Ele começa a fazer inflexão quando vocaliza e se aproxima das palavras (por exemplo, "aua" quer dizer *água* e "bó" quer dizer *bola*). Já consegue dizer uma ou duas palavras — *mama, papa, dada* — e adora imitar sons, como cacarejar, tossir e cuspir. O pequenino também adora desempenhar atividades respondendo a perguntas e pedidos simples através dos gestos — "Jogue um beijo para a mamãe", "Olhos — onde ficam os seus olhos?". Ele também pode responder quando lhe pedem para dizer algo — como "tchau". Brincadeiras de bater palmas costumam ser as preferidas também.

Entre onze e doze meses, seu filho vai "cantar junto" se você cantar para ele. Nessa idade, os bebês costumam praticar muita vocalização "conversando" com brinquedos, animais de estimação e outras pessoas durante todo o dia. Ele agora consegue se acalmar apenas ouvindo a sua voz . Também sabe quando você está feliz, triste ou brava pelo tom da sua voz. As crianças nessa idade são muito boas em localizar o som. E o mais excitante é que os sons têm significados. Uma porta se fechando pode significar que a mamãe ou o papai está saindo ou chegando; a campainha da cafeteira significa que alguém acordou. Embora os bebês imitem palavras novas nessa idade, eles podem não falar muito quando estiverem aprendendo a andar, pois estão muito concentrados nessa nova habilidade motora.

Com um ano de idade, seu filho provavelmente será capaz de dizer de duas a cinco palavras, além de *mama* e *papa*. Cinqüenta por cento das crianças dizem a primeira palavra aos doze meses, 90% aos dezoito meses e 7% aos vinte meses. Falar palavras não é uma conquista pequena — exige um controle respiratório significativo e do tronco. Para a produção da fala, precisamos ter controle sobre nossa inspiração e expiração. Para a capacidade de produzir palavras, também precisamos do controle do tronco. Quando os músculos do tronco são fracos, a respiração é fraca. Quando inspiramos, o diâmetro torácico aumenta (nossa caixa torácica mexe para cima e para fora), o que nos dá a capacidade de produzir sons na expiração. A caixa torácica do bebê é mais plana e alta do que a do adulto. Quando o tronco do bebê começa a se desenvolver, a caixa torácica é "puxada para baixo", dando mais espaço para a inspiração e a expiração.

Preocupações Mais Comuns

Quando estamos fora de casa, nosso filho não fala nem mostra o que sabe fazer. Isso é comum?

Isto é muito comum ocorrer e é muito difícil para os pais, especialmente porque sentimos muito orgulho das realizações dos nossos filhos e queremos exibi-las. Algumas crianças costumam apreender toda informação nova antes de responder a ela, e estão geralmente muito ocupadas explorando o ambiente. Além disso, seu filho pode precisar de um tempo para "se aquecer" no novo ambiente. É por isso que, nas visitas de rotina, os pediatras não dão muita ênfase ao comportamento da criança, e sim confiam no *relato* dos pais sobre o comportamento da criança, fora sua avaliação do desenvolvimento (entretanto, se há alguma preocupação, o bom pediatra dá tempo para a criança "se aquecer" e ficar mais à vontade antes de fazer qualquer avaliação).

Atividades para Aumentar a Produção de Sons

Existem muitos jogos e atividades diferentes que podem ser utilizados para estimular a "conversação" do bebê. Todos eles vão ajudar a estimular a produção dos seus próprios sons. Lembre-se, ele quer se comunicar com você!

Para o Recém-nascido Estas atividades são designadas para aumentar a aquisição de linguagem do recém-nascido. Cante versos com rimas e utilize chocalhos para fazer o bebê acompanhar o som. Converse com o bebê em um tom suave e agradável, mesmo quando não estiver diretamente na frente dele. Ele logo vai reconhecer sua voz. Para aumentar a consciência auditiva dele, você pode variar os padrões de entonação. Também fale quando estiver atrás dele, ou fora de seu campo de visão. Preste atenção se o bebê a ouve. Tenha certeza de que ele emite sons e olha para você.

De Um a Três Meses Faça uma brincadeira de leva e trás, imitando os sons do seu filho. Deixe que ele faça um som. Então, você o repete. Espere uma resposta e comece novamente. O bebê a acompanha tanto visualmente quanto auditivamente. Converse com o bebê enquanto vai de um lado ao outro. Continue cantando para ele — "Estrelinha pequenina", "Mary tinha um carneirinho" e "Dorme filhinho". Utilize brinquedos sonoros para seu filho seguir com os olhos. Se ele não estiver interessado em um brinquedo em especial, tente outro. Pronuncie o nome do bebê. Chame-o antes que ele a veja. Isso o ajuda a se familiarizar com a sua voz e a reconhecer você por meio dela.

Referências de Desenvolvimento da Linguagem durante o Primeiro Ano

Recém-Nascido

- Assusta-se com barulhos altos.
- Parece te ouvir.
- Emite sons para indicar prazer ou contentamento.

Do Recém-Nascido aos Três Meses

- Presta atenção em sons e vozes.
- Reconhece a sua voz.
- Produz sons vocálicos, ou balbucios.

Dos Três aos Seis Meses

- Produz choros diferentes.
- Produz mais sons vocálicos.
- Dá risada.
- Balbucia.
- Responde ao "não" vocalizando.
- Responde ao nome dele.
- Procura os sons que escuta, mas não pode localizá-los (porta batendo, cão latindo, telefone tocando).
- Emite algumas consoantes.
- Começa a falar (perto dos seis meses) e para de falar quando outra pessoa vocaliza.

Dos Sete aos Dez Meses

- Reconhece objetos familiares/responde a palavras familiares.
- Fala continuamente.
- Conversa com os brinquedos.
- Imita sons.
- Mistura sons de consoantes e vogais.
- Gesticula e imita.
- Começa a falar quando outra pessoa pára de falar para manter o "diálogo".

Dos Dez aos Doze Meses

- Ouve histórias.
- Produz de duas a cinco palavras, além de *mama* e *papa*.
- Reage quando os objetos são levados embora — mostra seu descontentamento.
- Vira na direção do som, se alguém diz seu nome.
- Compreende os jogos de imitação e gosta deles.

Checklist para Melhorar a Linguagem no Primeiro Ano

O Que Você Pode Fazer

- Descobrir o momento certo para trabalhar a comunicação é tão importante quanto descobrir a hora para a estimulação visual ou motora. Seu filho precisa estar receptivo. Para a comunicação, esse momento é geralmente tranqüilo, quando você está lendo ou até mesmo no banho (além de estimulante, o banho também é ótimo para a produção sonora).
- Converse com o bebê quando ele estiver brincando. Por exemplo, se ele estiver empurrando um carrinho, você pode dizer: "O carro faz vrum-vrum". Se ele estiver brincando com um bichinho de pelúcia, diga o nome do animal e imite o som dele. Além disso, descreva o que seu filho está sentindo se o objeto for macio, duro, gelado ou quente.
- Nomeie objetos quando seu filho estiver apontando para eles.
- Expanda os conhecimentos do seu filho — se ele vir um gato e disser "miau", você pode dizer: "Olhe o gato. Ele é preto e branco e seu pêlo é macio".
- Mantenha as atividades adequadas à idade.
- Não faça seu filho repetir frases — ou "se apresentar"; todas as atividades devem ser divertidas, não obrigações.
- Quando você estiver lendo para o bebê, lembre-se de que existe uma diferença entre ele nomear a figura e entender o que ela representa. Quando você apontar e disser: "O que é isto?" e seu filho responder, ele está nomeando, classificando e usando as palavras. Quando você pergunta "Onde está o passarinho?" e ele mostra, isso indica que ele compreendeu a questão.

De Três a Cinco Meses Agora o bebê consegue virar a cabeça quando ouve um sino ou um chocalho e vai continuar olhando para ele e estudando-o. Utilize diferentes níveis de entonação e de volume, como vozes suaves, altas ou divertidas. Estimule a produção sonora (*oo-oo-ee-ee*) emitindo estes sons para que o bebê possa repeti-los também. Quanto mais você falar, mais seu filho vai falar (mas procure não se habituar a antecipar as respostas do seu filho e responder primeiro). Você quer estimular a fala, não impedi-la.

Você pode utilizar o som para aumentar a coordenação motora também. Quando seu filho estiver brincando de bruços, estimule-o a levantar e virar a cabeça com o som do chocalho. Quando você fizer uma torre de blocos e derrubá-la, diga "Ah! Caiu!". Você estará demonstrando expressões que seu filho vai começar a utilizar e a compreender o significado. Dê toques leves em seus lábios — sente-se com o bebê no colo (de costas para você) ou coloque-o no cadeirão. Isso dá estímulo sensorial para fechar a boca. As consoantes que precisam do fechamento dos lábios são *B*, *M* e *P*. Você também pode colocar a mão de seu filho em seus lábios quando você disser *m-m-m*, *p-p-p* e *b-b-b*, para que ele sinta a vibração do som, ou ainda pôr objetos perto da sua boca quando nomeá-los, isto o ajudará a associar o som ao objeto. Brinque de "achou" para uma interação recíproca.

De Seis a Oito Meses A hora do banho geralmente estimula a produção sonora. O borrifo da água causa muitas risadas (o que aumenta a atividade da musculatura abdominal enquanto inspira e expira), e segurar o fôlego ajuda na fonação. Nomeie tudo — vestido, blusa, calça, partes do corpo, animais, pessoas, itens do dia-a-dia (telefone, caneta, panela, colher, comida). Quando estiver fora, aponte e diga ao seu filho todos os sons diferentes que você ouvir (vento, árvores balançando, sirenes, pássaros cantando, cães latindo). Uma ação acompanhada por um som ajuda a fomentar o desenvolvimento da linguagem. Você pode gerar essa circunstância com praticamente tudo. Por exemplo, quando alguma coisa cair, diga "oh", ou quando algo for gostoso, passe a mão na barriga e diga "mmm — bom".

Os bebês nesta idade estão interessados em jogos de leva e traz (comunicação através da linguagem corporal). Um bom jogo é "(André) tem um chapéu. Tire o chapéu e dê para a mamãe". Tire o chapéu e o coloque na sua cabeça, depois devolva ao seu filho. Continue indo e voltando. Continue cantando! Bebês nesta idade adoram os animais: cante "imitando os animais". Você pode praticar cantando, parando, recomeçando e então parando abruptamente, deixando uma palavra ou uma frase de fora. Isso vai estimular seu filho a vocalizar para "preencher" o que você deixou de fora. Use um telefone de brinquedo e segure-o na orelha do seu filho. Brinque de falar com ele pelo telefone. Fale através de uma folha de papel enrolada em forma de tubo. Faça barulhos engraçados. Seu filho vai adorar.

De Dez a Dezoito Meses Imite os sons que vocês ouvirem — carros, barcos, aviões, sirenes, telefones, água, beijos, sopros e zunidos. Use todos os tipos de fantoches para criar histórias. Arrume um cenário para brincar — crie uma fazenda, um parque aquático, uma escola de dança. Use a criatividade. Quando estiver dirigindo o carro, converse com seu filho que está no banco de trás e nomeie as coisas que você vê enquanto dirige. Use preposições — "o ônibus está perto/atrás/na frente de nós". Crianças mais velhas adoram brincar com diversos jogos de carros, como contar os carros de um determinado tipo, "Vou viajar para a Lua..." e jogos com músicas.

A Base da Habilidade da Alimentação

Os bebês nascem com a capacidade inata de sugar e engolir para sobreviver. O forte padrão de sucção que a maioria dos recém-nascidos tem se deve em parte à mecânica. A cavidade oral é pequena e a língua preenche essa cavidade. Além disso, a carinha de "esquilo" que o bebê tem se deve na verdade às almofadas de sucção localizadas na parte interna da bochecha, que ajudam a criar a estabilidade da boca. A combinação da cavidade oral pequena com estas almofadas de sucção cria compressão e permite que o bebê sugue líquidos de um bico.

O palato é o que divide a cavidade oral da nasal. Ele dá um lugar de apoio para a língua e evita que os líquidos e os alimentos entrem na cavidade nasal (os bebês que nascem com uma fenda palatina — um em cada setecentos nascimentos — têm problemas com a alimentação porque eles têm dificuldade em conseguir pressão negativa suficiente para sugar o líquido do bico. Além disso, os líquidos podem entrar na cavidade nasal.).

Assim como o movimento do bebê começa aleatório e não refinado, o desenvolvimento da boca e das áreas ao redor dela também. Os movimentos da maxila são inicialmente descontrolados e a língua se move junto com a maxila como uma só unidade. Conseqüentemente, quando seu filho começa a mastigar, a língua se mexe verticalmente, junto com a maxila (por exemplo, bebês nesta idade vão morder a bolacha em um padrão de movimento para cima e para baixo). Quando a maxila fica mais estável, a língua começa a mover-se independentemente e ele pode mexer os lábios e as bochechas mais prontamente. Ao se introduzir os alimentos semi-sólidos (como mingaus), a comida se mexe de um lado para o outro da boca e a língua começa a se mover lateralmente. O movimento rotativo da língua se desenvolve à medida que o bebê começa a mastigar comidas de verdade.

O estímulo sensorial que o bebê recebe pela boca também afeta seu funcionamento motor. Como a língua do bebê ocupa a boca inteira, ele recebe estimulação tátil constante em toda a região da boca. Mesmo quando o bebê fica mais velho, tem estímulo tátil constante de todas as coisas introduzidas em sua boca. Alguns bebês e crianças são muito mais sensíveis ao tato do que outros. Se um bebê sensível não gostar da textura, do paladar ou da temperatura da comida, vai rapidamente passar a comida pela boca e engoli-la, sem mastigá-la corretamente e usar os movimentos rotativos. Ele também pode mastigar ou engolir a comida com a boca aberta (não usando assim os músculos oral-motores) se deixarem. Entretanto, quando ele perceber que a comida cai da sua boca , vai fechá-la (ele também pode optar por cuspi-la e recusar-se a comer). Vamos discutir a sensibilidade oral neste capítulo.

Preocupações Mais Comuns

Minha filha tem quatro meses e recentemente substituiu a amamentação pela mamadeira. Porém, percebi que ela derrama bastante leite pelos cantos da boca quando mama. Devo me preocupar?

Diversos fatores devem ser considerados quando um bebê derrama líquidos pelos cantos da boca quando está mamando. O tipo de padrão de sucção que o bebê usa é um pouco diferente entre o seio e a mamadeira, e o bebê pode levar algum tempo para se acostumar. Não é incomum que os bebês inicialmente engasguem ou tenham ânsia quando fazem esta transição, porque eles sugam mais líquido da mamadeira do que estão acostumados a receber (usando o mesmo esforço) do seio. É importante também prestar atenção na posição do bebê durante as mamadas. Em geral, o bebê alimentado no seio tende a ficar com o queixo comprimido e a cabeça levemente flexionada enquanto mama (discutimos isto brevemente no Capítulo 3). Isso cria automaticamente um padrão de vedação e de sucção mais forte, fazendo com que menos ar entre com o leite.

Por outro lado, os bebês que mamam na mamadeira tendem a deixar o pescoço levemente estendido e aumentam ainda mais essa extensão para esvaziar a mamadeira. Se sua filha tem essa tendência, utilizar uma mamadeira angular pode ajudá-la a diminuir a inclinação da cabeça para trás (você pode encontrar mamadeira angular na maioria das lojas de produtos para bebês). Lembre-se, se as orelhas estiverem para trás dos ombros, essa posição causará maior extensão do pescoço e da cabeça, o que dificulta o fechamento correto dos lábios e, assim, uma boa vedação ao redor do bico. Geralmente, por volta dos seis meses de idade, a maioria dos bebês pára de derramar líquidos pelos cantos da boca quando estão mamando. Alguns continuam derramando quando o bico é puxado da boca até os nove meses de idade.

Bebês prematuros, com hipotonia muscular e com deficiências anatômicas ou neurológicas tendem a ter dificuldade com o bom fechamento dos lábios, a coordenação sucção-deglutição e a capacidade de desenvolver uma boa pressão de sucção para tirar o líquido do bico. Consulte o pediatra se, aos seis meses, sua filha ainda estiver derramando uma quantidade significativa de líquidos.

Deixando a Hora da Refeição Mais Divertida

Para que a hora da refeição fique mais divertida tanto para você como para o bebê, é necessário que haja uma boa comunicação. Compreenda a linguagem corporal do bebê ou da criança. Tente prestar atenção em como ele expressa seus desejos e suas necessidades. Ele precisa ser alimentado mais devagar ou rapidamente? Como ele demonstra que não quer mais a comida?

Tenha em mente que os bebês percebem o humor dos pais ou responsáveis — assim como as crianças mais velhas. Eles podem ainda não ser capazes de falar, mas conseguem sentir todo tipo de emoção. Por esta razão é importante tentar evitar uma atividade potencialmente frustrante ou que cause ansiedade — como alimentar — se você estiver tensa, apressada ou simplesmente de mau humor. É claro que todos nós temos os nossos momentos e às vezes não conseguimos agir com a melhor das intenções. Então não seja tão exigente!

Verifique se seu filho está pronto para comer e se o ambiente está preparado para a alimentação. Por exemplo, quando estiver amamentando o recém-nascido, tente estar confortável. Abaixe o volume de qualquer música ou da TV e procure não ser interrompida pelo telefone ou por outras distrações. Quando progredir para os semi-sólidos, tente preparar a comida e estar com ela pronta antes de colo-

Referências para a Pré-alimentação e a Alimentação do Seu Filho durante o Primeiro Ano

Recém-nascido a Três Meses

- Leva as mãos à boca.
- Brinca de bruços — rosto, bochecha e lábios recebem muitos estímulos táteis, o que ajuda a preparar a boca para a habilidade sensorial e motora.
- Segura brinquedos e os leva à boca.

Quatro a Nove Meses

- A brincadeira com a mão na boca continua.
- Introdução de alimentos semi-sólidos e sólidos.
- Começa a morder bolachas (lateralização da língua).
- Os lábios começam a se fechar ao redor da colher.
- Começam os comportamentos de mastigação, progredindo dos movimentos verticais, para os diagonais e depois rotativos (por volta dos sete ou oito meses).
- Pode começar a beber na canequinha.
- Pode começar a se alimentar com a mão.
- Segura a colher.

Dez a Doze Meses

- Consegue comer sozinho com as mãos.
- Segura a canequinha para beber.
- Pode segurar sozinho a mamadeira.
- Imita mexer com a colher (com uma colher e uma canequinha).
- Come alimentos com texturas variadas.
- Tenta se alimentar com a colher.

car seu filho no bebê-conforto. No caso de um bebê ocupado ou andando por aí, você pode tentar dar algumas bolachas no cadeirão para entretê-lo enquanto você continua preparando a refeição. Cada criança tem um jeito próprio, e depende de você estar ciente dos desejos e do que seu filho gosta ou não, se quiser criar uma criança bem-equilibrada. Você pode ter uma lista dos alimentos que seu filho gosta e daqueles de que ele não goste. Você pode até tentar reintroduzir um alimento algumas semanas depois de ele ter recusado e anotar a reação dele.

A Introdução de Alimentos Semi-sólidos

Os pediatras recomendam começar esta nova e excitante fase de dar alimentos semi-sólidos (cereais) entre quatro meses e meio e cinco meses de idade. Antes disso, os movimentos reflexivos ainda são dominantes. Como conseqüência, os bebês tendem a empurrar a comida para fora da boca. De qualquer modo, você deve verificar com o pediatra antes de introduzir esses alimentos.

Seu filho precisa estar pronto para este próximo estágio da alimentação. Ele deve ter um bom controle da cabeça e controle oral-motor suficiente (alguns bebês com hipotonia muscular ou deficiências neurológicas podem não estar prontos para comer com colher nesta idade). Quando seu filho estiver pronto para comer com colher, existem diversos passos preparatórios que podem ser úteis.

A posição em que você segura o bebê durante a amamentação é importante, assim como colocar o bebê no carrinho ou no bebê conforto para alimentá-lo com uma colher. O apoio dado pela posição semi-inclinada não só deixa suas mãos livres para fazer o que precisar, mas também dá mais estabilidade para o bebê enquanto aprende uma atividade nova e por vezes assustadora (além disso, isso aumenta a comunicação entre vocês dois e permite que ele veja a comida que está entrando na boca dele). Nem todos os bebês aceitam com naturalidade comer com colher. A seguir estão algumas dicas para transformar essa fase desafiadora e excitante em algo agradável para vocês dois.

- Coloque o bebê em um assento reclinado.
- Coloque o bebê na altura dos olhos — por exemplo, sobre a mesa. Nunca deixe seu filho sozinho quando estiver na mesa.
- Fique em pé ou sente-se na frente dele. Isto o ajuda a manter a cabeça na linha média para melhorar o fechamento dos lábios e a deglutição.
- Veja se a cabeça do seu filho está ligeiramente inclinada para frente (também para o melhor fechamento dos lábios e a deglutição).
- A maioria dos pais tende a colocar a colher dentro da boca e "raspar" a comida para fora da colher passando-a no lábio superior. Esta não é a maneira ideal de se conseguir o bom fechamento dos lábios e/ou o controle ideal dos músculos oral-motores. É melhor usar uma pressão firme, empurrando a colher sobre a língua e a tirando por cima do lábio inferior. Isso faz o lábio superior abaixar ao invés de se retrair para cima. Conseqüentemente, o lábio inferior pode segurar a colher enquanto o superior usa um movimento de sucção para retirar a comida da colher e levá-la à boca.

Preocupações Mais Comuns

Meu filho de quatro meses e meio começou a ingerir alimentos semi-sólidos há uma semana. Estou confusa quanto à consistência do leite quando ele bebe. Ele pode engasgar?

Esta mãe colocou o cereal na mamadeira. Ela pensou que o pediatra falou para acrescentar o cereal ao leite, e não o leite ao cereal. O bebê *não* deve receber o cereal na mamadeira a menos que haja uma necessidade médica*. O alimento deve ser dado em colheradas, e o leite na mamadeira. Se você misturar o cereal na mamadeira, seu filho vai receber informações confusas sobre a sucção. A mistura torna difícil para ele extrair o líquido do cereal, o que resulta em uma compreensível frustração. Ele também perde as atividades oral-motoras, como os movimentos da língua e da mastigação, que são fundamentais para o desenvolvimento oral-motor e depois para a articulação das palavras.

Se seu filho não está acostumado a colocar as coisas na boca (como dedos e brinquedos), ele pode ser sensível à colher também. Por isso, você deve "preparar" a boca do bebê, primeiro passando seus dedos por ela. Passe de cima para baixo no lábio superior. Nas bochechas, passe na direção dos lábios para que eles se fechem. Você pode colocar a mão toda — quatro dedos — sobre os lábios para obter a mesma resposta. Também passe de baixo para cima no lábio inferior. Ao fazer isso, você deve tomar cuidado para não tombar o pescoço para trás em extensão — isto dificulta o fechamento dos lábios. Esses movimentos ajudam a preparar os músculos oral-motores para trabalhar. Você também

* Se seu filho tem *refluxo* (uma condição médica em que ele vomita o leite), o pediatra talvez diga para colocar cereais no leite. A consistência mais grossa ajuda a evitar o refluxo. Um refluxo mais severo pode exigir intervenção adicional.

pode introduzir apenas o seu dedo indicador na boca do bebê. Passe-o pela gengiva, indo de trás para frente e de cima para baixo, na direção do nascimento dos dentes. Você pode fazer pressão na língua com toques suaves. Utilize o dedo indicador no centro da língua — mas não muito atrás. Você não quer causar ânsia.

Outra maneira de dessensibilizar a boca é usar uma "escova de dente para o dedo". Esta escova se encaixa no seu dedo e pode ser encontrada em diversas farmácias. Você pode usá-la para começar a "escovar" a boca do bebê. É uma boa atividade, especialmente para os bebês com sensibilidade oral. Também é uma boa maneira de o bebê experimentar a estimulação tátil na boca antes de comer com a colher. Para minimizar a associação entre o estímulo oral e a alimentação, alguns terapeutas dizem que a "preparação" oral não deve ocorrer na hora da alimentação.

No começo, seu filho pode empurrar a comida para fora da boca com a língua. Isto é natural, já que os movimentos da língua ainda não são organizados. Lembre-se, o alimento é uma experiência sensorial nova — como conseqüência, seu filho pode inicialmente empurrar todo alimento novo para fora da boca. A boca do bebê vai se adaptar à colher com o tempo, e o ato de cuspir diminuirá com a prática. Sua paciência e perseverança são fundamentais para que os estágios iniciais da alimentação não sejam estressantes (e sim divertidos) tanto para você quanto para o bebê.

Preocupações Mais Comuns

Minha filha vira o rosto sempre que levo a colher perto de sua boca. Por que ela faz isso?

Pode haver diversas razões pelas quais sua filha não está disposta a comer. Precisamos estabelecer várias coisas: Ela está acordada e alerta? Está com fome? Está à vontade com novos objetos colocados em sua boca? Se a última alternativa for o problema, tente dessensibilizar sua boca primeiro, ou, ainda, tente adiar um pouco mais esta fase,. talvez ela ainda não esteja pronta para comer de colher.

Se sua filha tem seis meses e você já tentou introduzir alimentos sólidos em diferentes momentos do dia, já a preparou, e mesmo assim ela ainda não aceita a colher, pode haver alguma questão subjacente. Por exemplo, alguns bebês têm o reflexo de vômito hiperativo ou uma sensibilidade oral-motora que pode causar desconforto a eles quando certas texturas ou gostos entram na boca. Também pode haver problemas médicos ocultos, como o refluxo ou uma má-organização sensorial, que causam a recusa do bebê. Estes tipos de preocupações podem ser auxiliados por uma fonoaudióloga ou terapeuta ocupacional infantil especializada na alimentação do bebê e na estimulação oral-motora. Nunca alimente o bebê à força e consulte o pediatra se a experiência de comer com colher continuar sendo desagradável.

A Introdução de Alimentos Sólidos

Os alimentos sólidos costumam ser introduzidos aos seis meses de idade. Os pais podem dar primeiro uma bolacha ou um biscoito ao bebê. Geralmente, o bebê vai sugar e mastigar estes alimentos até que virem uma papa antes de engolir. Aos oito meses acontece ainda mais movimentação dos alimentos na boca, bem como o surgimento do movimento rotativo na maxila. O lábio superior do bebê fica mais ativo e o ato de beber em uma canequinha se torna mais coordenado. À medida que a estabilidade da maxila aumentar , você vai vê-lo babar menos. Você pode dar mais alimentos para que ele possa comer com as mãos (como legumes cortados, biscoitos, frango cozido e queijo cortado em fatias ou cubos) agora que tem mais estabilidade para ficar sentado. Ele também está mais apto para virar o alimento na boca por causa do aumento do movimento lateral da língua e da maior ativação do lábio superior.

Embora muitas pessoas dêem as sopinhas infantis do "estágio 3" durante este período, a meu ver elas costumam causar estranheza aos novos "mastigadores". Este tipo de comida é feito de pedaços de alimentos sólidos misturados com muito líquido. Esta é uma combinação de dois tipos muito diferentes de experiências táteis, que exigem diferentes padrões de sucção, mastigação e deglutição. Então como o pequenino vai conseguir lidar com isso? Eu pessoalmente penso que se o bebê estiver pronto para esse tipo de alimento, então estará pronto para a comida caseira amassadinha.

Checklist para Melhorar a Alimentação do Seu Filho no Primeiro Ano

O Que Você Pode Fazer

- Procure tornar calmo o momento que antecede a alimentação.
- Crie um ambiente preparado para a alimentação.
- O bom posicionamento tanto para você quanto para o bebê ajuda a estimular uma experiência agradável para os dois.
- Seja consistente nas suas ações e na sua programação da hora da alimentação.
- Quando começar com os alimentos semi-sólidos, coloque seu filho no bebê conforto — especialmente se ele for agitado. O assento dá estabilidade, ajudando o bebê a sentir-se mais seguro durante essa transição.
- Lembre-se, seu filho vai "dizer" quando está pronto para sentar na vertical em um cadeirão.
- Consulte o pediatra antes de introduzir qualquer novo alimento (seu filho pode ter alergia).
- Para ajudar a familiarizar seu filho aos novos alimentos, coloque-os na tampa do cadeirão para que ele possa vê-los e tocá-los antes de por na boca.
- Estimule o bebê a experimentar novos sabores, mas não o force.
- Não use a comida como recompensa.
- Seja modelo de bom comportamento e tente ignorar os comportamentos indesejados do seu filho.
- Tente não se tornar cozinheira de prato feito.
- Não dê ao bebê sucos e outras bebidas que contenham muitas calorias.

Entre nove e dez meses, o fechamento dos lábios do bebê em torno da colher é excelente, e o movimento rotativo da maxila é ainda melhor. Seu filho vai imitar sons, tornando-os propositais.

Dos onze aos doze meses, a maioria dos bebês gosta de se alimentar, mas eles tendem a perder muita comida pelo chão. Eles geralmente preferem a "comida caseira" (carnes macias, peixes sem espinhas e legumes cozidos). Neste momento o bebê tem bom movimento lateral da língua para ajudar a virar (ou transportar) a comida para a mastigação. Ele vai conseguir transferir a comida do centro da boca para os lados e vai conseguir engolir a comida com grande facilidade.

Cadeirões

Os bebês que já conseguem sentar estarão preparados para sentar no cadeirão. Se seu filho se inclina para frente no bebê conforto, ele pode estar demonstrando que quer ficar sentado na vertical. Quando ele conseguir sentar ereto ou ficar em uma posição vertical em um assento reclinado, então ele estará pronto para o cadeirão. Aos sete meses alguns bebês já estão preparados. Alguns ficam inclinados enquanto outros já estão eretos. Veja se o quadril do seu filho está todo para trás no assento, com a pélvis em posição neutra. Manter o quadril e o tronco em alinhamento ajuda a ativar o tônus muscular. Para ajudar a firmar essa posição, rolos de toalha podem ser colocados nas laterais do cadeirão (especialmente se for grande). A coluna do bebê também deve ficar ereta, com bom alinhamento da cabeça e do pescoço, o que ajuda a manter o esôfago e a traquéia em alinhamento correto.

Existem muitos tipos de cadeirão no mercado. Os antigos, de madeira, parecem lindos, mas não são muito funcionais. Em primeiro lugar, eles costumam ser maiores do que os outros tipos, e seu filho vai ter dificuldade para se manter ereto. Lembre-se, ele só está aprendendo a usar os músculos do tronco para se manter ereto, e aprendendo a comer. Os veios da madeira tornam muito difícil a limpeza do cadeirão e ele não tem rodinhas, o que dificulta para ajustar posições quando necessário. Os modelos mais modernos, revestidos com plástico, são mais completos com posições ajustáveis, estofamento, rodinhas e apoios para os pés. Você pode até comprar um cadeirão que se ajuste às necessidades do seu filho — eles reclinam para os bebês mais novos e ficam na vertical para os mais velhos.

Os apoios para os pés realmente ajudam a manter o alinhamento correto. Quando o bebê está sentado no cadeirão na posição vertical, você deve ver ângulos de noventa graus — noventa graus no quadril e noventa graus nos joelhos. O apoio ajuda a dar ao bebê o suporte necessário de uma superfície para manter a posição. Pense nisso — quando você se senta e seus pés ficam fora do chão, é muito mais difícil ficar reto. Entretanto, quando os pés estão no chão, fica mais fácil manter o alinhamento correto.

O Maravilhoso Mundo das Bolachas

Se seu filho estiver no cadeirão e comendo alimentos sólidos, o mundo das bolachas pode ser do seu interesse — um dos únicos alimentos "seguros" que deixam o bebê praticar sua coordenação motora fina. Primeiro, ele vai tentar escavar a bolacha, mas eventualmente (embora talvez depois de meses) ele vai desenvolver a pegada de pinça para pegar a bolacha individualmente e levá-la à boca.

Costuma ser hilário ver o bebê fazer as primeiras tentativas para pegar a bolacha. Mais farelos acabam no chão do que na boca, especialmente quando ver a bolacha cair no chão traz uma gratificação muito mais rápida do que a tarefa de levá-la à boca. Se você tiver cachorro em casa, ele com certeza vai adorar a oferta — divertindo seu filho e te irritando — a menos que você pense no cão como uma maneira eficiente de limpar o chão.

Você deve consultar o pediatra antes de introduzir as bolachas. Veja se ele não tem muita ânsia e se o mecanismo de deglutição está funcionando bem. Você pode ter mais tranqüilidade se mergulhar a bolacha no leite ou na água primeiro, para umedecê-la. Contudo, a saliva do bebê faz o mesmo efeito — a bolacha vira papa antes de ser engolida. Coloque apenas algumas bolachas no cadeirão a qualquer hora, e, nas primeiras tentativas, fique perto do bebê. Veja como seu filho olha para as bolachas, depois tenta "varrer" a bolacha para a palma da mão e a leva à boca (as bolachas umedecidas também aderem à mão). Quando a bolacha chegar na boca, o bebê vai usar a língua para movê-la. Como os bebês gostam de nos imitar, você pode mostrar como se mastiga para ele. Observe-o engolir. Se ele não conseguir pegar a bolacha, ajude-o. Coloque na parte interna da bochecha dele, não no centro da boca. Isto ajuda a evitar que ela seja engolida muito rápido, e também dá uma chance para os músculos oral-motores trabalharem mais.

Preocupações Mais Comuns

Meu filho de dez meses parece babar o tempo todo — temos que deixar um babador nele o dia todo. Isto é normal?

Sim. Engolir saliva (assim como líquidos e alimentos) exige organização oral. É um fenômeno sensório-motor — assim como o desenvolvimento todo. A estabilidade exigida pela maxila leva tempo para ser alcançada. Mesmo assim, embora os recém-nascidos não tenham estabilidade oral, eles não babam muito até ficarem maiores. Isso porque eles passam muito tempo na posição reclinada; assim a gravidade os ajuda a engolir a saliva. Todos os bebês babam quando estão na fase da dentição, quando alcançam novas habilidades de desenvolvimento, ou quando estão cansados, estressados ou doentes (os resfriados podem causar congestão nasal, o que pode resultar em babar mais). Também é comum ver uma criança com uma leve hipotonia muscular babando devido à instabilidade postural (onde os ombros ficam elevados e a cabeça levemente estendida, com a boca ligeiramente aberta — o que torna mais difícil engolir). Bebês com uma consciência oral-sensorial diminuída também babam. A criança pode não perceber que está babando, que existe umidade ao redor da boca. Se ele continuar babando depois que a habilidade de desenvolvimento for aprendida e ele não estiver doente ou estressado, converse sobre isso com o pediatra. Ele pode solicitar a avaliação de um especialista em alimentação ou de um fonoaudiólogo infantil.

Comendo Sozinho Como um Adulto

Para uma criança ser capaz de comer sozinha, ela precisa ter alcançado diversas etapas do desenvolvimento. Primeiro, deve ter controle postural suficiente para sentar-se sem apoio. Precisa de estabilidade e de mobilidade nos ombros, bem como um controle gradual dos músculos para movimentos suaves (ter a capacidade de controlar o movimento do talher do prato à boca).

Ao continuar progredindo, ela vai precisar dos seguintes utensílios para ajudá-la no caminho. O primeiro, geralmente, é a colher. Uma colher plana torna mais fácil para o bebê retirar a comida do prato. A colher mais funda, côncava (como a de sopa) torna mais fácil para a criança mais velha e mais experiente manter a comida na colher enquanto tenta levá-la à boca. Junto com a colher vem o primeiro prato do bebê. Pratos infantis antiderrapantes ajudam a estabilizar o prato para o bebê que está começando a comer sozinho. Por fim, chega a hora do garfo. Aqueles com o cabo mais largo auxiliam as mãozinhas a segurar com mais facilidade.

A Introdução das Bebidas

Geralmente, entre seis ou sete meses, seu filho vai tentar tirar o copo de você enquanto você tenta beber. Sem dúvida, quando você segurar e levantar o copo na boca dele, a maior parte do líquido vai escorrer pelo queixo dele. Aos doze meses, seu filho consegue segurar uma canequinha com uma mão ou com as duas (algum derramamento vai ocorrer). Aos dois anos, uma criança geralmente pode segurar e beber na canequinha com pouco líquido escorrendo.

Os bebês costumam começar a beber na canequinha aos nove meses, geralmente com água. Normalmente, o bebê vai abrir bastante a boca ao ver a caneca se aproximando de seus lábios, o que ajuda a dar estabilidade à maxila. Quando a estabilidade da maxila aumentar, ele não vai precisar abrir tanto a boca. Alguns bebês vão pôr a língua para fora e colocá-la na caneca, como fazem com o bico da mamadeira. Então vão tentar sugar o líquido (ou ele vai descer sozinho — neste caso seu filho vai tossir ou ter ânsia). Lembre-se que assim como os bebês às vezes retrocedem em seu desenvolvimento motor quando estão aprendendo uma nova habilidade, o mesmo pode acontecer com novas habilidades orais. Um bebê que suga muito bem a mamadeira pode realmente tossir ou engasgar ao aprender a beber na canequinha. Isto é muito comum, até que o bebê aprenda um padrão de sucção coordenado que sirva para a canequinha. Tome cuidado para não colocar o líquido dentro da boca do bebê — queremos que os lábios e a maxila dele fiquem ativos e queremos estimular os lábios a descerem até a borda da caneca.

Com um ano de idade, os bebês tendem a demonstrar um padrão mais maduro para beber, com movimentos aprimorados e mais coordenados entre a língua e a maxila. Eles têm bom fechamento dos lábios na borda de um copo, o que torna mais fácil dar o gole. Conseqüentemente, menos líquido se perde durante o processo de beber. Com dois anos, a estabilização da maxila já está presente e seu filho não precisa mais morder a canequinha ou usar a língua para ter tato ou estabilidade. Assim como a mastigação, o tipo de padrão de sucção que uma criança exibe ao beber de canequinha também depende do gosto, da temperatura e da textura do líquido.

Preocupações Mais Comuns

Minha filha parece estar pronta para beber na canequinha. Devo usar uma canequinha com tampa e bico (para que ela dê goles pequenos) ou uma aberta?

Um bebê que esteja começando a beber de canequinha vai usar o bico como um bico de mamadeira e vai continuar usando um padrão sugar-engolir parecido com o do mamar no seio ou na mamadeira. Uma canequinha aberta dá a ele a oportunidade de aprender a beber em um copo. Também permite que ele use os músculos orais de um modo mais maduro (porque ele está tentando trazer o líquido sem sugá-lo). A vantagem da canequinha com bico é que ela evita que seja feita muita sujeira, já que o pequenino consegue carregar as canequinhas tampadas. Se sua filha não apresenta sinais de sensibilidade ou dificuldade oral-motora, então você pode usar as canequinhas com tampa junto com as abertas. Contudo, é importante que sua filha tenha experiência de beber na canequinha, mesmo que seja somente durante as refeições, quando estiver sentada.

Atividades para Fortalecer os Músculos Oral-motores

Existem muitas maneiras de ajudar a fortalecer os músculos da boca do bebê, para facilitar a alimentação e a produção da linguagem. Permita que seu filho morda brinquedos apropriados (aqueles mordedores de borracha da *pet shop* mencionados no Capítulo 3). Mordedores com textura de frutas (em cores, formatos e tamanhos diferentes) também são ótimos. Brinque de assoprar com bolinhas de sabão e brinquedos de sopro (apitos e brinquedos que emitam som). Dê ao seu filho alimentos adequados à idade, que exijam mastigar — pães, carnes e legumes em pequenos pedaços. Faça-o beber líquidos espessos, ou iogurte, de canudinho. Use canudinhos torcidos ou em formatos divertidos para beber (eles exigem um padrão de sucção ligeiramente maior).

Como o Sistema Sensorial Afeta a Alimentação

O estímulo vindo de todos os sentidos pode (e vai) causar um impacto na concentração do bebê quando ele estiver comendo. Vamos revisar como cada um contribui para a distração dele.

Estímulos Visual e Olfativo

A aparência ou o cheiro da comida pode deixar seu filho muito empolgado para comer. Você pode vê-lo pulando no cadeirão, apontando ou sorrindo e balbuciando. Entretanto, a aparência ou o cheiro de uma determinada comida que ele não gosta pode causar reações claras de retraimento ou choro. Também preste atenção nos estimulantes visuais (como a televisão) durante a refeição, pois eles podem distrair seu filho (alguns pais, no entanto, acreditam que essa distração ajuda na hora da alimentação).

Tente não expor o bebê a odores ofensivos, como produtos de limpeza e cigarros durante as refeições. Eles podem desestimular a alimentação. Por outro lado, cheiros agradáveis podem deixar a refeição mais prazerosa.

Estímulo Vestibular

Um bebê mantido em uma posição esquisita ou desconfortável enquanto mama pode não conseguir sugar corretamente o bico. Da mesma forma, um bebê colocado em um cadeirão muito grande pode ter medo de cair, ou pode se distrair tendo constantemente que se ajeitar para permanecer ereto. Além disso, ele precisa se concentrar no que os membros estão fazendo no espaço, o que pode deixá-lo desorganizado e possivelmente ansioso. Embalá-lo levemente antes da hora da refeição pode ajudar a acalmar e organizar o bebê para que ele possa sugar e engolir com mais eficiência. Um abraço firme também ajuda.

As crianças que são agitadas também podem achar que balançar suavemente pode ser calmante antes da refeição.

Estímulo Tátil

Quando pensamos no sistema tátil relacionado à alimentação, precisamos pensar no paladar, na temperatura e na textura dos alimentos. Alimentos que são doces, salgados, azedos ou amargos (como fruta, bolacha, limão e *pickles*) tendem a ser mais estimulantes (no sentido de surpreendentes) ao sistema tátil do que comidas suaves (como cereal e queijo *cottage*). Alimentos em temperaturas extremas são mais alarmantes ao sistema tátil do que os neutros. Alimentos crocantes são mais excitantes ao sistema do que os amassados.

As crianças têm um número maior de papilas gustativas do que os adultos. Por isso, elas não precisam de alimentos apimentados, adoçados ou salgados para gostar de comer. Entretanto, uma criança com hipotonia e menos controle oral-motor pode responder melhor a alimentos mais doces, salgados ou amargos — bem como aqueles que precisam ser mastigados — porque eles têm um efeito intensificador ao sabor. Por outro lado, as crianças podem ser muito sensíveis aos sabores e texturas da mesma maneira que podem ser muito sensíveis ao tato e ao olfato.

Sinais de Alerta da Defensividade Oral (Hipersensibilidade)

É importante observar se o bebê ou a criança tende a reagir excessivamente às sensações que geralmente não incomodariam as outras pessoas. Se ele parecer constantemente irritado na hora das refeições, mesmo depois de você ter se certificado de que ele está confortável, descansado e concentrado — e você sabe bem quais alimentos que ele gosta ou não—, então ele pode ter uma defensividade oral. A seguir estão alguns sinais a serem observados.

- A passagem para o comer com colher permanece difícil depois de um longo período de tempo.
- Seu filho nunca ou quase nunca coloca brinquedos, dedos ou objetos na boca.
- Ele continua não gostando do paladar, da textura ou do cheiro de certos alimentos depois de muito tempo.

- Recusa alimentos sólidos (que precisam ser mastigados).
- Parece ter sensibilidade tátil em outras áreas (não gosta de certas roupas, não gosta da pele exposta, não gosta do banho etc.).

"Você ganha a boca depois que ganha força". Essa é uma frase que gostamos de usar durante as terapias. Os pais costumam se preocupar quando o filho não fala tão bem, ou tanto quanto os colegas. Lembre-se, a criança precisa de um tônus muscular adequado e de controle postural para a fonação e precisa também de controle oral-motor para a formação das palavras. Portanto, se tiver controle motor suficiente no tronco (quadril), também terá controle oral-motor suficiente (lábios) para a fala.

E Lembre-se Sempre...

- *Crie um ambiente adequado para a hora da alimentação: dê ao bebê um tempo mais tranqüilo e prepare a comida antes de sentá-lo no cadeirão. Desligue sons altos, irritantes, a televisão e o vídeo. Não deixe que o aspirador esteja ligado na sala ao lado e remova todos os brinquedos. Além disso, tente não expor o bebê a cheiros fortes como produtos de limpeza e fumaça de cigarro, que podem distraí-lo da alimentação. Cheiros agradáveis, por outro lado, deixam a refeição mais gostosa.*
- *Tente não se frustrar — o bebê percebe e reage aos sinais de estresse.*

PARTE

3

Capaz de Pular Grandes Prédios

O Desenvolvimento de Seu Filho de Um a Cinco Anos

CAPÍTULO

6

O Explorador Móvel

Desenvolvimento e Atividades para Crianças de Um a Três Anos

Entre um e três anos de idade, seu filho vai se tornar um verdadeiro companheiro de recreação e um ávido explorador. Ele começa a dominar o corpo, refinando e aprendendo continuamente novas habilidades. Ele, que começou a andar há pouco, logo vai estar correndo, andando para trás e para os lados e subindo escadas. Suas pequeninas mãos agora são muito boas para manipular e logo vão estar separando coisas, construindo e desenhando. Há apenas alguns meses, só conseguia encaixar peças grandes. Aos dois anos e meio ou três, os dedos do seu filho são firmes o suficiente para encaixar peças de três centímetros. E, embora pegar um giz de cera tenha começado com a mão toda, aos três anos ele já consegue segurar o giz como nós. Isso é possível, em parte, porque os punhos da criança têm muito mais mobilidade agora — especialmente a capacidade de rotação.

Por ser um explorador, seu filho está sempre ocupado com alguma coisa — abrindo e fechando portas, apertando o creme dental, brincando com a água do vaso sanitário. Tudo o que você imaginar (e até o que você não puder imaginar!) *pode* realmente acontecer. Essa exploração proporciona a ele conhecimento, e o conhecimento leva à linguagem, que é crucial ao desenvolvimento da inteligência. Aos dois anos de idade, a linguagem está explodindo. Ele provavelmente conhece centenas de palavras, pode manter uma conversa e até seguir ordens. Seu filho também tem agora uma personalidade distinta— e geralmente isso significa que ele vai tentar se defender. "Não" é uma palavra bastante comum.

Muitos bebês, no entanto, ainda engatinham com um ano e não andam sozinhos até um ano e meio. Mesmo assim, você terá um curioso engatinhando. Ele vai praticar se levantar agarrando-se em qualquer coisa, inclusive em objetos que não são firmes o suficiente para sustentá-lo.Mesmo o bebê que ainda engatinha sobe nas coisas — sua exploração não se limita ao chão. Os bebês *adoram* ficar fora do chão. Então, não se surpreenda com os lugares em que encontrar seu filho sentado — talvez em uma poltrona ou sofá baixo, ou até em algo mais alto. Ainda que não ande, ele com certeza se meterá em confusão.

A partir do segundo ano, seu filho vai ter mais tempo de concentração. Ele vai continuar (até com maior intensidade) a ficar fascinado com objetos pequenos. Migalhas, poeira e até insetos vão deixá-lo maravilhado. Ele vai explorar esses objetos da mesma forma que explora os brinquedos — colocando-os na boca, jogando e examinando. Entretanto, todas essas experiências sensório-motoras agora se tornam capacidades funcionais para explorar, aprender e usar os objetos adequadamente. Durante o primeiro ano de vida, o bebê desenvolve uma pegada refinada — agora ele usa essa pegada para aprender o que fazer com os objetos, além de brincar com eles. Por exemplo, pega uma colher não só para bater com ela ou fazer barulho, mas para usá-la na alimentação. À medida que a manipulação aumenta e a criança fica mais interessada na real utilidade dos objetos, o ato de colocar os objetos na boca vai diminuir. Mesmo assim, lembre-se de que os bebês gostam de usar a boca para a exploração até os dois anos de idade. Então, não diminua sua vigilância quanto ao que ele pode sugar — ou engolir.

Entre dois e três anos, seu filho está familiarizado com o que pode tocar, explorar e brincar na casa (embora isso não o impeça de tentar desmontar o videocassete ou brincar com os CDs). Ele vai adorar explorar os armários e as gavetas. Nunca vou esquecer o dia em que abri a porta do meu armário, saí do quarto por um instante, retornei e fechei a porta do armário — e então percebi que não encontrava minha filha. Depois de um bom tempo, encontrei-a brincando contente dentro do armário. A partir daquele dia, o armário se tornou um de seus lugares favoritos (mas eu mantinha a porta dele aberta).

Durante esse período, as atividades simples do dia-a-dia podem ser a base de tarefas mais complicadas que nossos filhos vão realizar depois. Por exemplo, deixe que seu filho brinque com uma caneta. Deixe-o imaginar como segurá-la, como escrever no papel e assim por diante. Ajude-o (delicadamente) a virar as páginas de um livro. Mostre uma foto dele, e ele vai conseguir se reconhecer. Dê a ele uma cozinha de brinquedo ou uma vassourinha e ele vai imitá-la. Lembre-se, seu filho observa você constantemente. Ele adora estar perto da mãe ou do pai o dia todo, então permita que ele fique com você o máximo possível. Quando estiver na cozinha, deixe que ele explore uma ou duas portas do armário. Deixe-o bater potes plásticos e colocar as tampas para descobrir o que esses objetos fazem. Eles rolam, pulam ou estalam?

A criança passa boa parte do seu tempo tentando fazer os objetos mudarem de forma. Por exemplo, ela vai ficar fascinada em amassar folhas de papel. É uma excelente atividade manual, e jogar o papel no lixo também é ajuda a aumentar a habilidade viso-motora. Então, dê ao seu filho revistas e catálogos velhos para brincar. Rasgar papel (a diversão predileta entre dois e três anos) também é outra atividade ótima para fortalecer as mãos. As crianças também adoram brincar com fitas (de dois a cinco anos). Dê a elas um pedaço longo de fita e observe como elas se divertem com isso. Elas também podem brincar por horas com alguns rolos de papel higiênico. As crianças mais velhas (entre quatro e cinco anos) fazem múmias, decoram o balanço e as plantas ou até criam um caminho de papel que leva à caixa do "tesouro".

Aos três anos, seu filho "maravilhoso" vai gostar de ajudá-la e vai adorar ser elogiado pelos seus esforços e suas habilidades. Ele está muito mais coordenado e seu equilíbrio melhorou muito. Consegue correr em volta de obstáculos com facilidade e adora pular (de qualquer lugar, para o seu desespero). Pode galopar e começa a conseguir saltar (embora leve mais um ano para realmente saltar). Ele pode subir escadas pulando degraus, mas continua usando o método um degrau de cada vez para descer.

Revendo a Base de Nossa Sustentação: Os Pés

A partir do momento em que andamos, e para o resto de nossas vidas, nossos pés agüentam a força do nosso peso. Além de sustentar nosso peso, os pés permitem que nos adaptemos a uma infinidade de mudanças nas superfícies em que andamos. Andar exige um delicado controle e coordenação entre todos os músculos e articulações — dos pés até o tronco — e o ritmo dos nossos movimentos precisa estar perfeito. Quando adultos, assumimos esse controle, equilíbrio e ritmo como certos até termos um problema, como dor no pé ou no joelho, quadril ou costas. Só então percebemos como um problema pequeno afeta toda a nossa maneira de andar. Estamos tão acostumados a andar que não prestamos atenção a todos os componentes do nosso passo, que é dividido em duas fases: a fase de posicionamento dos pés e a fase de balanço. Para darmos um passo, precisamos transferir o peso para frente, nos equilibrar sobre uma perna e ajustar o corpo para que nosso pé possa chegar (ou bater) no chão. Para que esse movimento ocorra, quando a pélvis faz a rotação e cai, precisamos manter os dedos dos pés para cima na perna da frente, enquanto o joelho se dobra na perna de trás.

Isso é muito para um novato realizar! Então não é surpresa que ele leva algum tempo para aprender a andar com firmeza. Diferentemente do adulto, quando a criança pequena dá um passo, seu pé inteiro (plano) bate no chão, com o joelho dobrado (os adultos tocam o chão com o calcanhar primeiro e o joelho estendido). Diferente do joelho do adulto, o joelho da criança pequena pode estender depois ou permanecer flexionado. É esse movimento do joelho que causa a aparência de marcha (o movimento para cima e para baixo). As crianças pequenas também não têm total extensão do quadril (durante a fase de postura), o que as faz ter um passo menor. Elas não costumam balançar os braços em padrão cruzado como fazemos, porque precisam mantê-los abertos para ter maior equilíbrio. Além disso, como já dissemos, a criança pequena tem uma base grande de apoio (os pés ficam bem afastados para ajudar no equilíbrio). A combinação desses movimentos compensatórios é o que faz as crianças "gingarem".

Entre dois e três anos de idade, a criança começa a usar o padrão adulto de andar: toque do calcanhar, pé plano meio posicionado, flexão e extensão do joelho, base de apoio menor e balanço dos braços em padrão cruzado. Aos sete anos a criança já dominou o modo de andar do adulto. Os pés das crianças continuam crescendo até terem entre doze e catorze anos (para as meninas) e entre catorze e dezesseis anos (para os meninos).

Algumas condições ortopédicas comuns serão discutidas no Capítulo 11.

Escolhendo os Sapatos

Qual é o melhor tipo de sapato para o seu filho? Para os pequenos, nenhum sapato é o melhor. Seu único propósito é o de proteção fora de casa. De fato, eu recomendo pés descalços em casa até que a criança tenha pelo menos cinco anos de idade (meias antiderrapantes ou botinhas no frio já são suficientes). Os pés descalços são a melhor coisa para a liberdade de movimentos e a consciência perceptiva. Além disso, andar descalço auxilia no desenvolvimento tanto dos músculos intrínsecos (os pequenos músculos dos pés) quanto das reações de equilíbrio (permitindo que o pé reaja na superfície). Também dá estímulo sensorial, ao ficar em pé ou andar sobre superfícies diferentes (piso de madeira, carpete, grama e areia).

Quando for hora de colocar sapatos no seu filho, não compre com solado duro. Muitos pais acreditam que sapatos de solado duro fornecem a estabilidade que falta aos pés do pequenino. Na verdade, os sapatos de solado duro inibem o desenvolvimento dos pés. A criança pequena não consegue usar as diversas partes do pé para as reações de equilíbrio. Não consegue aprender a iniciar o passo com os dedos do pé e precisa continuar usando o padrão de marcha, levantando bem as pernas para tocar a superfície (já que não consegue dobrar o pé).

O médico pode prescrever os sapatos de solado duro em circunstâncias especiais. Se seu filho vira os pés para fora, o médico pode prescrever sapatos firmes usados no "pé errado" (como um aparelho de correção) por diversas horas durante o dia. Sapatos de cano alto, flexíveis, podem ser recomendados para a criança que apresenta rotação do tornozelo. Essa condição é mais freqüente com a *hipotonia* (tônus muscular baixo), quando o tornozelo realmente vira para dentro durante as atividades de sustentação do peso. Nesse caso, um apoio externo ao tornozelo é útil para prevenir o alongamento excessivo dos tecidos nas articulações do tornozelo.

Preocupações Mais Comuns

Minha filha de um ano e meio se agarra para ficar em pé, anda com apoio e usa brinquedos de empurrar para andar, há quase três meses. Ela também anda segurando a minha mão, mas não a solta para andar sozinha. Ela já não deveria querer andar sozinha? Minha mãe fica brava comigo quando eu falo sobre esse assunto e diz que estou sendo neurótica. Estou mesmo?

Existem muitas possibilidades para explicar o porquê de uma criança não estar progredindo no que é considerado um "espaço de tempo razoável". Uma possibilidade é que ela ainda não está preparada ou está muito concentrada em outra área do crescimento. Entretanto, outras possibilidades subjacentes precisam ser exploradas: As outras transições foram lentas ou difíceis? Ela consegue transferir o peso? A rotação não faz parte de seu repertório de movimentos (ela só se move em planos retos)? Ela pode ter hipotonia muscular subjacente? Há problemas de planejamento motor? Ela fica facilmente chateada ou assustada durante uma brincadeira mais agitada ou quando alguém a desequilibra acidentalmente? Se qualquer uma dessas questões for observada, é provável que ela continue tendo medos, frustrações e dificuldades ao tentar atividades novas e mais desafiadoras durante seus primeiros anos de vida. Consulte o pediatra se tiver alguma preocupação. Talvez sua filha esteja simplesmente passando por uma fase ou talvez precise de uma ajuda extra. De qualquer maneira, não duvide da sua intuição. Fazer perguntas é sempre mais produtivo do que ficar na dúvida.

Já que costumamos escolher tênis que são biomecanicamente corretos para nós, precisamos fazer as mesmas considerações quando compramos sapatos para os nossos pequeninos. A numeração dos sapatos precisa estar adequada. Se ficarem muito grandes, pode ocorrer escorregamento e aperto dos dedos. Se ficarem muito pequenos, os dedos também vão ficar apertados, afetando as reações de equilíbrio. Então, tome bastante cuidado com sapatos herdados, que costumam ser muito grandes ou pequenos. Não tente adivinhar o número do sapato do seu filho, mesmo se for mais fácil do que fazê-lo concordar em experimentar pares diferentes na loja. Um vendedor experiente pode assegurar que seu filho leve o par correto. Lembre-se de que, em geral, os sapatos precisam servir e ser flexíveis, duráveis e leves.

Atividades e Jogos para Crianças de Um a Três Anos

Todos nós compreendemos a importância e os benefícios dos jogos — como eles aumentam a concentração, a comunicação, a destreza e a cooperação. Precisamos pensar que os jogos também são importantes como estímulo sensorial — ajudando as crianças a melhorar o equilíbrio, a coordenação e o planejamento motor. Embora todo tipo de jogo nessa idade traga estímulo visual e cognitivo, diferentes tipos de jogos trazem mais benefícios aos vários sentidos (tátil, vestibular etc.). Podemos separar os jogos e as atividades de que as crianças pequenas gostam em categorias diferentes.

Jogos Físicos/Estímulos Vestibular e Proprioceptivo

A vida parece mais frenética se seu filho tem bastante energia — especialmente quando ele não quer fazer mais nada além de correr pela casa e subir em tudo. Enquanto outras crianças se sentam em grupo e ouvem uma música ou uma história, seu filho tenta subir na janela. Embora pareça verdade que os meninos podem ser mais ativos que as meninas, muitas delas são cheias de energia. Em qualquer caso, existem diversas maneiras de lidar com uma criança muito ativa.

Em primeiro lugar, atenha-se às rotinas. Elas fornecem estrutura, o que ajuda seu filho a se organizar e se acalmar. Seja previsível e prepare seu filho para as atividades do dia. Ajude-o a se sentir seguro dando a ele bastante afeto — mesmo se ele estiver muito ocupado para retribuir. Abraços podem ajudar a criança a se sentir confiante. Por fim, estimule seu filho a brincar com você. Deixe que ele escolha atividades que vocês dois possam curtir juntos, como brincar com blocos, fazer um teatrinho ou criar o próprio zoológico no canto da sala.

Como a coordenação motora fina é importante, tente estimular a criança ativa a praticá-la encontrando a hora certa do dia para trabalhar essas atividades. Quando o nível de concentração do seu filho é melhor? Se ele se recusar a sentar à mesa para as atividades de coordenação motora fina, deixe-o ficar em pé ao lado da mesa ou deitado de bruços.

Jogos Físicos

Não importa se seu filho tem muita energia ou não, as atividades a seguir vão ajudá-lo na coordenação motora grossa. Brincadeiras mais agitadas e "tombos", bem como jogos de puxar e empurrar, realmente o ajudam a organizar o corpo. Pular, subir nas coisas e brincar de esconde-esconde são atividades excelentes. Corra bastante. Brinque de pega-pega. As crianças pequenas adoram ser perseguidas e adoram perseguir você. A criança que começou a correr agora vai ficar com as pernas duras e só vai conseguir correr uma curta distância antes de cair. Mas não se preocupe, ela vai se levantar rapidamente e tentar novamente. Continue usando brinquedos de primeiros passos, que são ótimos para o equilíbrio e a coordenação.

Referências de Desenvolvimento do Primeiro ao Terceiro Ano

Lembre-se de que as etapas cronológicas a seguir foram classificadas segundo a média obtida em testes padronizados e triagens. As crianças podem desenvolver essas habilidades fora desta linha de continuidade.

- Anda sem apoio (doze a dezoito meses).
- Ajoelha (treze a catorze meses).
- Sobe escadas engatinhando (catorze a dezesseis meses).
- Anda para trás (doze a vinte e um meses).
- Puxa um brinquedo (quinze a dezoito meses).
- Anda rápido (catorze a dezoito meses).
- Anda para os lados (catorze a quinze meses).
- Imita rabiscos (doze a quinze meses).
- Tem rotação do antebraço (dois anos).
- Ajuda a se vestir e despir (dois anos).
- Consegue fazer uma torre de seis blocos (dois anos).
- Lança com a mão acima do ombro (dezesseis a vinte e dois meses).
- Corre (dezoito a vinte e quatro meses).
- Joga uma bola no cesto (dois anos).
- É capaz de subir na cadeira sozinho (dezoito meses).
- Gosta de pintura a dedo, massinha de modelar e tintas (dezoito meses a cinco anos).
- Coloca figuras geométricas nos espaços correspondentes (o círculo com dezoito meses, o quadrado com vinte e um meses e o triângulo com dois anos).
- Consegue encaixar peças (dois anos).
- Gosta de brincadeiras mais agitadas, como lutas (durante todo o desenvolvimento).
- Pula (dois a dois anos e meio).
- Pode usar os pés para andar em brinquedos com pedais (dois anos e meio a três).
- Fica em pé sobre uma perna durante cerca de três segundos (dois a três anos).
- Sabe seis partes do corpo (dois anos e meio).
- Conhece vários cômodos da casa (dois a dois anos e meio).
- Faz uma torre com nove cubos (três anos).

Preocupações Mais Comuns

Por que minha filha não quer andar na bicicletinha?

Andar na bicicletinha pode não ser divertido para a sua filha, pelo contrário, pode exigir muito dela. Talvez ela não saiba como subir e como empurrá-la, usando os dois pés ao mesmo tempo (ela pode ter dificuldade no planejamento motor). Também pode ter dificuldade em usar os pés (questões de equilíbrio e de tato). Você pode experimentar jogos de dar batidinhas — usando uma pressão mais forte — nas solas dos pés para ajudar a dessensibilizá-los. Faça-a bater o pé com força no chão para aumentar a consciência corporal (propriocepção). Tente fazer sua filha descobrir como subir na bicicletinha. Quando estiver sentada corretamente, ajude-a empurrando para que ela possa sentir como isso é divertido.

Mesmo que a criança já saiba andar, não se esqueça de continuar trabalhando as outras habilidades. Faça brincadeiras em que seu filho tenha de rastejar por baixo da mesa ou passar em lugares apertados. Isso o ajuda a ter consciência perceptiva, isto é, "quanto espaço eu ocupo?". Passe engatinhando por túneis. Você pode comprar um ou simplesmente usar uma caixa grande aberta dos dois lados. Isso é ótimo para o equilíbrio e a percepção de profundidade. Algumas crianças têm medo de passar pelos túneis. Se esse for o caso do seu filho, experimente guardar o túnel por algumas semanas e tente novamente depois. Faça uma corrida de obstáculos mexendo os móveis, os brinquedos e os travesseiros. Você pode fazer o "percurso" primeiro e pedir que seu filho a siga depois. Essa é uma ótima atividade para o planejamento motor, o equilíbrio e a coordenação.

Existem diversos tipos de jogos de andar: rodar como pião, andar sobre tijolos de papelão ou engatinhar sobre travesseiros espalhados pelo chão e subir e descer degraus ou o meio-fio. Todas essas atividades são excelentes para as reações de equilíbrio. Jogos que envolvam andar para trás, andar na ponta dos pés e andar como pato (com os calcanhares) também ajudam a coordenação e o equilíbrio. Brincadeiras de ajoelhar com as duas pernas ou uma só (quando um joelho fica no chão enquanto o outro pé fica plantado firmemente sobre o chão) são ótimas posturas para aumentar o equilíbrio. Brinque de jogar bola e de alcançar objetos nessas posições.

Preocupações Mais Comuns

Levo meu filho a uma escolinha de esportes uma vez por semana. A maioria das crianças gosta da aula, mas meu filho não gosta de participar e reclama que não quer ir. Francamente, é uma experiência exaustiva para nós dois. Ele realmente precisa ir a um programa como esse? Não posso deixá-lo fazer as atividades de que gosta, como jogos de computador, quebra-cabeças e blocos? Sinto que o estou forçando por nada.

Se uma criança continua no canto de uma aula, fica retraída ou não consegue participar quando a aula começa, ela está dizendo que essa aula não é adequada para ela. Entretanto, é importante ser fisicamente ativo — trabalhar com movimento, equilíbrio, coordenação e força — enquanto nosso sistema nervoso estiver amadurecendo.

Algumas aulas representam um desafio maior que outras. É nossa função, como pais, descobrir qual atividade serve melhor para os nossos filhos e em que grau de dificuldade. A escolinha de esportes pode ser boa para uma criança, mas pode ser muito rápida, dura, grande, barulhenta ou avançada para outra. Karatê, ginástica, dança ou patinação podem ser melhores para ele.

Se deixarmos nossos filhos desistirem de todas as atividades de que não gostam, eles nunca terão confiança para tentar. Concentre-se no que deixa seu filho triste com relação a uma atividade específica e, então, seja persistente para encontrar a atividade certa para ele.

Jogando Bola

Rolar a bola é o começo da brincadeira cooperativa, mas logo se torna um jogo de arremesso aos catorze meses de idade. Ensine seu filho a chutar a bola. Com dezoito a vinte meses, a maioria das crianças consegue chutar. No começo, seu filho pode exceder o alvo ou só tocar levemente a bola com o pé. Ele pode até cair. Entretanto, em breve essa habilidade será perfeita — então cuidado! Para ensinar seu filho a chutar, primeiro faça-o praticar segurando em um móvel para adquirir equilíbrio. Depois, faça-o chutar do meio da sala, sem apoio. Essa é uma habilidade maravilhosa para o equilíbrio e a coordenação e estimula a habilidade de correr para pegar a bola depois de chutá-la. A força das pernas também aumenta cada vez que seu filho se agacha para pegar a bola. Use uma bola macia para "lançar", tal como um jogador de futebol (dezoito meses a cinco anos). Esse jogo é ótimo para o equilíbrio e para desenvolver a força nos músculos das pernas e dos pés.

Aos três anos, a criança consegue jogar bolas de tamanhos diferentes dentro de caixas e de baldes. Brinque com bolas texturizadas, como as de futebol (com cerca de vinte e cinco centímetros de tamanho), as de tênis e as de pingue-pongue. Todas têm propriedades diferentes de movimento e dão uma variedade de estímulos proprioceptivos e vestibulares. Elas também ensinam seu filho sobre a percepção de profundidade. Pendure uma bola de tênis na haste do chuveiro na banheira do seu filho. Ele vai adorar bater nela enquanto fica sentado na banheira. Fazer seu filho empurrar uma bola para exercícios (de cerca de sessenta centímetros) é ótimo para aumentar a força na parte superior do corpo. Esses tipos de jogos ajudam em todas as habilidades viso-motoras.

Brincadeiras ao Ar Livre

Os pais freqüentemente me dizem: "Sei que deveria levar meu filho ao parque, mas detesto isso". Brincar em áreas externas é muito importante para o desenvolvimento dele; então, participe de atividades ao ar livre o máximo possível. Tire seu filho do carrinho e deixe-o andar e explorar um pouco. Leve-o para caminhar descalço, sobre a grama e a areia — os dois são excelentes experiências táteis. Trabalhe o equilíbrio ao andar na guia da calçada. Trabalhe os músculos das pernas subindo morros. Se tiver condição e espaço, compre uma estrutura de parquinho para a sua casa. Não precisa ser um equipamento muito elaborado, apenas um pequeno escorregador e talvez um espaço para passar engatinhando. As crianças adoram estas estruturas e elas são maravilhosas para o tônus muscular e como estímulo vestibular e proprioceptivo.

Brinquedos Recomendados para Crianças de Um a Três Anos

- Carrinhos de bebê de brinquedo para empurrar.
- Brinquedos primeiros passos, como o triciclo.
- Brinquedos de puxar. Você pode comprá-los ou fazê-los (usando copos de plástico ou argolas com uma cordinha).
- Brinquedos para a hora do banho.
- Cubos pequenos, de três centímetros.
- Giz de cera.
- Quebra-cabeça. Quebra-cabeças de peças individuais são bons no começo. Entre dois e três anos de idade, quebra-cabeças de quatro a cinco peças são mais apropriados.
- Bolas de diversos tamanhos.
- Animais.
- Adesivos (de dois a cinco anos). Crianças pequenas adoram adesivos, mas tome cuidado ou as paredes e os móveis vão ficar recobertos também.
- Tabuleiros para figuras geométricas. Eles ajudam a criança a aprender sobre as diferenças de tamanho também.
- Balde de encaixe de figuras geométricas. Aos dezoito meses, a criança geralmente consegue colocar as peças na ordem correta.
- Quebra-cabeças de espuma ou EVA. Eles exigem uma certa força para puxar as peças e colocá-las novamente.
- Jogos de acertar no jacaré ou similares. Eles são ótimos para bater, para acompanhar visualmente e para a coordenação viso-motora.
- Pinos de madeira. Empurre-os para dentro de um banco de madeira com buracos, o que é bom para martelar e para a coordenação viso-motora.
- Peças de encaixar. Use as peças grandes de madeira ou de plástico (entre um ano e meio a dois).
- Caixas com fechadura (entre dois e três anos em diante). As crianças adoram trancar e destrancar coisas, abrindo e achando surpresas dentro.
- Entre dois e três anos, brinquedos com chave e brinquedos de dar corda são os favoritos, especialmente porque incorporar a rotação do punho é mais fácil agora. O mesmo vale para o barril de macaquinhos, que exige rotação do punho para abrir (sem mencionar as mãos firmes necessárias para enganchar os macaquinhos uns nos outros).

- Quadros de feltro e de velcro. Eles são bons para a imaginação e muito úteis nas viagens de carro.
- Brinquedos que imitam coisas que você faz (como ferramentas de jardinagem, utensílios de cozinha, telefones e bonecas) costumam ser um sucesso aos dois anos de idade.
- Jogos-da-memória simples.

Sentar em bancos também é uma maneira ótima de aumentar o controle postural. Como já foi discutido, seu filho deve se sentar com o quadril e os joelhos em ângulos de noventa graus, com os pés retos no chão. Faça a criança pegar uma bola que esteja de um lado e depois do outro. Segure a bola na distância do braço da criança, na altura da cabeça. Quando seu filho for pegar a bola, estimule-o a pegar com as duas mãos. Isto faz os músculos abdominais trabalharem e estimula a rotação do tronco. Você também pode estimular a criança a pegar blocos ou algum brinquedo pequeno no chão para ajudar a fortalecer os músculos lombares.

Atividades mais pesadas são boas como estímulo proprioceptivo. Peça à criança que a ajude a empurrar caixas com coisas ou a carregar vários livros para você. Também continue a brincar de carrinho de mão. Quando seu filho tiver um ano e meio, você poderá começar a brincar com ele de cabo-de-guerra com uma toalha de mão (você segura sua ponta para cima e puxa um pouco). Durante atividades como esta, a contração dos músculos contra a resistência ajuda os músculos a trabalhar mais, e assim fortalecê-los. Pular em um trampolim ou balançar-se em uma barra (para crianças de dois a três anos) também é outra atividade excelente para fortalecer os músculos dessa maneira.

Preocupações Mais Comuns

Quando saio com minha filha de dois anos, ela costuma se agarrar na minha perna. A maioria das outras crianças da idade dela fica correndo ou brincando. O que devo fazer?

Cada criança tem o seu nível de conforto — físico e emocional. Se sua filha está se agarrando em você em um parquinho, por exemplo, existem diversas variáveis a serem consideradas. É um ambiente ou uma experiência nova para ela? Talvez a estimulação seja demais para ela no começo. Mas, se ela se agarra a você toda vez que vão a este parque em especial, então você precisa descobrir se ela está confortável com as diversas atividades. Ela acha a caixa de areia "nojenta"? Sente medo de brincar no escorregador? Lembre-se, as crianças podem *parecer* tímidas ou teimosas, quando na verdade não são. Sua filha pode ter uma sensibilidade tátil, ou pequenos atrasos em seu desenvolvimento motor grosso e/ou nos sistemas vestibular e proprioceptivo que a fazem ficar insegura ao tentar várias atividades (escorregar, balançar etc.). Você precisa comparar o comportamento dela em ambientes diferentes com o comportamento em casa. Preste bastante atenção em como ela lida com novas tarefas dentro do conforto de seu próprio espaço. Qual é o temperamento dela diariamente? Se seu filho for quieto, irritado e/ou tímido, ele pode não explorar com tanta liberdade quanto as crianças mais extrovertidas e cheias de energia. Portanto, é importante estimular essa exploração e ajudá-lo. Converse com ele durante uma ou duas atividades novas. Use um brinquedo primeiro e explique o que você está fazendo. "Veja o que eu tenho — uma bolinha. Ela cabe no túnel. Veja-a rolar! Agora é a sua vez".

Estimule a curiosidade do seu filho fazendo perguntas. Saia com ele e pergunte: "Onde está o sol? O tempo está frio, chuvoso ou está quente?" Junte-se a ele para tocar na grama, cheirar as flores e brincar na areia. Você estará ajudando seu filho a experimentar e gostar de coisas novas.

Segurança no Playground

Os *playgrounds* — no quintal ou no parque local — são uma parte maravilhosa, importante e integral da rotina semanal (se não diária) da criança. Eles ajudam as crianças a se socializar, a fortalecer o corpo e a estimular todos os sentidos. Entretanto, os parquinhos podem ser desnecessariamente perigosos. De fato, a maioria dos ferimentos relatados em parquinhos se deve a tombos que poderiam ter sido evitados com a supervisão adequada.

Entre dois e cinco anos, as crianças começam a explorar sozinhas, e podem ficar esquecidas. Você deve dar uma olhada freqüentemente (especialmente as de quatro e cinco anos), principalmente se estiverem brincando no seu próprio quintal. As roupas devem ser confortáveis e seguras. Para as meninas, calças são melhores do que vestidos, que podem se enroscar nas correntes. Os sapatos devem ser flexíveis, com solas de borracha, e fechados — especialmente para os pequeninos que costumam tropeçar e cair. Embora isso pareça um problema no calor, você pode encontrar sandálias trançadas que ficam abertas, mas com os dedos protegidos. Laços de cadarços devem ser reforçados. No frio, cachecóis devem ficar em casa, use gola alta no lugar. Eles podem se enroscar nas dobras e nas correntes, causando acidentes que podem ser evitados.

Seja mais vigilante ao brincar em parques públicos. Os balanços costumam ficar em área fechada, então não esqueça de fechar o portão de segurança quando passar. Nos trepa-trepas, verifique se todos os parafusos estão apertados e se não faltam degraus para subir no escorregador (isto pode fazer uma criança perder o equilíbrio). Tente fazer seu filho subir nos brinquedos adequados à idade dele — e sempre fique de olho. Lembre-se, as crianças pequenas adoram imitar. Se elas virem uma criança mais velha escorregando pelo cano central do trepa-trepa, vão querer tentar. Só que elas costumam calcular mal a distância do cano e não conseguem segurar por tempo suficiente para descer até o fim. Além disso, as crianças pequenas se distraem facilmente e podem perder o equilíbrio ou soltar as mãos.

Quando for dar lanche ou almoço, estimule seu filho a não correr com comida na boca (mastigar e se mover ao mesmo tempo pode ser perigoso). Sempre lave as mãos da criança antes de comer. Se alguma coisa acontecer, siga o método R.I.C.E. regra: descanso, gelo, compressão (pressão aplicada, não como um torniquete), e elevação. Se entrar areia nos olhos da criança, lave com água e não esfregue, já que a areia pode arranhar as córneas. Chame o médico se:

- Ocorrer dormência ou formigamento.
- A dor for severa.
- Ele não puder mexer uma parte do corpo.
- O inchaço não diminuir em quarenta e oito horas.

Um *kit* de segurança simples pode ser útil: ataduras, anti-séptico, gaze, algodão e uma garrafinha de água para aqueles momentos em que for impossível lavar. Com a vigilância adequada, a maioria dos acidentes em parques pode ser evitada. Devemos fazer o possível pelos nossos filhos, tanto pela segurança quanto pela paz de espírito.

Jogos Manipulativos/Estímulo Tátil

As atividades manipulativas têm papel importante no desenvolvimento da coordenação motora fina. Nós pais adoramos usar produtos que causam o mínimo de frustração à criança (e a nós mesmos), produtos com fechos de velcro em vez de botões e laços, canetinhas laváveis em vez de lápis de cor e giz de cera e adesivos recortados em vez de recortar e colar figuras. Embora esses itens exijam um mínimo de tempo e de esforço por parte da criança, eles prejudicam o uso e o desenvolvimento da coordenação motora fina. Contudo, existem diversas atividades que vocês dois podem aproveitar que fornecem ao seu filho o estímulo manual de que precisa.

Projetos de Artes

Arte é uma atividade de causa e efeito. Ela ajuda a desenvolver a coordenação viso-motora, que, por sua vez, ajuda a criança a escrever. Não espere um Renoir, mas aproveite a criatividade do seu filho e seu senso de expressão. Qualquer tipo de projeto de arte deve ser simples nessa idade. Você pode guardar os materiais em uma caixa, tais como papéis, tintas, esponjas, aventais, copos plásticos, pincéis, fotos velhas, cola, gizão de cera e canetinhas, e uma toalha plástica para forrar a mesa ou o chão.

Pintando e Desenhando: Embora a preparação para um projeto de pintura (pegue algumas folhas de papel, aventais, tintas e esponjas) seja rápida, o projeto em si pode durar de cinco minutos a uma hora. Vidros de tinta à prova de derramamentos são ótimos. Cavaletes também são maravilhosos. É mais fácil para a criança pequena usar cavaletes do que pintar ou desenhar na mesa plana. Os braços não sujam a folha e fica mais fácil ver a figura. Eles também promovem um melhor posicionamento do braço porque fortalecem e estimulam a extensão do punho. Além disso, as crianças que adoram ficar em pé podem ficar assim para pintar ou desenhar. Os cavaletes ajustáveis são muito bons, mas custam mais.

Receitas para Massas de Modelar

Receita da Mamãe

Misture em uma panela:

2 xícaras de farinha
1 xícara de sal
1 colher de sopa de creme de tártaro

Misture em uma jarra:

2 xícaras de água
½ xícara de óleo

Algumas gotas de corante comestível

Jogue devagar os líquidos na panela dos ingredientes secos e misture tudo. Cozinhe em fogo baixo, mexendo constantemente. A mistura vai ficar firme aos poucos. Quando estiver bem firme e seca, retire da panela e coloque em uma superfície polvilhada com farinha. Depois de esfriar um pouco, amasse bastante.

Massa de Gengibre

Uma receita do Museu Infantil de Chicago

4 xícaras de farinha
¾ xícara de sal
2 colheres de sopa de gengibre
2 colheres de sopa de chá instantâneo
2 xícaras de água
½ xícara de óleo

Misture os ingredientes secos em uma tigela. Acrescente os ingredientes líquidos e mexa. Se a massa estiver grudenta, coloque mais farinha até obter a consistência desejada. Guarde em um pote hermético.

Giz de Cera e Canetinha: Pintura a dedo é uma maravilhosa atividade criativa. Você pode usar molho de tomate, chantilly ou tintas laváveis. Mãos pequenas preferem o giz de cera maior, então compre o gizão. É preciso menos tensão para segurá-lo, o que deixa mais fácil o manejo. Aos três anos a maioria das crianças também gosta de canetinha. Novamente, procure usar as mais largas e veja se suas tintas são solúveis em água.

Cola: Aos três anos de idade, as crianças adoram colar. Você pode dar fotos avulsas da família e figuras familiares recortadas de revistas para o seu filho usar. Recorte as figuras anteriormente, para ele não perder o interesse na atividade. Guarde as figuras em uma caixa para os dias de chuva e faça seu filho colá-las no papel. Depois, ajude-o a nomear as figuras. Quando ele ficar mais velho, adicione outros objetos divertidos para serem colados (como glitter, penas, feltro, fitas, folhas e conchas).

Quebra-cabeça

O quebra-cabeça é ótimo para a consciência perceptiva, o desenvolvimento da linguagem e a rotação dos punhos. Os mais fáceis são os que têm peças individuais para encaixar em um espaço específico. A criança aprende sobre formas e tamanhos com eles (qual peça serve em qual espaço). Os quebra-cabeças em relevo são mais fáceis de ser manuseados. Os mais complexos contêm quatro ou cinco peças para juntar e montar uma figura. Aumente o grau de dificuldade na proporção da concentração e da tolerância à frustração do seu filho.

Escondendo Objetos Pequenos

O velho truque de esconder a moeda na mão e adivinhar em que mão está é excelente para a destreza. Primeiro você faz e depois deixe seu filho (não antes dos dois anos de idade) esconder a moeda. Essa atividade leva as crianças às gargalhadas — elas adoram "enganar" você — e as mantêm ocupadas por bastante tempo.

Construindo com Blocos

Os blocos são ótimos para aumentar as habilidades viso-motoras, como a percepção espacial, a organização e a futura habilidade aritmética. É extremamente divertido construir com blocos, não importa a idade da criança, e sempre trabalha com a própria criatividade da criança. Gosto de trabalhar com blocos de madeira; no entanto existem muitos outros tipos de blocos: de papelão, de espuma e de plástico, em diferentes formatos e tamanhos.

Massinha de Modelar

A massinha de modelar é uma substância bem tátil que é boa para o fortalecimento das mãos e dos dedos. É adequada a partir dos quinze ou dezesseis meses. Tenha sempre uma caixa de massinha em casa. Acrescente cortadores de biscoitos, facas de brinquedo, figuras e assim por diante. Deixe seu filho sentir a massinha apertando, rolando, mudando sua forma e até misturando as cores. Também é fácil fazer sua própria massa de modelar, mas tome cuidado — o corante pode tingir suas mãos por um tempo.

Brincando na Areia

Brincar na areia também é uma experiência tátil. Nessa idade, a maioria das crianças coloca areia na boca porque ainda estão explorando muitos objetos oralmente (se a areia for uma experiência nova, é quase *certo* que ela vai levar à boca).

Você pode mudar a textura da areia colocando água. Experimente a areia mais seca e macia até a molhada, mais pesada. A maioria das crianças adora brincar na lama, e adora fazer bolos de lama e castelinhos gotejando a areia molhada. Tenha alguns brinquedos de areia preparados também — carrinhos ou caminhõezinhos, copos para jogar água, pá, peneira e baldinho são bons para se ter à mão.

Dentro de casa, onde a caixa de areia não é conveniente, você pode tentar fazer sua própria caixa de tato. Encha uma caixa de sapato ou de camisa com uma mistura de arroz e feijão crus. Enterre pequenos objetos (como pregadores, porcas e parafusos e carrinhos). Faça seu filho colocar as mãos dentro da caixa e encontrar o máximo de objetos que ele puder. Essa atividade precisa ser monitorada atentamente — todas as crianças tentam comer o arroz, o feijão e os objetos pequenos.

Pregadores de Roupas e Fantoches de Meias

Os pregadores antigos também são ótimos para as atividades que fortalecem as mãos. Prendê-los na lateral de um pote plástico pode parecer fácil para você, mas observe o trabalho duro do seu filho (esta atividade pode ser melhor para crianças de dois a três anos). E guarde todas aquelas meias para quando os coleguinhas vêm brincar ou para os dias de chuva. As crianças (por volta dos três anos) adoram desenhar e colar coisas nas meias e então colocar os fantoches nas mãos. Elas podem inventar histórias simples usando os novos fantoches.

Instrumentos Musicais

Crie seu próprio instrumento musical — apitos, tambores e chocalhos são especialmente divertidos. Assopre através dos rolos vazios de papel-toalha. Coloque feijões em latinhas e coloque fita adesiva para fechar. Coloque feijões ou grãos de milho entre dois pratos descartáveis e os grampeie. Os potes também dão ótimos chocalhos. Veja se estão bem tampados ou colados para evitar que as crianças engulam as peças pequenas. As crianças mais velhas podem ajudar na construção desses itens. Todos eles são muito bons para a produção de sons e para a estimulação auditiva, além de aumentar a coordenação motora fina e a habilidade oral-motora.

Jogos com Água/Estímulo Tátil

Os bebês e as crianças pequenas adoram água — eles fazem barulho com ela, fazem bagunça e os objetos podem flutuar e afundar e até esguichar água. Transforme o banho do dia-a-dia em uma experiência sensorial maravilhosa usando espuma em lata ou tintas especiais para a criança se pintar. Algumas crianças acham a espuma uma experiência muito estranha no começo. Se este for o caso, deixe-a de lado e tente novamente depois de um mês.

Soprar bolinhas de sabão também é uma atividade divertida que pode ser feita no banheiro, na banheira ou ao ar livre. Correr atrás e estourar bolhas é ótimo para a coordenação viso-motora. Alcançar as bolhas na banheira também pode facilitar a rotação do tronco (algo de que precisamos em quase todas as atividades que fazemos).

Se você tiver quintal ou for para a praia, encha um balde de água e dê um copo à criança para que ela possa ficar brincando e jogando a água. Na cozinha ou no banheiro, faça seu filho passar a água de uma vasilha a outra. Observe a expressão dele ao ver que a mesma quantidade de água enche vasilhas de formatos e tamanhos diferentes.

Um lembrete ao brincar com água: tudo fica molhado. Prepare-se.

Jogos Imaginativos e Simbólicos/Estímulos Auditivo e Cognitivo

As crianças adoram usar a imaginação para criar cenas com animais de brinquedo, bonecas, blocos e pedras. Vocês também podem usar fantoches e criar "peças de teatro", conforme discutido na seção sobre jogos manipulativos.

Para aumentar ainda mais a criatividade, deixe seu filho auxiliá-la na cozinha. Faça sanduíches, salada de frutas e bebidas no liquidificador. Esses alimentos não exigem tempo de espera e as crianças recebem gratificação imediata. Utilize comidinhas de brinquedo também. As crianças amam cozinhar e servir comidinhas de brinquedo.

Grupos de Lazer

Grupos pequenos podem ser uma maneira gostosa do seu filho fazer amigos, aprender a cooperar e ter um senso de independência. Existem diversos programas organizados que oferecem música, ginástica, dança ou história (para citar alguns). Mas você pode organizar um grupo pequeno também. De qualquer modo, a aula não pode ser muito longa (trinta a quarenta e cinco minutos são suficientes) e deve ser conveniente. As aulas e os grupos não devem interromper os horários da soneca e das refeições.

Estando com o grupo ou só com você, leve seu filho para passear. As crianças entre dois e cinco anos adoram ir ao posto dos bombeiros, ao museu e à biblioteca. Deixe-o colecionar coisas. As crianças pequenas adoram colecionar e têm orgulho de seus achados (mesmo se for um monte de gravetos ou pedras).

Brinque de se "vestir" com seu filho. É bom para a percepção do corpo, entre outras coisas. Tenha uma cesta com adereços, que inclua camisas velhas, fronhas, pedaços de tecido e lenços. Estes objetos são maravilhosos e podem ser transformados em muitas coisas. Vá às compras: dê à criança uma sacola grande e deixe que ela ande pela casa escolhendo o que quer comprar.

Algumas pessoas acreditam que as bonecas são brinquedos estruturados que entediam facilmente as crianças. No entanto, brincar de boneca pode ser uma ótima maneira para as meninas e os meninos usarem a imaginação e trabalharem questões que os preocupam. Brinquedos não estruturados (blocos, giz de cera, tintas etc.) são melhores para a imaginação (e costumam ser mais baratos) que os brinquedos anunciados na TV. As crianças também costumam brincar com eles por mais tempo.

Jogos de Linguagem/Estímulos Auditivo e Cognitivo

Para estimular o desenvolvimento da linguagem do seu filho, continue muitas das atividades que começou quando ele era mais novo. Continue lendo livros ou apontando as figuras enquanto lê, ou faça o som dos animais quando eles aparecem nas figuras — ajude-o a aprender que as figuras representam *coisas*. Isto fomenta a habilidade da linguagem. Nomeie tudo, até as partes do corpo. Isto ajuda a criança a conhecer seu corpo. Brinque de "O mestre mandou" ("ficar na ponta dos pés; achar o umbigo; sentar"). Esse jogo ajuda a associar palavras e nomes às ações.

Entre dois e três anos, as crianças amam livros *pop-up* — ler esses livros é como brincar de "achou". As crianças abrem as abas e descobrem o que está embaixo. Com dois anos, tente estimular seu filho a virar as páginas do livro, uma página por vez, usando dois ou três dedos (ao invés da mão toda).

Esconder coisas e fazer seu filho procurar é divertido e bom para o raciocínio. Coloque uma bola em uma caixa, ou cubra um espelho e deixe a criança descobrir — surpresa! Ela consegue se ver! As crianças amam achar coisas, e você pode ajudá-las com a linguagem nomeando o que elas encontram.

Alimentando a Criança de Um a Três Anos

Entre um ano e um ano e meio, os bebês continuam experimentando alimentos "de adultos", e com um ano e meio preferem comer o que nós comemos. Nessa fase, a criança consegue comer sozinha com uma colher, e os alimentos que representam um desafio maior (alimentos mais duros) aumentam a capacidade de mastigação dela.

Preocupações Mais Comuns

Meu filho de um ano e meio ainda ama a chupeta e eu não vejo razão para privá-lo disso. Mas minha amiga o viu com a chupeta outro dia e me disse para tirá-la imediatamente. Ela disse que vai estragar a mordida e forçá-lo a usar aparelho dentário.

Muitos pais acreditam que o bebê não deve ter chupeta, enquanto outros acreditam que a chupeta os salvou de muitas noites em claro e dias cansativos. Não existe certo ou errado aqui. A chupeta não deve ser usada para silenciar constantemente um bebê que chora. É nosso dever

Referências para a Alimentação do Seu Filho do Primeiro ao Terceiro Ano

Doze a Dezoito Meses

- Alimenta-se sozinho com uma colher usando a pegada palmar (com a palma voltada para baixo). Como os movimentos do punho ainda não estão refinados (estáveis), a comida cai da colher quando ele vira para colocá-la na boca (upa!).

Dezoito a Vinte e Quatro Meses

- A maioria das crianças desiste da mamadeira e prefere beber em canequinha, embora muitas continuem tomando mamadeira na hora de dormir, sob situações estressantes ou quando estão doentes.
- Alimenta-se com uma colher ou garfo (a criança consegue agora realizar esta tarefa com a palma voltada para cima).

Dois a Três Anos (em diante)

- Alimenta-se derrubando pouca comida da colher ou do garfo.
- Consegue espetar a comida com o garfo.

saber por que o bebê está chorando e cuidar de suas necessidades. Além disso, a maioria dos dentistas dá muitas razões ortodônticas sobre por que as chupetas não devem ser usadas.

As chupetas acalmam e regulam a criança. Elas ajudam a tranqüilizar os bebês e dão estímulos oral-motor e sensorial. Contudo, uma criança de três anos não precisa ficar andando o dia todo com a chupeta na boca. Chupá-la constantemente pode retardar o desenvolvimento da linguagem expressiva nessa idade. Se seu filho tem entre dois e três anos e não consegue largar a chupeta, pode haver motivos subjacentes para ele precisar de estímulo oral constante. Você deve mencionar isso ao pediatra.

Se você escolher dar uma chupeta ao seu filho, ela deve ser segura, sem partes soltas e deve servir na boca dele para dar a estimulação sensorial que ele deseja.

O Desenvolvimento da Linguagem do Primeiro ao Terceiro Ano

Entre treze e dezoito meses, há uma grande variação no desenvolvimento da linguagem. Algumas crianças continuam fazendo gestos com sons ou apontando, enquanto outras podem ter uma amplitude de palavras e combinam duas ou três palavras ("é meu", "não-não", "au-au", "cabô tudo"). Aos catorze meses, os bebês aprendem e compreendem palavras novas toda semana. Também começam a compreender as várias entonações que as pessoas usam para dar significado às palavras. As crianças nessa idade chegam perto de ter uma pronúncia própria, mas erros e substituições de sons ainda são comuns. Durante essa fase, é importante saber se a criança consegue entender ou compreender o que você diz. Observe também se ela a ouve e se está se comunicando com você através de expressões faciais, gestos ou balbucios.

Aos dezoito meses, seu filho pode não querer sentar-se no cadeirão. Se este for o caso, você pode pensar em comprar uma cadeira mais chamativa, alegre, ou uma mesa e cadeiras para crianças. Você vai perceber que quando a criança tenta sentar na cadeira sozinha, ela fica virada de frente, ajoelha ou sobe na cadeira. Com o tempo ela aprende a segurar a cadeira pela parte de trás e a sentar.

A vantagem de ter uma mesa e cadeiras para crianças é que seu filho pode ter um senso maior de autonomia e de independência. A desvantagem é a mesma — seu filho terá um senso maior de autonomia e de independência. Ele pode não querer ficar sentado durante a refeição toda. Então leve em consideração o seu temperamento e o dele antes de decidir que tipo de cadeira é melhor.

Aos dois anos de idade, a criança consegue manter a comida na boca (sem perdê-la) e engole partes da quantidade toda que está na boca. Isso obviamente exige maior controle e habilidade. Porém, embora uma criança de dois anos tenha a habilidade motora e a coordenação para comer qualquer tipo de comida, o que ela come de fato e como come é outra história (bons modos são um tópico que deve ser tratado em casa — e em outro livro). Em geral, os alimentos mais difíceis para as crianças são frutas com casca, sopas com pedaços de alimentos sólidos (como a canja) e cereais com leite.

O Fenômeno do Telefone Celular

Quando você anda pelas ruas de qualquer cidade, vê dezenas de pessoas falando ao celular. Às vezes, falam pelo microfone — e parece que estão falando sozinhas. Mães, pais e responsáveis podem ser vistos andando nos parques, nas ruas e nas lojas falando ao celular enquanto empurram o carrinho do bebê. Ficam batendo papo no carro com a criança presa no banco de trás. Vamos encarar: a maioria de nós é negligente — mesmo se não nos damos conta disso. Mas o que há de tão importante que não possa esperar até que estejamos em casa ou no trabalho?

"Estar" com um bebê ou criança pequena é um processo ativo que exige atenção e comunicação. Todos nós precisamos nos interessar em conversar e nos relacionar com nossos filhos, pois é assim, potencialmente, que eles aprendem a linguagem e os conceitos. Então tente evitar ser outro "falante" na rua — em vez disso, converse com seu filho.

Aos dezoito meses, a maioria das crianças sabe de cinco a dez palavras, pode identificar uma foto da família ou mais (mãe, pai, irmãos, cachorro, mamadeira, bola, carro etc.) e pode apontar para uma ou mais partes do corpo (olhos, nariz, boca). Nessa idade, a maior parte das crianças também consegue seguir comandos simples, como "Onde estão os seus sapatos?", "Pegue a bola" e "Traga o livro para a mamãe". Nessa fase, os bebês começam a usar as palavras — sozinhas ou acompanhadas por gestos — para expressar o que querem ou precisam. Também dizem as palavras que ouvem.

Entre um ano e meio e dois anos e meio costuma haver uma explosão de vocabulário. Seu filho pode dizer ou usar até trezentas palavras e pode compreender mais cem a trezentas palavras. Ele também começa a usar pronomes, como "mim", "eu" e o preferido "meu!". Além de seguir ordens simples, a criança pode começar a fazer perguntas como: "O que é isso?", "Onde está...?" e o assustador "Por quê?".

Referências de Desenvolvimento da Linguagem do Primeiro ao Terceiro Ano

De um a dois anos

- Aponta para as coisas que quer.
- Sabe apontar figuras de objetos em um livro quando você diz o nome.
- Aponta para algumas partes do corpo.
- Continua construindo seu vocabulário (indo até trezentas palavras).
- Começa a juntar duas palavras — "Mais leite", "Não qué", "Carro mamãe", "Qué bolacha" e "Papai saiu" (perto de dezesseis a dezoito meses).
- Usa os pronomes "eu", "mim", "meu" e "você".
- Compreende comandos simples — "Venha aqui", "Dá um beijo" — e perguntas simples — "Onde está seu sapato?"

De dois a três anos

- Usa frases com três palavras.
- Nomeia as figuras quando você diz: "O que é isso?" (enquanto aponta).
- Identifica figuras (quando você diz: "Ache o gato", por exemplo).
- Compreende e segue pedidos em duas partes — "Pegue o bloco e coloque em cima da cadeira".
- O vocabulário aumenta — pode ter até quinhentas palavras.
- Emprega palavras no plural.

Entre dois e três anos é uma ótima época para a brincadeira imaginativa — criar um chá da tarde, cozinhar, brincar de trenzinho e assim por diante. As crianças de três anos usam frases complexas e têm um vocabulário expressivo de até quinhentas palavras e o vocabulário receptivo (o que compreendem mas não sabem dizer) pode chegar a oitocentas palavras. Seu filho consegue manter um diálogo com você. Ele consegue compreender preposições como "em cima/embaixo", "dentro/fora" e "no alto/abaixo" e verbos como "pular", "andar" e "correr". Também forma frases mais longas e pode começar a usar palavras no plural ("mais bolachas") para descrever coisas. Ele conhece as letras das músicas e sabe para que certos objetos são usados. A linguagem é mais concreta — ele ainda não cria histórias. Entretanto, as crianças nessa idade costumam adorar que leiam histórias para elas e gostam de pegar os livros prediletos para você ler. Também começam a compreender quando é a vez delas (embora ainda tenham dificuldade para esperá-la). Aparecem as referências ao passado e às vezes aos acontecimentos futuros nesta fase.

Sinais de Alerta no Desenvolvimento da Linguagem

Para a fala e a linguagem correta se desenvolver, as habilidades que são pré-requisitos precisam estar em ordem. A criança precisa ter a função cognitiva e auditiva correta. Além disso, conforme for usando as palavras, ela vai precisar ter um bom repertório de itens no vocabulário — como substantivos, verbos e pronomes — antes de poder usar combinações de duas palavras. Mais além, a criança entre dois e quatro anos pode vivenciar um período de incongruência entre o que escuta e compreende e o que articula. Em outras palavras, sua capacidade de linguagem receptiva é mais avançada do que a capacidade de linguagem expressiva.

Sendo assim, ela pode ter dificuldade em expressar suas idéias — o que é muito frustrante para ela. Se tal estágio persistir ou piorar, você deve pensar em consultar um fonoaudiólogo. A seguir estão alguns sinais de alerta para os impedimentos da aquisição da linguagem.

- Seu filho não produz sons ou participa de brincadeiras com sons aos dez meses.
- Ele não usa uma variedade de sons consonantais e vocálicos aos doze a quinze meses.
- Não gesticula aos dezoito meses.
- Não progride para uma variedade de sons aos dezoito meses.
- Continua usando apenas palavras únicas entre dezoito e vinte e quatro meses.
- Não aumenta o tamanho do seu vocabulário aos dezoito meses.
- Não compreende comandos simples ou perguntas aos dois anos ("Dê o sapato para a mamãe" ou "Onde estão seus sapatos?").
- Você ainda precisa gesticular ou apontar para que a criança saiba o que você quer (por exemplo, se você aponta para o sapato e diz: "Sapato — dê o sapato para a mamãe") entre dezoito e vinte meses.
- Seu filho não combina palavras com dois anos.

Checklist do Primeiro ao Terceiro Ano

O Que Você Pode Fazer

- Permita um tempo amplo de exploração.
- Se seu filho ainda não estiver andando sozinho, só com apoio (aos dezoito meses), tente não forçá-lo a andar segurando a sua mão — dê brinquedos de empurrar no lugar para a mobilidade independente e a postura.
- Se seu filho estiver andando sozinho, continue fazendo brincadeiras que exijam sustentação de peso nas extremidades superiores.
- Crie atividades que vão desafiar sua capacidade motora e equilíbrio (mas não a ponto de frustrar).
- Concentre-se nas habilidades manipulativas (como colorir, colar e encaixar).

- Ele tem dificuldade em comunicar o que quer ou precisa desde cedo (ex: falta de gesticulação) e mais tarde através da fala.
- Você (ou outras pessoas) tem dificuldade para compreender as palavras do seu filho aos dois anos.
- Ele continua omitindo letras das palavras ("bó" quer dizer *bola*) aos dois ou dois anos e meio.
- Não usa frases com duas ou três palavras aos dois anos e meio.
- Não consegue cumprir uma ordem de duas etapas (exemplo: "Pegue a bola e dê para o papai") aos três anos.
- Não sabe nomear objetos específicos aos dois anos e meio ou três.
- A fala dele é inarticulada ou incompreensível aos dois anos e meio.
- Não fala frases simples (usando de três a cinco palavras) aos três anos.
- Não usa um discurso claro ou frases mais adultas aos três anos.
- Problemas acadêmicos, emocionais ou sociais são observados na escola aos cinco anos.

Problemas de linguagem não detectados vão afetar a capacidade da criança de entender ou expressar seus pensamentos. Por esse motivo, se você tiver alguma preocupação com relação ao desenvolvimento da fala do seu filho, é importante procurar um fonoaudiólogo infantil. Ele poderá dizer se a fala do seu filho é imatura ou se não está progredindo ou passando pelos estágios necessários do desenvolvimento da fala e da linguagem. Ele também poderá passar exercícios para serem feitos em casa ou recomendar uma intervenção profissional.

Os grupos de crianças a seguir têm os maiores riscos de apresentar atrasos ou dificuldades de fala:

- Bebês prematuros
- Crianças com hipotonia muscular
- Crianças com problemas sensoriais
- Crianças com deficiência neurológica ou sistema nervoso imaturo
- Crianças adotadas em instituições
- Crianças em que pelo menos um dos pais teve atraso na fala (conhecido como atraso familiar)

E Lembre-se Sempre...

- *A imitação é importante para a aprendizagem.*
- *Se você estiver em sintonia com o humor e os horários do seu filho, será capaz de ajudá-lo mais durante as transições.*
- *Não duvide dos seus instintos. Se sentir que algo "não está bem" — fale.*

CAPÍTULO

7

A Criança Que Anda e Fala

Desenvolvimento e Atividades para Crianças de Três a Cinco Anos

A criança de três a cinco anos vai se tornando cada vez mais um ser sociável, cheio de idéias, emoções — e surpresas. É admirável e pode parecer três, quando, na verdade, é uma só! Embora participe de um maior número de brincadeiras em grupo, ela gosta de brincar sozinha tanto quanto gosta de brincar com as outras crianças. Também adora novos ambientes. Ao mesmo tempo em que se torna cada vez mais independente, ela ainda necessita de aconchego e, por isso, não quer ficar longe demais de você.

Entre três e cinco anos, a capacidade de planejamento motor da criança aumenta. Ela já domina o andar e o correr e consegue facilmente se concentrar em uma ou duas atividades por um período significativo de tempo. Não corre mais pela casa a esmo para pegar os objetos. É mais coordenada e consegue seguir ordens com maior facilidade. Apesar disso, você pode notar que seu filho entre três e três anos e meio cai ou tropeça com mais freqüência. Isso se deve ao fato de a maturidade muscular não estar completa e de ele tentar realizar tarefas motoras mais difíceis — como correr mais rápido, andar maiores distâncias e subir mais alto — do que as pernas conseguem agüentar. A criança de três a quatro anos e meio já consegue se levantar e se sentar rapidamente e ao mesmo tempo se virar para alcançar o objeto e trazê-lo para perto de si. Essa habilidade envolve tanto a rotação do tronco como o bom controle abdominal. É uma conquista grande — até mesmo muitos adultos têm bastante dificuldade em fazer isso na academia!

A maioria das crianças entre três e cinco anos conquista outra etapa: entrar na pré-escola. Para algumas crianças, a transição de ficar sem a mãe e o pai é tranqüila; para outras, a idéia é muito mais assustadora. Da mesma forma, alguns pais têm mais facilidade para se separar dos pequeninos do que outros. Para muitas crianças, é a partir da pré-escola que o dia passa a ser estruturado por períodos longos de tempo (suas atividades já não se limitam só às aulas semanais de ginástica ou de música, por exemplo). Elas podem passar por essa experiência de uma maneira tranqüila ou se sentirem presas e, em razão disso, podem levar um bom tempo para se acostumar. Para ajudá-las, você pode introduzir as rotinas da escola em casa — hora das refeições, do banho, da leitura, de dormir e assim por diante. Com o tempo, a maioria dos pais percebe que as rotinas da escola ajudam o filho a se organizar em muitos aspectos da vida.

Preocupações Mais Comuns

Há uma criança na sala de aula do meu filho de cinco anos que realmente aborrece todos os pais — sem mencionar que ela irrita as outras crianças. Ela parece hiperativa e, o que é pior, às vezes morde as outras crianças. Se seu comportamento não pode ser mudado, não creio que ela deva fazer parte da classe. Estou sendo dura demais?

Não existe uma resposta certa ou errada aqui. Se o comportamento da criança for constantemente inadequado na sala de aula, então deverá ser avaliado tanto pelos próprios pais quanto pelos responsáveis da escola. Para ajudar seu filho a lidar com uma criança perturbadora, primeiro você precisa saber, por meio da professora, qual a posição da escola em relação a essa criança e depois explicar as circunstâncias ao seu filho em uma linguagem que ele possa compreender. Avise a ele que a escola está se esforçando para ajudar a outra criança a aprender a usar as palavras, e não recorrer aos ataques físicos. Às vezes, um diagnóstico comportamental e neurológico precisa ser feito por um psicólogo e/ou neurologista. Dependendo das circunstâncias, algumas crianças com déficits precisam ter um professor de educação especial trabalhando com elas na sala de aula (essas crianças são classificadas pelo conselho da educação como portadoras de necessidades especiais).

Observando o Padrão de Desenvolvimento

Durante esses anos, é importante notar que todas as crianças podem passam por diversas fases: a fase da timidez, da agressividade ou da constante irritabilidade. As transições (como as novas rotinas) podem causar mudanças no comportamento, assim como alterações no desenvolvimento da criança. Lembre-se de que, assim como a coordenação motora grossa e fina, o sistema sensorial também se desenvolve de acordo com um padrão. Todos nós estamos em pontos diferentes nesse desenvolvimento. Algumas pessoas se destacam mais nos esportes; outras, tocar instrumentos musicais. Algumas são mais sensíveis ao toque ou aos sons. E outras ainda se sentem mais confortáveis quando estão próximas de outras pessoas.

Uma coisa é certa — todos nós passamos por uma sobrecarga sensorial em diversos momentos (pense em um *show* muito barulhento ou em uma festa superlotada e entenderá o que quero dizer), não importa se temos um ano de idade, cinco ou quarenta anos. Como adultos, podemos passar por uma sobrecarga sensorial e saber que ela vai acabar. Também sabemos o que fazer para aliviá-la (mudar de lugar; tomar um banho quente; ficar em um quarto escuro e tranqüilo etc.). No entanto, as crianças mais sensíveis, em razão de uma sobrecarga ou de algo tão comum quanto uma transição matinal, precisam de ajuda para entender como se auto-regular. Se a criança estiver *constantemente* sob alguma forma de sobrecarga e problemas comportamentais forem percebidos, então ela poderá apresentar um distúrbio ou uma disfunção sensorial (veja o Capítulo 10). Se isso ocorrer, consulte o pediatra.

Por volta dos cinco anos, geralmente incentivamos nossos filhos a praticar algum esporte (que é diferente de uma brincadeira ou jogo). O esporte tende a ser organizado e pode ser competitivo. O esporte, como a brincadeira, pode ser excelente; entretanto, ele não deve dominar a vida da criança. Além de ocupar muito tempo precioso, o esporte pode ser praticado pelo motivo errado. Ele deve ser algo que a criança queira fazer, não algo que o pai ou a mãe queiram fazer através do filho.

Preocupações Mais Comuns

Meu filho de cinco anos quer participar de muitas atividades como tênis, futebol e escalada. No entanto, ele não é tão coordenado ou rápido quanto as outras crianças com quem joga. Às vezes elas até zombam dele. Devo mantê-lo nessas atividades ou direcioná-lo para fazer atividades em que ele possa se sair melhor?

Se seu filho quer fazer essas atividades, ele deve ter essa chance. Sua preocupação deve ser em relação ao grau de *confiança* dele, não de *competência*. Você já passou pela fase mais difícil: seu filho quer tentar — e continua tentando. Observei crianças que pareciam desajeitadas ou sem coordenação que "empacaram" porque quiseram — mesmo quando os pais queriam tirá-las de determinado esporte. Quando continuam tentando, essas crianças melhoram em *todas* as áreas do desenvolvimento. Você pode elevar o grau de confiança do seu filho pouco a pouco. Se ele quiser escalar, comece andando sobre pedras levemente escorregadias até que ele esteja bem equilibrado. Ou, então, use uma bola maior (de trinta a trinta e cinco centímetros) quando brincar de arremessos até que ele pegue o jeito.

Se seu filho realmente não conseguir acompanhar, não veja isso como um problema. Sua ansiedade vai afetá-lo mais do que os comentários dos colegas.

E você pode pedir ajuda ao pediatra e solicitar uma avaliação a um fisioterapeuta ou terapeuta ocupacional.

Acredite ou não, existem crianças com cinco anos que seguem programas de musculação. Embora eu seja contra essas atividades para crianças pequenas, estimulo adquirir força e resistência trabalhando o próprio peso do corpo em atividades como correr, pular, balançar em uma barra e até fazer abdominais iniciais. Diferentemente dos esportes estruturados, o treino da força — ou pura "diversão" física de qualquer tipo — é algo que nossas crianças poderiam fazer mais. Atualmente as crianças fazem menos atividades físicas do que no passado. Grandes quantidades de dever de casa e passatempos, como videogame, jogos de computador e bate-papo *on-line*, consomem muito tempo, que, antes, era aproveitado para correr e brincar. Essa falta de jogos e de exercícios não é saudável para a criança de três a cinco anos. O condicionamento físico não é somente fundamental para o desenvolvimento motor grosso da criança, ele também ajuda a elevar a auto-estima e o astral e até ajuda a criança a dormir melhor durante a noite.

Por causa, em parte, da diminuição das atividades físicas, os terapeutas estão percebendo que, cada vez mais, crianças pequenas apresentam fraqueza nas extremidades superiores, falta de controle postural e problemas de coluna. É surpreendente o número de crianças entre oito e dez anos encaminhadas para a fisioterapia por causa de instabilidade postural e de dores lombares. Durante os últimos dez anos, muitas crianças também foram encaminhadas para a fisioterapia e a terapia ocupacional por outras razões, como sensibilidade oral e tátil, dificuldade motora fina e viso-perceptora, bem como incoordenação e hipotonia muscular, que estão no topo da lista.

Esse aumento na demanda pode não estar somente relacionado às etapas não cumpridas do desenvolvimento ou a estilos de vida não ativos, mas também ao aumento da consciência e às avaliações proativas realizadas pelos pais, que querem o melhor para seus filhos. Levar as crianças ao fisioterapeuta ou ao terapeuta ocupacional não é uma atitude negativa, e sim bastante positiva. Hoje se entende muito mais sobre a relação sensório-motora e sobre como essa integração afeta nosso desenvolvimento geral do que há cinco ou dez anos. Se seu filho apresenta qualquer sintoma persistente de hipotonia muscular ou dificuldade perceptiva, por exemplo, você pode ajudá-lo levando-o para ser avaliado por um fisioterapeuta — e não há estigma quanto a isso. Imagine, por exemplo, se (dentre outras coisas) a causa de sua dor crônica ou de seu desempenho "ruim" nos esportes tivesse sido diagnosticada e tratada anos atrás — você poderia ter uma qualidade de vida totalmente diferente hoje!

Atividades e Jogos para Crianças de Três a Cinco Anos

Um estilo de vida mais ativo não faz mal a ninguém. Esse estilo de vida traz muitos benefícios de longo prazo: um nível de condicionamento melhor, uma saúde geral melhor, uma diminuição na fatiga e maior resistência, só para citar alguns. Para as nossas crianças, a atividade desde cedo pode levar a um controle motor melhor, o que, por sua vez, pode levar à iniciação de mais jogos. Isso contribuirá não só para a socialização, como também para um maior prazer pelos esportes no futuro. Assim como ocorre com os adultos, a atividade física ajuda as crianças a se sentirem bem com elas mesmas — do ponto de vista fisiológico e emocional.

Jogos Físicos/Estímulos Vestibular e Proprioceptivo

A maior parte das atividades descritas nesta seção é ótima para a coordenação, a consciência corporal e o desenvolvimento motor da criança de três a cinco anos. Estas atividades também englobam a mecânica corporal ou biomecânica, já que nunca é cedo para cuidar do corpo.

Brincando para Se Exercitar

Jogos de correr são um sucesso. Para motivar a criança pequena, incorpore a corrida nas atividades do dia-a-dia, como correr até o banheiro para escovar os dentes ou correr até o quarto para se vestir. Brincadeiras com lanternas no começo da noite também são uma maneira divertida de estimular a corrida a céu aberto. Estimule-a a saltar e chutar a bola para que adquira equilíbrio e coordenação. Pratique com ela subir escadas — a criança de três anos e meio consegue descer usando o padrão cruzado.

Referências de Desenvolvimento do Terceiro ao Quinto Ano

As etapas cronológicas a seguir foram classificadas segundo a média obtida em testes padronizados e triagens. As crianças podem desenvolver estas habilidades fora desse padrão.

- A criança consegue beber no copo sozinha aos quinze meses.
- Embora ela consiga se vestir, pode precisar de ajuda com os botões e os fechos — em determinado dia ela consegue e no seguinte precisa da sua ajuda (três a cinco anos).
- Sabe escovar os dentes (quatro a cinco anos).
- Faz uso de quatro preposições (três a cinco anos).
- Conhece a utilidade de três objetos (três anos).
- Sabe as cores (três anos).
- Consegue encaixar peças pequenas (três a quatro anos).
- Sabe usar a tesoura infantil (três a três anos e meio).
- Tem um vocabulário com mais de mil palavras (três anos).
- Sabe segurar o lápis corretamente (quatro anos e meio).
- Consegue desenhar uma pessoa com três a seis partes (três anos e meio a cinco anos).
- Consegue copiar um círculo aos três anos e meio, uma cruz aos quatro e um quadrado aos quatro anos e meio.
- Sabe se equilibrar sobre uma perna por cerca de seis a oito segundos (quatro a cinco anos).
- Sobe a escada usando o padrão alternado (um pé em cada degrau — três anos).
- Desce a escada unindo as pernas em cada degrau, mas sem apoio, aos três anos, e em padrão alternado, aos cinco.
- Consegue descer, pulando, de um degrau de trinta centímetros com os dois pés (três anos).
- Pula um degrau (quatro a cinco anos).
- Pula da altura da mesa (cinco anos).

Faça seu filho ajoelhar no chão. Enquanto segura a bola com as duas mãos, ele deve se abaixar para um dos lados da perna, voltar a ficar ajoelhado e então descer do outro lado. Essa atividade é boa para a mobilidade pélvica, o equilíbrio e o controle abdominal e fortalece os músculos ao redor do quadril. Coloque seu filho sentado com as pernas para frente. Levante-as até que a criança comece a se inclinar para trás. Você pode criar um jogo ("balance o barco"). Essa também é uma boa atividade para os músculos abdominais.

Faça seu filho praticar atividades em que tenha de andar ou correr sobre superfícies irregulares. Faça-o andar, por exemplo, sobre o meio-fio, um trilho ou até os blocos de papelão mencionados no Capítulo 6. Estimule-o a escalar. Quando estiverem em um parque, tente encontrar pedras grandes para escalar e, assim, trabalhar a parte superior do corpo. Suba com ele em morros para trabalhar os músculos da perna e para ter maior resistência. Balanços, gira-giras e escorregadores dão estímulo vestibular e proprioceptivo. As crianças nessa idade adoram jogos de encontrão. Continue com as brincadeiras mais agitadas, como as lutas.

A criança de três anos já está pronta para o triciclo. Você vai se surpreender com a velocidade com que seu filho vai aprender a se desviar de cantos e obstáculos. Uma criança de quatro anos pode começar a usar bicicletas com rodinhas. Aos cinco, algumas crianças conseguem andar de bicicleta sem as rodinhas. Patinetes e patins são um sucesso com as crianças. Ambos são ótimos para a coordenação, a resistência e a força. Lembre-se de que os equipamentos de segurança apropriados devem ser utilizados todo o tempo. Os capacetes devem ser utilizados durante qualquer atividade sobre rodas.

Faça seu filho andar em linha reta colocando fita crepe no chão. Faça-o andar de costas. Dance pela casa para treinar equilíbrio, coordenação e dar muitas risadas. Brinque de "siga o mestre" e deixe a criança ser o mestre também. Faça coisas diferentes, como bater palmas, cantar, fazer barulho com os brinquedos e pular. Crie uma corrida de obstáculos. Seu filho deve subir em um balde, andar sobre os blocos, passar por baixo da mesa engatinhando e pular dentro de argolas colocadas no chão. Essas atividades são excelentes para o planejamento motor e para as reações de equilíbrio.

Monte seu próprio boliche com garrafas de refrigerante, isso é bom para a coordenação viso-motora, a pontaria e o acompanhamento visual. Jogue basquete com seu filho usando um cesto ou uma bacia. Comece de perto e faça-o se afastar um pouquinho mais depois de cada arremesso. Jogue taco (essa brincadeira é muito boa para a habilidade bilateral). Chutar bola é ótimo para o equilíbrio e a pontaria. Brinque com ele de pular corda. Aos cinco anos, algumas crianças conseguem pular segurando a corda.

Continue a jogar bola. A criança consegue pegar a bola com os braços esticados na frente do corpo. Nessa idade, ela pode usar uma bola de quarenta centímetros para jogar e pegar, enquanto a criança mais nova tem mais facilidade com a bola de trinta. Nos últimos anos, as bolas para exercícios se tornaram muito populares como uma ferramenta de ginástica para os adultos. Porém, elas também são importantes para as crianças e podem ser usadas em muitas atividades. Sente seu filho em uma bola de quarenta ou cinqüenta centímetros e faça-o saltar em um círculo. Essa atividade dá estímulo proprioceptivo e estimula o equilíbrio e a coordenação. Usando a bola de trinta ou quarenta centímetros, faça seu filho deitar de costas e segurar a bola entre as pernas enquanto tenta levantar as pernas e pegar a bola com as mãos. Ele também pode tentar prender a bola entre as pernas enquanto vira para um lado e para o outro (um exercício conhecido se você já usou uma bola para exercícios). Enquanto estiver em pé, ele deve manter a bola embaixo de um dos pés para aumentar o equilíbrio.

A bola de sessenta ou sessenta e cinco centímetros é ótima também para atividades de equilíbrio e de coordenação. Com a sua ajuda, a criança pode deitar de bruços sobre a bola, enquanto você segura os pés. Você pode brincar de "Mulher Maravilha" ou de "Super Homem" nessa posição, fazendo a criança levantar os braços e o tronco para cima. Com as mãos afastadas sobre o chão, a criança pode andar apoiando-se nelas. Quanto mais ela andar com as mãos, mais peso os braços sustentarão. Os músculos do tronco são necessários para auxiliar no equilíbrio. Dessa posição, a criança pode tentar alcançar objetos colocados à frente e ao lado dela. Uma grande motivação é um quadro de velcro ou ímã. Peça a seu filho que pegue do quadro (colocado à frente dele) peças diferentes que você citar ou que ele disser. Isso não só trabalha todos os músculos, como também estimula o desenvolvimento da linguagem. Coloque seu filho sentado sobre a bola e segure as pernas ou os pés dele. Dependendo de quanto apoio ele precise, quanto mais longe do corpo você segurar, mais esforço ele precisará fazer para manter o equilíbrio. Você pode mexer as pernas devagar, de um lado a outro. Isso também é bom para o equilíbrio, a ativação do tronco e o controle abdominal. Coloque a bola contra uma parede, na altura da cintura da criança. Com as costas encostadas na bola, ele deve fazer movimentos circulares sem deixá-la cair. Essa é uma boa atividade para o controle da coluna.

Jogos de puxar e de empurrar também estimulam a propriocepção. Cabo-de-guerra, caminhõezinhos de puxar ou carrinhos de supermercado de brinquedo são boas brincadeiras. Entrelace seus braços aos do seu filho e brinque de "serra-serra", inclinando-o para frente e para trás.

Experimente danças com fitas. A criança vai dançando segurando uma fita comprida em cada mão. Essa é uma atividade excelente para o uso bilateral dos braços.

Biomecânica

Como fisioterapeuta, sei que prevenir é o melhor remédio. As crianças precisam ser educadas quanto à consciência corporal e à biomecânica desde cedo — as pessoas não devem esperar ter problemas para aprender como evitá-los. Hoje muitas crianças passam muito tempo sentadas assistindo à televisão ou jogando videogame, *gameboy* e jogos de computador. Geralmente, a má postura e a má mecânica do corpo são empregadas durante estes jogos. Tudo isso pode e vai levar a problemas futuros de postura e a dores nas costas. O mais comum é que a criança de cinco anos ainda seja bastante ativa. Entretanto, entre oito e doze anos esse nível de atividade diminui consideravelmente — por isso trago a questão agora, antes de a letargia se instalar! As crianças adoram aprender, então ensine ao seu filho a mecânica simples do corpo, que pode ser um presente para a vida toda.

Erguer Objetos: Erguer objetos, em especial, requer uma boa mecânica para que sejam evitadas lesões. Não se engane ao pensar que alguma coisa precisa ser pesada para termos cuidado ao erguê-la corretamente. O ideal é ensinarmos aos nossos filhos como erguer corretamente até os objetos mais leves, para que a mecânica corporal adequada seja natural para eles. A seguir, apresentamos uma lista com as técnicas corretas para erguer objetos.

- Mantenha os pés afastados quando erguer objetos. Isso ajuda a aumentar a base de apoio e tira a sobrecarga da parte inferior das costas.
- Diga a seu filho que direcione os pés para o objeto que vai pegar. Isso evita uma torção inadequada do tronco. A torção causa tensão nos discos vertebrais.
- Ele precisa abaixar-se flexionando as pernas para pegar qualquer objeto — o que significa que é preciso agachar primeiro (o bumbum deve ser levado para perto do calcanhar). Nunca pegue um objeto com as pernas esticadas, pois esse movimento tensiona a região lombar.
- Ele deve manter a cabeça para cima (reta) e não para baixo quando for erguer alguma coisa. Isso ajuda a manter a curvatura natural da coluna no alinhamento adequado.
- Diga ao seu filho que traga os objetos para perto dele (perto do umbigo) e somente depois os levante.
- Os movimentos devem ser lentos. Movimentos rápidos e abruptos causam tensão nas articulações e nos músculos.

Pular: Como as crianças adoram pular, é importante dizer a elas que flexionem os joelhos ao pular. Em outras palavras, diga-lhes para fazer o mínimo "barulho" possível. Essa dica simples vai garantir que elas dobrem os joelhos e o quadril, o que permite que as pernas, e não as costas, absorvam o impacto.

Sentar: Quando seu filho se sentar à mesa do computador ou de artes, os pés devem ficar no chão ou apoiados sobre um banquinho. As costas devem ficar retas e encostadas na cadeira (você poderá colocar uma almofada atrás das costas dele se o assento for muito fundo). O quadril deve estar um dedo acima dos joelhos. Se os joelhos estiverem acima, haverá maior tensão sobre a região lombar (porque é forçada a ficar curvada). O tampo da mesa deve estar na altura do cotovelo, não do peito, para que seja mantida a boa postura. Se a mesa for alta demais, ele terá de erguer os ombros e os braços para alcançar o teclado ou os objetos.

Ficar em Pé: Ironicamente, não precisamos nos preocupar com a postura das crianças quando estão em pé. Elas não ficam paradas por muito tempo e, quando ficam, normalmente têm boa postura. As costas ficam retas e os joelhos levemente flexionados. Quando os joelhos não estão travados, as costas também não ficam travadas, o que permite o bom alinhamento tanto das costas quanto do quadril (geralmente são as crianças mais velhas que apresentam ombros caídos e hiperextensão dos joelhos — um sinal postural claro da adolescência chegando).

Carregar a Mochila: Mais cedo do que você gostaria, seu filho vai carregar uma mochila. Na terceira ou quarta série, é possível que ele esteja carregando até doze quilos nas costas. Atualmente existe muita controvérsia quanto a isso. Duas soluções são muito caras para serem experimentadas: uma seria a escola dar dois jogos de livros — um para casa e outro para a escola. A outra seria que as editoras dividissem os livros-texto na metade para que o livro todo não precisasse ser levado para casa diariamente. Como nenhuma dessas soluções é prática, precisamos estudar outra opção — o uso da mochila. As mochilas com rodinhas são as melhores, biomecanicamente. Puxar é sempre melhor do que erguer e carregar. Mas parece haver um estigma social com relação aos meninos puxarem mochilas de rodinhas, e por isso muitos se recusam a fazê-lo. A segunda melhor alternativa, então, é usar uma mochila reforçada que seja presa à cintura também. Isso coloca o peso sobre o quadril, e não sobre os ombros. Com o peso no quadril, seu filho fortalece as pernas, o que é bom. Quando o peso é colocado sobre os ombros (como é o caso das mochilas comuns), tanto os ombros quanto a cabeça precisam se curvar para frente, o que causa uma postura de cifose (os ombros caídos, postura comum das pessoas mais velhas) e dor nas costas.

Prestar atenção na boa postura agora pode ajudar a evitar que seu filho tenha dores lombares, problemas nos discos, luxação das costas e problemas nas articulações quando adulto. O tempo que você dedica a seu filho trabalhando essas questões é bem investido! Prevenir ainda é o melhor remédio.

Jogos Manipulativos/Estímulo Tátil

Como a criança de três anos tem mais coordenação viso-motora e habilidade visual, que ampliam a variedade de atividades, ela pode fazer muitas coisas para melhorar sua coordenação motora fina. Tente encaixar peças ou contas ou criar um colar de conchas. Aos três anos, você pode introduzir a tesoura e a cola — cortar é importante para o desenvolvimento motor fino e dá a força necessária para as outras atividades manuais. As crianças também gostam de carimbar e de pintar nessa idade. Use batatas, esponjas e formatos diferentes.

Preocupações Mais Comuns

Gostaria muito que meu filho de quatro anos aprendesse a tocar piano. De que habilidades anteriores ele precisa?

A maior habilidade que ele precisa ter é a destreza dos dedos. Brinque com massinha de modelar e com argila. Pinte com giz de cera, desembrulhe balas e dê moedas para ele brincar. Ajude-o a abrir a tampa de potes de vidro, a desabotoar e abotoar roupas e a dar o laço no tênis.

A criança de quatro anos consegue segurar o lápis. Trabalhe com a pegada correta (o lápis deve ficar entre o polegar e o indicador e apoiado no dedo médio) e diga que mudar a maneira de segurar o lápis pode ajudá-la a desenhar melhor. Use um lápis mais largo ou coloque um elástico na ponta do lápis comum, para deixá-lo mais largo e facilitar a pegada.

Brinquedos Recomendados para Crianças de Três a Cinco Anos

- Jogos de associação. Existe uma enorme variedade no mercado.
- Tábua de equilíbrio.
- Bola vai-vem é um brinquedo antigo, composto de uma bola e duas cordas que passam por dentro dela. É ótimo para o uso bilateral dos braços e para dar força e resistência à parte superior do corpo. Pode ser jogado em área coberta ou descoberta.
- Estações de ginástica com cordas e escadas para subir.
- Qualquer jogo em que a bola fique grudada em velcro ou seja lançada para um alvo de velcro.
- *Beisebol* (usando tacos bem leves).
- Bola de futebol.
- Patins *in-line*.
- Bola e cesta de basquete de brinquedo podem ser usadas dentro de casa, se o equipamento for macio e dobrável.
- Jogos de tabuleiro para essa faixa etária. As opções são inúmeras.
- Blocos de madeira.
- Jogos do alfabeto e dos números.
- Quebra-cabeças de peças grandes, como os de EVA que formam tapetes.
- Ferramentas para crianças — fita métrica, martelo de plástico, chave de fenda etc.
- Caixa de artes — tintas, canetinhas, lápis de cor, guache, cola, recortes etc.
- Lousas de feltro.
- Relógios infantis.
- Artesanatos.
- Peças de encaixe. Você pode criar suas próprias maluquices.
- Fantoches — tanto para os dedos quanto para as mãos.
- Projetos de ciências adequados à idade.
- Caixa registradora.
- *Kits* para trançar e costurar, para iniciantes. Eles também ajudam a criança a aprender a dar o laço no cadarço.
- Quebra-gelo ou similares. A criança vai furando ou martelando até a peça central cair.
- Pega-varetas é um jogo antigo (ainda disponível) que também é muito bom para a destreza dos dedos.

Continue brincando com blocos. A criança de três a cinco anos adora criar coisas — cidades, torres, zoológicos e castelos. Aos três anos, ela ainda pode precisar ver você construir uma estrutura de três blocos, mas aos três e meio já consegue seguir modelos (isto é, consegue olhar alguma coisa e reproduzi-la). Também consegue construir uma torre com dez blocos. A massinha de modelar continua sendo uma das diversões favoritas. Você pode elaborar desenhos usando botões, tampinhas e outros itens práticos para imprimir na massa. Também pode usar palitos para fazer braços, pernas, casas etc.

As crianças nessa idade continuam amando água e areia. Adoram lavar os brinquedos na banheira. Brincar de costurar também faz sucesso tanto com as meninas como com os meninos. Existem diversos brinquedos de costura à venda atualmente — crochê, costura, fabriquinha de fantoches, de tecelagem e de tricô. Você vai precisar supervisionar essas atividades.

Nessa fase a criança adora bater uma coisa na outra — seja martelando os pinos nos buracos ou amassando as caixas de leite vazias para dar novos formatos. Abrir e fechar as tampas dos vidros é muito bom para a rotação dos punhos, assim como soltar e apertar porcas e parafusos. Colecionar todo tipo de coisa — folhas, pedras, insetos, caminhõezinhos e bonecas — é uma maneira legal de classificar e separar. Essa atividade também estimula a linguagem, já que as crianças têm orgulho de suas coleções e têm prazer de dar qualquer informação que tenham sobre aquilo que colecionam.

Preocupações Mais Comuns

Meu filho tem cinco anos e não consegue se vestir. Por que isso é tão difícil para ele?

Existem algumas razões que podem explicar a dificuldade da criança de se vestir nessa idade. Uma está relacionada à falta de paciência — não dos nossos filhos. As manhãs são, em geral, muito agitadas para que deixemos os pequeninos tentar se vestir (todos ficam de mau humor e atrasados também). Então, aproveite as noites e os fins de semana para deixá-los praticar. Se ele tentar se vestir a qualquer hora, mesmo que não esteja "combinando" ou a roupa não esteja adequada para

a estação, elogie a conquista dele e fique quieta! Permita que ele vá à escola mesmo que pareça um pouco estranho com essa roupa — é a confiança dele que precisa crescer, não a sua.
A outra razão é que essa tarefa exige uma série de habilidades básicas que nós tomamos como certas. Imagine sentar-se no chão e tentar tirar as meias se você não tiver boas reações de equilíbrio. É com isso que seu filho precisa lidar. Para que ele consiga se vestir, é necessário que os sistemas tátil e vestibular dele estejam intactos. Ele também precisa ter consciência perceptiva da diferença entre direito/avesso, vestir/despir e frente/costas. Além disso, ele precisa conseguir transferir o peso, ter equilíbrio e mostrar certa estabilidade, mobilidade e destreza nos dedos. É claro que uma dose de paciência faz muito bem!

Jogos de Linguagem/Estímulos Auditivo e Cognitivo

Para estimular o desenvolvimento da linguagem da criança, continue fazendo muitas das atividades que começou quando ela era mais nova. Obviamente, continue lendo para a criança. Ela já consegue acompanhar bem as histórias e aponta para todas as coisas diferentes da página. As crianças nessa idade adoram ouvir a mesma história sem parar e decoram cada palavra. Elas sabem quando você tenta pular algumas linhas ou páginas; então, tome cuidado! Também adoram rimas e poesias. Ouça música e converse sobre os tipos diferentes de música com o seu filho. Continue fazendo teatrinhos. As crianças são capazes de criar enredos cada vez mais complexos, e a peça pode durar horas (e pode até englobar alguns dias), tudo isso em razão do aumento da concentração delas.

Por fim, o mais importante: estimule a comunicação. Escute e converse com o seu filho agora, e você estará fortalecendo os canais da comunicação para os anos futuros.

Algumas Dicas sobre os Brinquedos

Você não precisa comprar todos os brinquedos dos personagens de todos os filmes que seu filho assistir. As crianças se cansam rapidamente desses objetos. Além disso, embora elas peçam brinquedos específicos, esses brinquedos, geralmente, não precisam ser determinados para cada sexo (como soldados para meninos e bonecas para meninas). Compre brinquedos que não se prendem a uma única forma de brincar. Por exemplo, se estiver procurando um castelo ou uma casinha de bonecas, você pode tentar comprar uma casa de madeira que pareça mais genérica. Dessa forma, em um dia ela pode ser um castelo e no dia seguinte, um zoológico ou uma fazenda.

O Desenvolvimento da Linguagem do Terceiro ao Quinto Ano

Entre os três e os cinco anos de idade, seu filho vai ficar mais sociável, curioso, expressivo e até mais divertido. Muitos pais consideram essa idade o auge das "gracinhas" dos filhos. Isso se deve principalmente ao fato de a criança de três a cinco anos conseguir expressar seus pensamentos — e sua "lógica" inerente costuma ser surpreendente e admirada.

Diz-se que a criança de dois anos aprende palavras, enquanto a de três as usa. De fato, a criança de três anos articula melhor seus sentimentos, necessidades e desejos. O vocabulário e o uso de sentenças complexas continuam expandindo consideravelmente. Ao tentar compreender o mundo, ela passa a fazer muitas perguntas, como *quantos, qual, quando* e *por quê.* Também pede esclarecimentos quanto às dúvidas que pairam em sua mente ("De onde vêm as nuvens?").

A criança estrutura sentenças corretas com maior freqüência — como em "vamos fazer isto" em vez de "eu faz isso". Nessa idade, as crianças também desenvolvem um estilo próprio de conversação, com frases favoritas e entonações como "Na verdade, mãe" e "Bem, *sabe*...".

Aos cinco anos, seu filho geralmente conversa com você como um adulto. Pode discutir uma variedade de assuntos com profundidade e em detalhes. Ele vai tentar usar palavras grandes, como "Pare de me interromper", "Esse livro específico é exatamente o que eu queria!", mas pode não usá-las no contexto correto — "Não seja exigente para mim tanto!". É maravilhoso testemunhar e ouvir construções como essas, fazendo sentido ou não. Você também vai perceber que a autoconfiança do seu filho cresce com o aumento da capacidade de articular seus pensamentos e sentimentos. As crianças de cinco anos podem parecer muito sofisticadas — mas voltam a ser bebês quando estão cansadas, frustradas ou assustadas.

É também entre quatro e seis anos que seu filho gosta de usar palavras que você não quer ouvir. Temos um ditado na nossa casa "Palavras sujas devem ser usadas no banheiro, não em público". Nessa idade, seu filho também pode manipular o discurso para ganhar a platéia. Por exemplo, a criança de cinco anos pode falar como um bebê quando conversa com um bebê, usar vozes diferentes ao contar uma história ou fazer voz de terror para assustar você. Ela também vai tentar contar piadas.

Os sons *I, J, L, V* e *CH* geralmente são articulados aos cinco anos, enquanto os sons *R, S, Z* e *ST* costumam ser articulados aos seis (se aos cinco anos seu filho estiver tendo muita dificuldade ao pronunciar sons ou for incompreensível, consulte um fonoaudiólogo). Além disso, a compreensão de conceitos abstratos continua crescendo durante os anos de desenvolvimento.

É surpreendente como a compreensão da criança parece vir da noite para o dia: um dia ela não consegue dizer as diferenças entre "ontem", "hoje" e "amanhã" e no dia seguinte quer saber a programação das férias de verão e quantos anos vive uma borboleta. Embora pareça que seu filho tenha entendido os conceitos rapidamente, na verdade ele foi imperceptivelmente coletando dados e testando-os com você. Suas interações com ele são uma grande influência na compreensão da linguagem — então aproveite!

Por fim, quando seu filho entra na pré-escola, você vai pensar que fazê-lo dar informações sobre seu dia é quase impossível. Logo você vai se cansar de perguntar a ele como foi o dia e o que ele fez na escola, porque só vai ouvir "tudo bem" e "não fizemos nada" ou "não lembro". Essa fase da criança serve para preparar você para a adolescência.

Existem muitas estratégias que você pode usar para manter um diálogo com seu filho. Tente fazer perguntas específicas que não podem ser respondidas com duas palavras, como "Que trabalho de artes você fez hoje? Você pintou com tinta ou com lápis? O que você desenhou?". Ou converse com seu marido ou esposa sobre como foi o *seu* dia. As crianças vão querer participar da conversa e logo você terá uma mesa redonda de debates sobre as melhores e as piores coisas do dia. Você pode até ouvir coisas como "A aula de ciências foi ótima hoje — aprendemos sobre as pedras e os cristais" ou um relato sobre um amigo que derrubou tinta na mesa e eles decidiram passar a mão na tinta e pintar o cabelo um do outro. Essa técnica provoca a linguagem e nunca é chata — você vai se surpreender quando perceber aonde pode chegar com uma estrutura simples de conversação!

Referências de Desenvolvimento da Linguagem do Terceiro ao Quinto Ano

Três a Quatro Anos

- Responde às perguntas "quem", "o quê" e "onde".
- Sabe dizer para que servem alguns objetos familiares.
- A clareza da fala e a pronúncia estão melhorando (usa as letras iniciais e finais, por exemplo).
- Expande o vocabulário consideravelmente.
- Melhora o conhecimento gramatical e fala mais corretamente.
- Usa uma variedade de frases e substantivos e verbos inflectidos para acentuar o significado ("correndo", "comi", "completamente", "rapidamente" etc.).

Quatro a Cinco Anos

- Comunica-se facilmente com a família e os colegas.
- Ouve você.
- Consegue responder perguntas sobre uma história.
- Sabe responder perguntas para explicar relações causais.
- Consegue formar frases para definir palavras.

Sinais de Alerta e Soluções para o Desenvolvimento de Seu Filho

Nós *devemos* prestar atenção ao desenvolvimento sensório-motor dos nossos filhos, especialmente porque *podemos* ajudá-los a ter mais qualidade de vida. Não importa se seu filho tenha um ano ou cinco (ou até mais), nunca é tarde para encorajar seu desenvolvimento e conseqüentemente sua auto-estima — mas exige que se fique de olho a qualquer possível sinal de alerta que possa aparecer. Ao lidar com ele desde cedo, você pode remediar muitos desses problemas potenciais.

Quanto à sua vigilância ao desenvolvimento do seu filho, uma coisa precisa ser ressaltada: é importante observar a *qualidade* dos movimentos da criança e não apenas as *etapas*. Por exemplo, uma criança de dois anos pode estar andando, subindo escadas e tentando pular. Isso é ótimo — exceto se ela andar em uma posição meio agachada com os joelhos flexionados durante todas essas atividades. Os pés podem estar severamente pronados (pés chatos) e ela pode ter uma hipotonia muscular subjacente, o que torna difícil ter boas reações de equilíbrio e postura. Para que ela possa evoluir nessas habilidades (andar, subir escadas e pular), que, por sua vez levem a *novas* habilidades, os problemas mencionados anteriormente precisam ser tratados. Quando se trata de desenvolvimento físico, menos às vezes (quando executado adequadamente) significa mais.

Mesmo que você trabalhe *todas* as áreas do desenvolvimento, lembre-se de que, embora o progresso seja contínuo, nem todas vão progredir da mesma forma. Certas habilidades se desenvolvem mais rápido do que outras, e as áreas que seu filho já teve domínio podem ficar temporariamente de lado para o surgimento de uma nova habilidade. Por exemplo, seu filho de três anos pode estar subindo em tudo que encontra à sua frente, mas está menos articulado do que estava há um mês. Não se preocupe, ele vai voltar a expandir seu vocabulário quando estiver dominando essa nova habilidade motora. É claro que as crianças progridem em ritmos diferentes e não devem ser comparadas entre si (a menos que você queira ficar maluca desnecessariamente).

Preocupações Mais Comuns

Meu filho parece sempre estar atrasado para adquirir uma habilidade, mas ele sempre chega lá. Devo me preocupar?

Não necessariamente, já que ele está conquistando as habilidades no seu próprio ritmo. Se ele estiver atrasado quanto à coordenação motora grossa, pode não chegar a ser um superatleta. Desse modo, seu nível de preocupação deve depender do quanto achar importante que seu filho seja um vencedor nos esportes. Alguns pais pedem intervenções, enquanto outros se contentam em deixar que o filho progrida no seu ritmo.

O ideal é que seu filho de um ano possa um dia fazer a transição entre uma atividade e outra com facilidade. Ele vai gostar da nova independência e terá interesse em experimentar coisas novas. A criança de três a cinco anos deve gostar de brincar com os colegas, de criar projetos e de se mexer. Fica excitada ao realizar uma tarefa nova. Agora, deve ser craque em atividades de associação, e o vocabulário e a coordenação motora grossa devem estar sempre aumentando. Como já discutimos, ela também é propensa a mudanças de comportamento devido aos obstáculos do desenvolvimento, às novas experiências e aos períodos de transição do dia.

Se, no entanto, alguns dos comportamentos a seguir forem constantes e persistentes na criança de um a cinco anos, você deve consultar o pediatra. Para muitos desses sinais de alerta foram sugeridas atividades ou referências para corrigi-los. Se algumas dessas sugestões servirem para você, e você quiser mais assistência, peça ao pediatra que lhe indique um fisioterapeuta, fonoaudiólogo ou terapeuta ocupacional. A seguir estão alguns sinais de alerta que podem ser percebidos:

- *Ele não quer ajudar na maioria das atividades do dia-a-dia (vestir-se, comer com talher, lavar as mãos etc.).* Para estimular que ele se vista, tente você mesma vesti-lo quase totalmente — mas deixe-o fazer o último passo. Quando o último passo for dominado, passe a deixar mais da responsabilidade para ele. Ele também pode estar mais interessado em tentar colocar as roupas dos pais ou fantasias do que as próprias roupas.

  Para estimular o uso do talher, tente usar um menor e mais largo. Esse tamanho de talher pode ser mais fácil para a criança manipular do que o de adultos.

  Faça seu filho lavar os brinquedos para estimulá-lo a lavar as mãos.
- *Ele não a imita.* Tente estimular seu filho a participar com você das atividades que realiza no dia-a-dia — faça disso uma brincadeira.
- *A fala dele não está melhorando espontaneamente.* Fomente a fala começando a frase com o seu filho: "O João quer..." ou "O João diz: 'Eu quero...'". Isso deve ajudar a provocar a resposta dele.
- *A habilidade na coordenação motora grossa e fina não parece estar aumentando.* Esse é um sinal de alerta que traz consigo um peso grande. Se seu filho permanecer em um patamar por muito tempo, consulte o pediatra. A avaliação e a intervenção terapêutica podem ser justificadas.

Preocupações Mais Comuns

Por que minha filha que já tem quase três anos não pula com os dois pés?

Para pular, a criança precisa de certa quantidade de força, equilíbrio e coordenação motora bilateral: precisa ser capaz de usar os dois lados do corpo ao mesmo tempo (como ao bater palmas, pegar uma bola e rebater com o bastão). As crianças que têm dificuldade com a coordenação motora bilateral tendem a pular com um pé de cada vez. É importante descobrir se há alguma razão oculta que explique essa dificuldade e intervir de acordo.

- *Ele não compreende ordens.* Primeiro tente fazer contato visual com seu filho. Fale devagar e tente usar só três ou quatro palavras por vez: "Paulo, venha aqui" ou "guarde seus brinquedos" em vez de "Paulo, quero que venha até aqui para brincar, querido" ou "quero que você consiga recolher seus brinquedos e guardá-los em cinco minutos".
- *Seus movimentos são hesitantes, e não fluidos e tranqüilos.* Tente não forçar atividades que possam ser assustadoras para o seu filho. Ofereça ajuda ou faça a atividade com ele — por exemplo, coloque-o sentado no seu colo enquanto você tenta encaixar os blocos.

Preocupações Mais Comuns

Na pré-escola, meu filho de quatro anos é sempre o último da fila porque demora a descer a escada. Por que ele não vai mais rápido?

Ele pode ter dificuldades de equilíbrio ou de transferência do peso, o que faz com que tenha medo de cair ou se sinta inseguro nos degraus. Aos dois anos e meio ou três, nenhum especialista veria esse tipo de hesitação como um problema, mas as possíveis causas precisam ser tratadas. Esse tipo de comportamento geralmente pertence à mesma criança que, quando fica um pouco mais velha, não brinca no trepa-trepa ou no escorregador. Questões proprioceptivas e vestibulares provavelmente sejam uma realidade.

- *Ele não gosta do playground ou tem medo. Não quer subir em nenhum brinquedo, balançar ou escorregar.* Tente andar no *playground* em períodos mais tranqüilos, com poucas pessoas. Tente subir no brinquedo ou escorregar com ele. Seja positiva; tente não focalizar o que seu filho não consegue fazer, e sim o que consegue.
- *Ele cai com freqüência.* Pode haver muitas razões para uma criança cair ou tropeçar muito. É importante investigar mais.
- *Ele corre de maneira esquisita.* Muitas crianças pequenas, inexperientes, têm um jeito engraçado de correr. Os padrões de corrida geralmente melhoram com a maturação. Aos cinco anos, a criança deve ter um estilo coordenado de correr.
- *Ele fica facilmente superestimulado.* Existem diversas maneiras de acalmar uma criança. Tente manter poucas coisas no ambiente e com pouco ruído — não deixe a TV e o computador ligados enquanto conversa com ele. As rotinas e a estrutura, como discutimos neste livro, também podem ajudar uma criança que fica superestimulada com facilidade a se organizar.
- *Ele tende a reagir excessivamente a situações que não costumam incomodar outras crianças, como levar um esbarrão ou um encontrão.* Algumas crianças não gostam de lugares barulhentos ou lotados — como festas de aniversários ou ginásios. Se seu filho tem dificuldades em situações parecidas, tente apoiá-lo. Não force. Leve-o aos poucos a esses lugares para que ele possa se acostumar.
- *Ele evita texturas diferentes — bichos de pelúcia, diversos alimentos, trabalhos artísticos que fazem sujeira.* Novamente, tente introduzir novas texturas aos poucos para dessensibilizá-lo. Mostre a ele que você também toca nessas texturas.
- *Ele não desenvolveu uma mão dominante aos cinco anos.* Pode haver várias razões para a criança não desenvolver uma mão dominante. Procure um terapeuta ocupacional.

Checklist do Terceiro ao Quinto Ano

O Que Você Pode Fazer

Todas as habilidades básicas de desenvolvimento estão presentes. Sua maior contribuição nesse momento é ter tempo para aumentar essas habilidades com diversas atividades.

- Continue estimulando o desenvolvimento da linguagem: leia bastante para o seu filho.
- Discuta o livro. Faça perguntas sobre ele que sejam adequadas ao nível de compreensão da criança.
- Repita e introduza novas experiências táteis, bem como atividades manipulativas de coordenação motora fina e grossa (inclusive brincadeiras ao ar livre e esportes básicos).
- As atividades devem ser apropriadas. Construir com blocos é uma coisa, construir modelos de barcos é outra.
- Estimule novas experiências: museus, outros parques, aquários, praia etc.
- As crianças gostam de se sentir responsáveis. Ajudar nas tarefas de casa é uma ótima maneira de estimular a responsabilidade.

- *Ele freqüentemente parece desatento, e sua habilidade de linguagem não está melhorando.* Se uma pessoa de fora da família tem dificuldade em entender seu filho ou se ele não consegue comunicar o que quer ou precisa, deve-se fazer um exame de audição e consultar um fonoaudiólogo.
- *Ele não acompanha visualmente os objetos. Os olhos não se movem independentemente dos movimentos da cabeça.* Seu filho deve conseguir estabilizar a cabeça e usar os olhos independentemente. Uma atividade para promover essa capacidade é erguer uma bola (no nível do queixo) e fazê-lo bater nela. Isto também promove a coordenação viso-motora. Outra atividade é fazê-lo seguir uma luz (de uma lanterna) na parede sem mover a cabeça, só os olhos.
- *Ele não consegue colocar as figuras geométricas nos buracos correspondentes.* Aos três anos de idade, a criança deve conseguir encaixar as figuras nos espaços correspondentes sem tentativa e erro. Brincar com quebra-cabeças e blocos ajuda a desenvolver a habilidade viso-motora necessária.

- *Ele não consegue rasgar papel.*
- *Derruba as coisas com freqüência.*
- *Não progrediu nos rabiscos e tem dificuldade em usar a pegada correta para segurar o giz de cera ou o lápis.* A maioria das crianças consegue rasgar papel com um ano de idade e consegue segurar a caneta usando a pegada correta aos dois. Se seu filho tem dificuldade com alguma dessas atividades, ele pode ter uma fraqueza subjacente. Uma avaliação pode ser necessária. Entretanto, alguns jogos para fortalecer as mãos — como virar moedas, desabotoar fechos usando o polegar e o indicador, brincar com massinha e usar pinças para pegar objetos — podem ser úteis. Para facilitar a pegada, coloque uma borracha no lápis ou enrole um elástico para ele segurar, pois a maciez também ajuda os dedos a ficarem mais maleáveis.

Preocupações Mais Comuns

A escola me chamou para discutir a possível necessidade de terapia ocupacional para o meu filho. Eles disseram que ele tem dificuldade em segurar o lápis e o giz de cera. Também é difícil para ele desenhar figuras. Ele só tem quatro anos e meio — e não creio que isso deva ser considerado um problema. Acredito que nunca lhe ensinaram a pegada correta. Ele tem um problema real?

Pode haver algum problema subjacente. A maioria das crianças de dois anos consegue segurar um lápis e desenhar automaticamente. Talvez seu filho tenha hipotonia muscular ou dificuldade de planejamento motor. Pode haver falta de estabilidade em razão de sua incapacidade de manipular bem o lápis. Seu filho engatinhou? Engatinhar ajuda na organização e no fortalecimento da parte superior do corpo.

Sinais de Alerta Específicos Apresentados por Crianças de Três a Cinco Anos

- *Ele evita tentar realizar mais etapas do desenvolvimento motor grosso, como saltar ou pular degraus.* As atividades que melhoram o equilíbrio podem ser úteis para encorajar a criança a conquistar essas etapas. Essas atividades incluem balançar, usar brinquedos como o triciclo, sentar em uma bola grande com apoio e balançar sentado em uma bola menor, para citar algumas. Seu filho também pode precisar que você o segure para "praticar" essas atividades. Tente incorporá-las em jogos ou músicas, como "O mestre mandou *saltar*".
- *Ele não brinca sozinho.* Se esse for o caso, ele pode precisar que um adulto o ajude a organizar uma atividade ou a começá-la — determinar ou iniciar a atividade pode ser difícil para ele. Um adulto pode ajudar a escolher a atividade e dizer algo como "preciso ir na cozinha por um instante — já volto". Então você (ou o adulto responsável) pode dar uma olhada a cada cinco minutos e diminuir gradualmente a freqüência das visitas.

E Lembre-se Sempre...

- *Não compare seu filho com o filho de ninguém — cada criança tem sua própria personalidade e conjunto de habilidades. Concentre-se no que seu filho pode fazer, não no que você gostaria que ele fizesse.*
- *Uma criança bem trabalhada é fundamental para que se torne bem equilibrada. Não sobrecarregue com esportes ou qualquer outra atividade.*
- *Fale positivamente com seu filho e trabalhe com ele para aumentar sua confiança.*

PARTE

4

Considerações Especiais

CAPÍTULO

8

Não Existe Criança Preguiçosa

Como a Hipotonia Muscular Afeta o Desenvolvimento

Na minha prática, comumente ouço os pais dizerem:

"Meu filho não rola."

"Meu filho de dois anos e meio não sabe pular."

"Meu filho de três anos não gosta de brincar no playground."

"Minha filha só brinca no tanque de areia. Ela não brinca no playground."

"Meus filhos são gêmeos. A menina está engatinhando, ficando em pé e começando a andar, mas o menino ainda está rastejando de bruços. Ele adora ficar em pé, mas não se move sozinho."

"Minha filha de dez meses se arrasta sentada, mas não engatinha."

Todas essas coisas podem estar relacionadas à hipotonia muscular.

Os pais cujos filhos exibem qualquer um desses comportamentos (ou parecidos) costumam dizer que eles são preguiçosos. As crianças podem *parecer* preguiçosas porque não se mexem muito ou não querem ficar em certas posições. Isso não é teimosia ou apatia — certas posições ou padrões de movimento podem ser demais para elas, especialmente se tiverem hipotonia muscular.

Como discutimos no Capítulo 1, o tônus muscular é a quantidade de resistência ao movimento passivo. Sem ele, não conseguiríamos nos mover de um jeito normal ou até de jeito nenhum. Pergunte a qualquer pai cujo filho tenha um tônus muscular muito alto ou baixo, e ele dirá o quanto os movimentos, a postura, o equilíbrio e o controle dependem do tônus muscular — e o quanto damos essas capacidades como certas.

Tônus muscular é diferente de força. O tônus é o estado do músculo em repouso e é controlado pelo cérebro, que automaticamente o regula quando recebe informações dos músculos e do ambiente. A força depende do número de fibras musculares solicitadas ao trabalho e é controlada voluntariamente. Aumentar a força muscular não altera o tônus muscular, mas pode alterar os efeitos da hipotonia muscular. Por exemplo, uma criança com hipotonia muscular pode aumentar a estabilidade das articulações fortalecendo os músculos ao redor delas.

Hipotonia Muscular

O tônus muscular muito baixo é conhecido como *hipotonia*. Existem muitas condições, transtornos, doenças e síndromes que envolvem a hipotonia. Ela pode ser causada pela diminuição (ou interrupção) do movimento fetal, trauma, prematuridade ou infecções pré-natais, bem como transtornos metabólicos ou neuromusculares, entre outros. Por outro lado, bebês e crianças com *tônus muscular baixo* — em grau menor que hipotonia — não necessariamente apresentaram um problema pré-natal ou neonatal. Nesse caso, é possível também que um dos pais tenha tido o mesmo problema. Além disso, uma criança com tônus baixo pode ter menos resistência a uma variedade de movimentos passivos e mais — até em excesso — variedade de movimentos nas articulações, sem que isso seja diagnosticado como uma verdadeira hipotonia. Os exemplos tratados neste livro referem-se a crianças com hipotonia em menor grau. Se existir a suspeita de uma verdadeira hipotonia em grau maior, o pediatra poderá encaminhar a criança a um neurologista para uma avaliação neuromuscular.

Um bebê com tônus baixo pode se mover usando certos padrões compensatórios de movimento que o fazem "enganar", ou seja, ele pode não usar todos os músculos adequados para completar um movimento ou ação. Se ele usar esses padrões repetidas vezes, eles serão reforçados. Dessa forma, a hipotonia poderá ter um impacto sobre seu desenvolvimento. Por exemplo, um bebê com hipotonia pode rolar de costas para frente usando a extensão, e não os músculos flexores. O pouco uso dos abdominais pode causar uma inclinação anterior da pélvis, afetando a postura e a estabilidade. Ele também pode elevar os ombros para ajudar no controle da cabeça, o que causa tensão nos ombros. Se houver fraqueza nessa região, a coordenação motora fina poderá ser afetada. O desenvolvimento perceptivo também poderá ser afetado se o bebê não se mexer bem.

Os efeitos da hipotonia nas crianças pequenas aparecem nas atividades físicas regulares e podem atrapalhar a capacidade atlética. Por exemplo, uma criança pode tropeçar porque os músculos do tornozelo não estão trabalhando com eficiência. Lembre-se de todos os componentes necessários só para pegar uma bola: a criança precisa de controle isolado das extremidades superiores, deve conseguir reagir na hora certa e precisa de reações de equilíbrio apropriadas (veja Capítulo 1). Todas essas exigências podem ser difíceis de ser realizadas se a criança tem hipotonia muscular. Pense, no entanto, que a criança não foi feita para ser um super-herói — todos nós temos nossos pontos fortes e fracos. Sendo assim, quando as dificuldades impedem nossa capacidade de gostar das atividades, então é hora avaliar a situação com maior atenção.

Preocupações Mais Comuns

A professora da minha filha disse-me que Sarah atrapalha os colegas durante as histórias. Fiquei muito surpresa, pois em geral ela é uma criança quieta. A professora disse que, enquanto as outras crianças ficam sentadas ouvindo as histórias, Sarah fica deitada batendo o corpo e as pernas nelas. Quando pede a Sarah que se sente como as outras crianças, ela diz que isso é difícil para ela. O que devo fazer?

Sarah pode ter hipotonia muscular. Em geral, as crianças com hipotonia procuram superfícies de apoio para encostar o corpo. É difícil manter uma postura ereta por um tempo significativo quando a gravidade fica constantemente puxando para baixo e não se tem o controle adequado para resistir. Por essa razão, quando uma criança como Sarah se deita durante a história, as pessoas podem pensar que ela tenha problemas de comportamento porque não está ouvindo. Na verdade, ela age assim para conseguir ouvir direito a história. Ensinar os professores sobre a hipotonia muscular poderá levá-los a pensar em uma solução. Talvez Sarah pudesse ficar no fundo da sala para se deitar sem atrapalhar os outros ou perto de uma parede onde pudesse se encostar. As outras crianças também poderiam se sentar em suas carteiras. É preciso pensar também se a história não está sendo longa demais. Trinta e cinco minutos de história é tempo demais para qualquer criança de três ou quatro anos ficar sentada quieta.

Geralmente, os bebês com hipotonia muscular preferem ficar sentados ou em pé a rolar ou engatinhar. Isso porque é mais fácil travar as articulações contra a gravidade do que lutar contra ela e ativar os músculos perto do chão. Quando estão no chão, as crianças com tônus baixo tendem a se sentar com as pernas na posição de *W*, em vez de outras posições mais maduras que exigem melhor controle do tronco, equilíbrio e rotação para que se movam. Como discutimos no Capítulo 4, a posição em W não exige da criança rotação ou uso abdominal para que ela possa se sentar, sair da posição ou mantê-la. Também é uma posição segura, porque é mais difícil cair para os lados ou para trás. Outras posições facilitam a queda, porque exigem reações de equilíbrio mais maduras que a criança com hipotonia em geral não tem.

Aos quatro ou cinco anos, a criança com hipotonia pode ter um aumento da lordose lombar (uma depressão por causa dos músculos abdominais fracos), escápulas aladas (que saltam para fora) e ombros caídos. Além disso, seu tônus postural geral pode precisar ser trabalhado. É difícil ter uma boa base para os movimentos adequados quando o tônus postural é baixo. Pense em um girassol que cresce com seu forte caule. À medida que cresce, pode permanecer reto — em resumo, tem controle da postura. Agora pense em uma orquídea.

Seu caule é longo e bem fino. Ela não pode ficar em pé sem apoio ou sem um mecanismo compensatório (como uma vareta). O mesmo vale para as crianças (e os adultos) sem o controle postural adequado — elas não conseguem se mover sem compensações ou ficar em pé sem uma boa postura.

Vale a pena notar que uma criança "desajeitada" não é necessariamente uma criança com hipotonia muscular. Na verdade, uma criança desajeitada pode não ser fraca. Entretanto, uma criança fraca é sempre desajeitada. Desajeitamento é um termo utilizado para dificuldades motoras, enquanto fraqueza é um sintoma que indica que poucas fibras musculares estão sendo recrutadas para realizar determinada tarefa. Uma criança desajeitada pode esbarrar nos móveis ou derrubar coisas por falta de atenção ou por diversas outras razões — ela é simplesmente desajeitada. No entanto, uma criança fraca pode *parecer* desajeitada porque seu tempo de reação está atrasado, o que faz com que ela tropece mais facilmente ou talvez não consiga segurar um objeto com a firmeza de que precisa.

Preocupações Mais Comuns

Minha filha de quatro anos não é tão ativa quanto os amiguinhos delas, mas isso eu entendo. O que não consigo entender é por que para ela é difícil brincar de um jogo simples como pegar uma bola?

Lembre-se, não existe nada "simples" em brincar de pegar uma bola. Se sua filha apresentar hipotonia muscular, ela poderá ter uma fraqueza proximal (no tronco) e distal (nas mãos) também. Isso afetará a estabilidade dela. Se a estabilidade estiver afetada, será difícil para ela manter o equilíbrio. Sua postura também será afetada. O controle da postura precisa ser ativado enquanto o centro de gravidade é transferido durante o movimento, ou ela vai perder o equilíbrio. Com certeza, para qualquer pessoa será difícil pegar uma bola se tiver de se preocupar constantemente com o equilíbrio.

Atividades para Aumentar a Ativação Muscular

Existem muitas atividades que você poderá aplicar para aumentar a ativação muscular do seu filho. Para o recém-nascido e o bebê faça o seguinte: segure-o no colo como descrito no Capítulo 2 (rolando o bebê para um dos lados primeiro, e não puxando direto para cima). Quando estiver dando mamadeira a ele, lembre-se de manter a cabeça na linha média, com as orelhas alinhadas aos ombros. Isso promove a otimização da função oral-motora. Use a posição apoiado de bruços e a rotação do seu filho, como descritos nos Capítulos 3 e 4. Estimule o bebê a brincar com os pés para ativar os músculos abdominais, como descrito no Capítulo 3, e a movimentar-se pelo espaço para a estimulação proprioceptiva e vestibular.

Para o bebê um pouco maior e a criança, continue usando os brinquedos primeiros-passos, como o triciclo, ou brinquedos que ele empurre com os pés. Essa é uma boa atividade para crianças de um a dois anos. Atividades em que elas possam ficar ajoelhadas com uma ou as duas pernas, como as descritas no Capítulo 4, também são úteis, assim como jogos de engatinhar e de "andar como um urso". Experimente também jogos de agachar. Faça-o empurrar objetos "pesados" ou uma bola grande (de cinqüenta a sessenta centímetros) ou carregar objetos "pesados" (uma cadeira infantil) com as duas mãos.

Atividades de sustentação nas extremidades superiores, como jogos de equilíbrio nas mãos e nos joelhos, trabalham os músculos dos braços. Faça seu filho brincar sobre quatro apoios, e então levante um braço para frente junto com a perna oposta e tente que ele se equilibre. Experimente brincadeiras que envolvam rotação do tronco, como ficar ajoelhado e pegar uma bola de cada lado. Você também pode tentar desequilibrar a criança com leves empurrões e ver se ela consegue se manter na posição. Tente fazer o mesmo com ela ajoelhada em uma perna. Atividades parecidas foram descritas no Capítulo 4.

Use atividades de manipulação, como as descritas nos Capítulos 4, 7 e 8 — empilhar blocos, desenhar, recortar, colar, encaixar peças etc. Tarefas como arrancar as folhas da alface e lavar as cenouras também poderão ajudar a aumentar a ativação muscular.

Seu filho deve andar sobre superfícies irregulares, como os almofadões do sofá, para promover as reações de endireitamento. Faça-o andar sobre uma viga, brinque de cabo-de-guerra e pratique pular como um sapo. Ele deve usar as duas mãos para segurar uma corda ou um bambolê e, então, puxe-o sentado na bicicletinha. Se você tiver um skate ou um patinete com uma superfície larga e plana, seu filho poderá se sentar ou deitar de bruços, que é bom para a ativação da postura e o uso bilateral dos braços.

Trabalhe as atividades de equilíbrio usando uma bola grande. Seu filho deverá deitar de bruços sobre ela. Segure-o pelo quadril e role devagar a bola de um lado para o outro. Observe como a criança transfere o peso e se equilibra. Você também poderá mover a bola para frente e para trás e observar se seu filho tem uma resposta de proteção (como colocar as mãos no chão quando você o move para a frente). Faça-o sentar sobre a bola e pular. Os joelhos e o quadril devem ficar em ângulo de noventa graus; para isso, use uma bola de tamanho adequado para a criança. Veja as atividades descritas nos Capítulos 4, 7 e 8. Seu filho também poderá colocar um dos pés sobre uma bola de trinta centímetros e tentar manter o equilíbrio. Veja por quanto tempo ele consegue se equilibrar sobre um pé (no início, talvez ele precise de uma cadeira para se apoiar).

Brinque de chutar e pegar a bola. Faça uma corrida de obstáculos (andando e subindo sobre as coisas, passando por baixo e desviando de diversos itens da casa, como cadeiras, mesas, almofadas e latas), como descrito no Capítulo 6. Estimule seu filho a correr, subir escadas e brincar no *playground*, bem como a patinar (é importante praticar este último dentro de casa, primeiro sobre um tapete).

Sinais de Alerta da Hipotonia Muscular

Um bebê ou criança com tônus muscular baixo pode apresentar algumas das características a seguir:

- Aumento do movimento das articulações.
- Conquista de etapas motoras do desenvolvimento muito depois das outras crianças.
- Ausência de certas habilidades motoras, como rolar ou engatinhar.
- Escápulas aladas prolongadas (depois dos quinze ou dezoito meses).
- Menor ativação extensora do quadril (pode engatinhar com os joelhos embaixo do quadril em vez de estender totalmente a perna).
- Músculos abdominais fracos.
- Preferência por se arrastar de bumbum em vez de engatinhar sobre quatro apoios.
- Dificuldades de equilíbrio.
- Senta-se em *W*.
- Dificuldade em subir escadas sem o uso do corrimão.
- Pegada fraca.

- Pouca habilidade para colorir ou escrever.
- Dificuldade em usar canudinho.
- Uso de uma base maior de apoio (as pernas permanecem afastadas para dar equilíbrio e apoio).
- Pouca estabilidade postural.
- Baixa resistência (algumas crianças têm dificuldade em andar um quarteirão, aos quatro anos).
- Inabilidade ao andar (cai ou tropeça com freqüência).
- Dificuldade em manter os lábios fechados.

Ao diagnosticar a hipotonia muscular, seria útil se o pediatra rapidamente avaliasse as habilidades de equilíbrio mais desenvolvidas, entre os três e os quatro anos. Aos dois anos e meio, seu filho deve ser capaz de pular. Aos três anos e meio ou quatro, deve saber recitar o alfabeto. Andar tocando calcanhar-dedos geralmente ocorre entre um ano e meio e dois e saltar, aos quatro anos. Aos cinco, a criança deve conseguir andar em linha reta e se equilibrar em uma perna só. Se qualquer uma dessas habilidades for inexistente ou severamente atrasada, será recomendável a avaliação de um fisioterapeuta ou um terapeuta ocupacional.

Um tônus baixo no corpo geralmente corresponde a um tônus oral baixo. A língua pode não ser capaz de se curvar ao redor do bico do seio ou da mamadeira. Isso afetará a sucção e poderá afetar a articulação depois. Melhorar o tônus do corpo poderá ajudar a melhorar o da boca também.

E Lembre-se Sempre...

- *O bom controle da postura afeta todas as nossas atividades — por toda a nossa vida.*
- *Você precisa de um bom alinhamento para uma boa ativação muscular e de estabilidade proximal para conseguir mobilidade distal.*
- *Uma criança segura é uma criança feliz.*

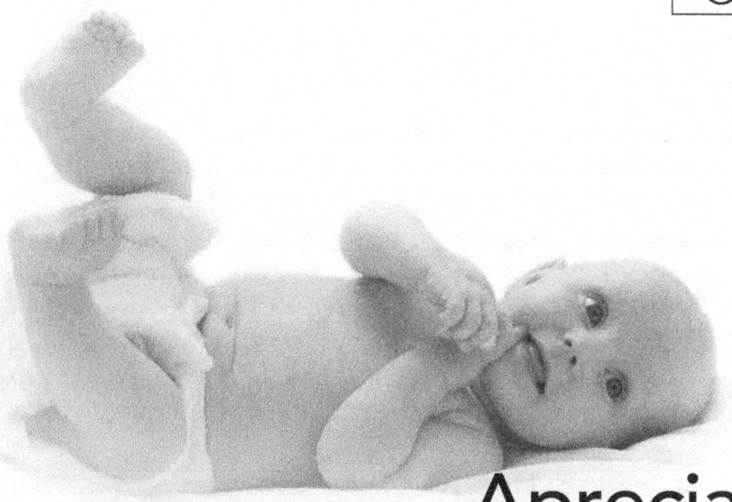

CAPÍTULO

9

Apreciando a Prematuridade

O Desenvolvimento Especial do Bebê Prematuro

Ter um filho deveria ser sempre uma experiência maravilhosa, pois é algo em que os pais pensam muito nos meses que antecedem o parto. Eles têm expectativas que os mantêm ansiosos e excitados. No entanto, às vezes os bebês, por uma razão ou outra, nascem prematuramente e precisam ser levados à UTI neonatal. Esses bebês são afastados dos pais, colocados em um ambiente artificial e privados de uma experiência sensorial e dos cuidados normais. Para a maioria dos pais, dar à luz um bebê prematuro é uma experiência traumatizante.

Muitos artigos já foram escritos e muita pesquisa foi feita sobre os bebês prematuros. Bebê prematuro é aquele que nasce com idade gestacional inferior a trinta e sete semanas. Existem dois tipos de prematuros na UTI neonatal. O bebê prematuro estável permanece na UTI para se alimentar, crescer e para que sejam monitorados e tratados os problemas comuns relacionados à imaturidade. Geralmente, estes bebês ficam no hospital até atingirem a idade a termo. O outro tipo diz respeito ao bebê que apresenta dificuldades, distúrbios ou infecções respiratórias, cardíacas, metabólicas, neurológicas ou congênitas. Mesmo para os bebês prematuros muito doentes, atualmente existe maior chance de sobrevivência. Medicações dadas à mãe antes do nascimento do bebê, surfactantes artificiais, antibióticos e tecnologia de ponta são apenas algumas das razões pelas quais esses bebês têm mais chances de sobreviver hoje do que há alguns anos.

Se seu filho nasceu prematuro, então é bem provável que ele seja muito pequeno, a cor da pele dele seja diferente, as veias sejam bem visíveis e haja tubos e fios presos a ele, tudo isso dando-lhe um aspecto de doente. Apesar disso, é importante que você permaneça confiante e com esperanças. Não tenha medo de fazer perguntas — mesmo que já as tenha feito antes, pois, em razão da tensão em que se encontra, você pode não ter absorvido toda a informação dada pelos especialistas.

À medida que for conhecendo seu bebê, você vai notar aspectos específicos e únicos do desenvolvimento dele, que são diferentes dos aspectos do bebê a termo. O bebê a termo nasce com a flexão fisiológica (posição fetal), como discutimos no Capítulo 2. Essa flexão cria uma pequena superfície na qual ele pode se mexer. Dessa forma, quando, por exemplo, o recém-nascido é colocado de bruços, o bumbum fica para cima (o quadril está flexionado). Quando ele mexe o bumbum, as forças e a pressão sobre a superfície de sustentação do peso mudam. Se o movimento for agradável, o bebê vai repeti-lo, e todos sabemos que os bebês aprendem pela repetição. Entretanto, o bebê prematuro, por causa do seu tamanho, não passou por essa posição fetal do bebê a termo — não houve "apertamento" no útero. Desse modo, quando ele é deitado de bruços, permanece reto, o que dificulta a sua movimentação. Apesar de haver um contato maior com a superfície, esse contato tende a ser passivo, com pouca ativação. Também é difícil para o bebê prematuro se mover ou flexionar contra a gravidade (o que também está ligado ao estado imaturo do sistema nervoso).

Os músculos extensores (de trás) tendem a ser mais fortes do que os flexores (da frente) nos prematuros. Essa extensão deve-se ao fato de o bebê ter de ficar na posição de costas (em supino). Quando está deitado de costas, o bebê rapidamente aprende a se empurrar contra a superfície usando forçosamente os músculos extensores, o que torna difícil organizar o corpo para o movimento. Sendo assim, em geral os movimentos dos bebês prematuros tendem a ser mais desorganizados do que os dos bebês a termo.

Por não ter passado pela experiência da posição fetal, o bebê prematuro tende não só a ser mais estendido como também a apresentar hipotonia muscular. A combinação de maior tônus extensor com a hipotonia faz com que os prematuros estabilizem seu corpo *fixando-se à superfície*. Fixar é um termo utilizado para descrever a capacidade do bebê de endurecer certas áreas do corpo para mover outras partes. Essa fixação postural leva ao uso excessivo de certos grupos musculares, enquanto bloqueia a atividade de outros. Um exemplo comum dessa fixação é o que ocorre com o pescoço e a área dos ombros. O bebê prematuro tende a manter os ombros para cima e para trás (também conhecido como elevação e retração dos ombros). Esse padrão persistente pode eventualmente inibir as atividades da linha média, o contato das mãos, a brincadeira da mão à boca, as reações de endireitamento e as de equilíbrio. Por causa da hipotonia muscular, os bebês prematuros também precisam de movimentos mais extremos para que possam sentir a estimulação. Eles costumam ultrapassar a linha média rapidamente enquanto procuram uma superfície de apoio (virando a cabeça para o lado ou para trás).

Contudo, é interessante saber que um prematuro, ao alcançar 40 semanas, tem uma acuidade visual melhor e uma capacidade maior de endireitamento da cabeça do que o bebê a termo. Isso parece estar relacionado ao maior período de tempo gasto fora do útero.

Cuidados Voltados para o Desenvolvimento do Bebê Prematuro

A chave para conseguir os cuidados para o desenvolvimento do bebê prematuro é criar um ambiente o mais normal possível, sem aumentar os níveis de estresse do bebê. Embora isso não seja fácil de ser conseguido em uma UTI neonatal, há determinados aspectos que você pode controlar para beneficiar seu filho. Muitos estudos mostram que a intervenção precoce na unidade neonatal tem efeitos positivos e duradouros sobre os bebês prematuros. Tente marcar uma reunião com o fisioterapeuta, o terapeuta ocupacional ou o especialista na alimentação que cuida da UTI neonatal. Existem muitos aspectos para o plano de cuidados, e o terapeuta pode lhe oferecer um programa específico para o seu bebê. Além disso, o papel do especialista é promover experiências táteis normais aos prematuros na unidade e educar a equipe e os pais sobre o que podem fazer para normalizar o ambiente do bebê.

A aplicação de uma abordagem do desenvolvimento, ou *intervenção terapêutica*, na UTI neonatal desenvolveu-se a partir de duas descobertas básicas: os bebês prematuros eram privados da estimulação sensorial e, ao mesmo tempo, superestimulados. Eram privados das experiências que o bebê a termo tem, como o toque, o movimento, o som e o cheiro, e superestimulados com agentes nocivos, como luzes fortes, agulhas, barulho, medicação e máquinas. A intervenção terapêutica incorpora a dicotomia da superestimulação e da privação na unidade neonatal e tenta normalizar o ambiente dando a quantidade adequada de estímulos no momento mais apropriado para o bebê e diminuindo a estimulação estressante.

Os diversos tipos de estímulo sensorial — bem como sua freqüência e duração — que a intervenção terapêutica introduz são dados sob medida para cada criança. No entanto, certos tipos de movimento, toque ou posicionamento podem não ser tolerados diariamente, dependendo das mudanças de circunstâncias no ambiente do bebê e/ou de sua condição. Alguns bebês também podem ter recaídas. Sendo assim, é importante aceitar que o progresso pode ser lento. Em determinado dia seu filho pode estar bem, e, no outro, você pode encontrar cinco pessoas em volta dele, fazendo aplicações intravenosas ou mais exames. Você deve estar preparada para isso.

Qualquer bebê que passe muito tempo na UTI ou tenha rigidez, hipotonia muscular, hipertonia muscular, persistência dos punhos fechados, falta de movimentos espontâneos, dificuldade de alimentação, hiperexcitabilidade, facilidade para se assustar, desconforto quando está deitado de bruços ou mobilidade limitada em razão de intervenção cirúrgica pode se beneficiar da intervenção terapêutica.

Existem diversos sinais que indicam que o bebê prematuro está pronto para a intervenção terapêutica. A terapia deve ser marcada para um horário em que ele esteja tranqüilo e alerta, com diminuição dos movimentos aleatórios. Os olhos devem estar abertos e as mãos e os membros em geral relaxados. Ele talvez consiga trazer as mãos à boca ou ao peito ou seja capaz de chupar os dedos. A freqüência cardíaca e respiratória deve estar estável, e ele deve conseguir sorrir. Por fim, embora possa ter um padrão de sucção lento, ele deve ser capaz de vocalizar ou balbuciar.

Independentemente de seu filho receber intervenção terapêutica ou não, é importante que você o coloque na posição correta e lhe proporcione estimulação tátil, visual, auditiva, vestibular e proprioceptiva, olfativa e oral-motora — à medida que ele possa tolerar. Toda essa estimulação vai ajudá-lo a se integrar e a se ajustar ao seu novo e repentino mundo. Você também pode ajudá-lo no desenvolvimento. As atividades listadas neste Capítulo são apenas orientações. Lembre-se, nem todos os bebês reagem da mesma maneira às manipulações e aos estímulos. Tome cuidado para não superestimular ou estressar seu filho.

Posicionamento Adequado

É importante colocar os bebês em posições "funcionais" para evitar posturas inadequadas. Por exemplo, um músculo pode ficar curto e resistente ao alongamento se tiver sido mantido em posição encurtada. Um período de apenas três semanas é suficiente para modificar o tamanho e a elasticidade do músculo. Sendo assim, embora o posicionamento adequado para o desenvolvimento do bebê possa fomentar estados de tranqüilidade, organização e estabilidade, ele também pode não ser tolerado por alguns bebês de alto risco que não estejam prontos para esse posicionamento ou para a manipulação e assim reajam com estresse. Os sinais desfavoráveis de estresse podem incluir aumento ou diminuição da freqüência cardíaca, diminuição da saturação do oxigênio e aumento dos movimentos aleatórios desorganizados. Lembre-se de sempre usar movimentos lentos quando estiver posicionando o bebê. Movimentos rápidos e abruptos vão estressar a maioria dos prematuros. Tenha sempre em mente que os bebês prematuros precisam ser monitorados durante as mudanças de posição.

Em geral, devemos colocar o bebê prematuro na posição fetal, a qual lhe garante um bom contato corporal e uma forte sensação de segurança. Essa posição também é boa para a estimulação visual e fornece a base para a capacidade de transferência do peso. Não se esqueça também de que os bebês prematuros gostam de limitações. Dessa forma, eles tendem a se aproximar das paredes da isolete (incubadora) para se sentirem seguros e aquecidos. Então, procure arrumar um "ninho" para o seu filho. Se você colocá-lo no meio de cobertores e enrolar os lados para baixo, ele conseguirá ficar em uma posição mais flexionada — com as pernas em posição neutra e os braços perto da linha média. Se ele estiver deitado de costas, a flexão poderá ser facilitada com rolos que ajudem a manter a linha média. A posição deitado de lado também promove a flexão e o movimento até a linha média, bem como o movimento das mãos à boca. Novamente, os cobertores enrolados podem ser utilizados para mantê-lo nessa posição. Seu filho também poderá abraçar um bichinho de pelúcia, o que vai ajudá-lo a se manter na posição. Nessa mesma posição, ainda podem ser utilizados rolos entre as pernas em posição neutra, para impedir que o bebê vire de costas. A posição deitado de bruços também facilita a flexão, é calmante, promove o movimento da mão à boca, proporciona experiência tátil na barriga e dá estimulação sensorial ao rosto e ao redor da boca.

Quando o bebê está no berço aquecido, ele fica menos estável. Os bebês são colocados nesses berços imediatamente depois do nascimento e quando é necessária uma intervenção médica. Os berços aquecidos também são necessários aos bebês que exigem uma supervisão maior. Entretanto, mesmo quando os bebês estão nos berços aquecidos, eles podem ser posicionados de um modo que não interfira na intervenção médica. Por exemplo, os membros que normalmente ficam afastados do corpo (para evitar que o bebê arranque os fios ou os mova desnecessariamente) podem ser presos, em uma posição mais favorável ao seu desenvolvimento, por meio de elásticos, a fim de serem mantidos perto ou em contato com o corpo, facilitando, dessa forma, os movimentos espontâneos.

Os cateteres intravenosos também podem ser colocados de modo mais favorável ao bebê, desde que isso seja clinicamente possível e o bebê não se encontre em uma situação de emergência. Embora essa medida não esteja associada a nenhuma vantagem longo prazo, a abordagem do desenvolvimento deve ser considerada sempre que for possível. Por exemplo, colocar uma agulha na parte superior ou inferior do braço (usando a artéria radial) pode ser melhor do que colocá-la na axila. Com a agulha na axila, o braço do bebê ficará para cima, o que não é uma posição favorável ao seu desenvolvimento. Quanto às talas ou talinhas, que são utilizadas para manter os cateteres no lugar, elas não precisam estar estendidas por todo o braço. Se a tala for cortada ao meio, o bebê poderá dobrar o cotovelo enquanto o cateter for mantido. A tala também não precisa se estender até as pontas dos dedos, impedindo sua flexão (os dedos devem ser flexionados ou dobrados naturalmente). Embora cateteres no couro cabeludo sejam uma das maiores preocupações dos pais, na verdade, a colocação nesse local proporciona maior liberdade a todos os membros do bebê.

Assim que seu filho estiver estável e fora de perigo iminente, ele será transferido para a incubadora para que fique em um ambiente mais calmo e com controle da temperatura. Os bebês prematuros têm o sistema fisiológico imaturo e dificuldade para regular a temperatura do corpo. A incubadora regula a temperatura quando eles não podem fazer isso sozinho. Quando seu filho for capaz de regular a temperatura corporal e permanecer estável, ele será transferido para um berço aberto para que possa crescer.

Preocupações Mais Comuns

Por que o formato da cabeça do meu filho prematuro é diferente do formato da cabeça do meu outro filho que nasceu a termo?

Os bebês prematuros tendem a ter rostos alongados com testas estreitas e olhos fundos. O rosto estreito provavelmente se deve ao seu posicionamento enquanto estava na UTI. Antes da implementação das técnicas de posicionamento adequado na unidade neonatal (que hoje são comuns), mais bebês ficavam com cabeças pontudas. A cabeça pontuda juntamente com a hipotonia muscular fazem com que os bebês não consigam mantê-la na linha média para poderem comer, estimular a visão ou brincar. Agora, no entanto, sabemos que o posicionamento adequado desde cedo pode ajudar o bebê a curvar a região occipital. Por essa razão, o posicionamento na linha média com cobertores enrolados e "ninhos" é muito importante — especialmente para os bebês que vão ficar meses na unidade. Almofadinhas também podem ser utilizadas para ajudar a posicionar a cabeça do bebê.

Quando o bebê prematuro está estável, ele também pode ser capaz de tolerar a posição semi-inclinado na incubadora. Já fiz muitos bebês-conforto com caixas de fraldas e de lenços para serem utilizados nas incubadoras. Isso permite que o bebê que está com o quadro estável e alerta fique sentado com apoio e veja o mundo sob um ângulo diferente. Para o bebê que está com o quadro bem estável, redes (que dão posicionamento na linha média, flexão e algum movimento) também podem ser fabricadas com lençóis dentro da incubadora. Os bebês mais velhos podem estar estáveis o suficiente para se sentarem em bebês-conforto fora da incubadora ou do berço aberto. Novamente, os rolos são necessários para que seja mantido o posicionamento do bebê na linha média.

Como o Sistema Sensorial É Afetado nos Bebês Prematuros

Assim como para os bebês a termo, o sistema sensorial é extremamente importante para os bebês prematuros. A maneira como eles recebem a estimulação sensorial, no entanto, é diferente da recebida pelos bebês a termo e talvez seja ainda mais importante para o desenvolvimento saudável deles. Vamos rever como cada sentido contribui para o desenvolvimento do bebê prematuro.

Estímulo Tátil

O recém-nascido saudável recebe bastante estimulação tátil — abraços, beijos, alimentação, banho, contato de pele e movimentos aleatórios sobre a superfície. Os bebês prematuros, no entanto, não vivenciam toda essa estimulação sensorial normal. Eles têm tubos, agulhas, ventiladores, cateteres e esparadrapos por todo o rosto e/ou membros, sem falar das bolsas da sonda da urina. Podem até mesmo passar por uma intervenção cirúrgica. O bebê prematuro perdeu também toda a experiência tátil de empurrar as paredes do útero. Em razão disso, ele não tem limitações e, portanto, tende a ficar totalmente estendido, como já mencionamos. Então, não é de surpreender que ele não esteja preparado para ser segurado no colo durante semanas após o nascimento. Ao tocar os membros e o corpo dele, você lhe proporciona uma experiência agradável de ligação mútua, que pode fazê-lo lembrar de sua experiência no útero. O toque levemente firme é mais gostoso do que o muito leve, tanto para os bebês a termo como para os prematuros. Deixar sua mão sobre o braço, a perna ou o corpo deles normalmente os acalma. Movimentos leves, de cócegas, no entanto, não são em geral bem recebidos.

Todas as brincadeiras táteis, como colocar a mão na boca, manter mãos e pés juntos, assim como os movimentos gerais, permitem que o bebê aprenda sobre o próprio corpo. Os bebês prematuros, entretanto, acabam perdendo toda essa estimulação tátil. Na verdade, eles costumam associar a dor ao estímulo tátil. Queremos mudar isso. Passar bolas de algodão, seda, cetim e tecidos macios nos membros expostos e no corpo deles poderá ajudar a estimular as fibras nervosas periféricas de maneira agradável. A lã também agrada o sistema tátil do bebê por ser um tecido macio, que pode ser utilizado para fazer o ninho. O ninho pode ser utilizado também no caso de bebês muito doentes ou muito pesados que afundam na superfície aninhada (como um colchão d'água). Os bebês geralmente gostam desses colchões por causa do movimento, do posicionamento e do calor. Em bebês mais frágeis, os colchões d'água também ajudam a aliviar e redistribuir as áreas de pressão.

O bebê que está mais estável também pode gostar de ser enfaixado. Enfaixar estimula a flexão e o ajuda a organizar e controlar os movimentos. Também o acalma e pode ajudá-lo a prestar mais atenção ao estímulo visual e auditivo (veja o Capítulo 2 sobre enfaixar). Os bebês que já saíram da incubadora normalmente gostam do contato da pele. Segure seu filho verticalmente contra o seu corpo e envolva-o com as suas roupas. Esse é um momento excitante — pode ser a primeira vez que ele consiga sentir, cheirar e ouvir você. Você talvez precise de uma lâmpada de calor por perto para aquecê-lo um pouco mais. Veja também se a cabeça dele está coberta (a maior parte do calor se perde pela cabeça). Lembre-se de que o controle da temperatura é muito importante.

Sinais de Estresse no Bebê Prematuro

Sinais Fisiológicos

- Diminuição da saturação do oxigênio (dessaturação).
- Aumento da pressão sanguínea.
- Respiração irregular.
- Apnéia (lapsos na respiração por mais de 15 segundos).
- Acidose (diminuição do nível de pH).
- Diminuição da freqüência cardíaca (bradicardia).

Sinais do Comportamento

- Tem padrões ruins do sono.
- Assusta-se facilmente.
- Chora mais.
- Pode comer menos.
- Tem soluços.
- Curva-se para trás.
- Desvia o olhar.
- Enrijece o corpo.
- Há mudanças na coloração da pele.
- Tem ânsia.
- Há o afastamento dos dedos.
- Pode ter dificuldade com manuseio e movimento.

Durante as trocas de fraldas, seu filho poderá se sentir inseguro. Sendo assim, procure diminuir essa sensação preparando-o primeiro. Use sua voz para avisá-lo que você está se aproximando dele. Primeiro, toque seus braços, pernas ou tronco, com uma pressão suave, e somente depois troque a fralda dele. Além das vantagens óbvias, a estimulação tátil poderá melhorar a função gastrintestinal e aumentar o ganho de peso.

Estímulo Visual

O bebê prematuro mais novo pode não ser capaz de tolerar muito estímulo visual nem mesmo conseguir olhar para você. Por isso, os pais precisam entender que o filho pode não fixar o olhar neles. Não se preocupem com isso, nem pensem que ele não gosta de vocês — isso é apenas um sinal da prematuridade. Com 27 semanas, por exemplo, o bebê prematuro tem dificuldade em ficar acordado, logo será difícil fixar o olhar nos pais. Para abrir os olhos, talvez ele precise antes ouvir sua voz e, uma vez abertos, pode ser que não tolere outra estimulação sensorial (como sua voz ou seu toque) e fique rapidamente sobrecarregado, mostrando sinais de estresse.

Os bebês prematuros costumam fixar a visão nas luzes fortes da unidade neonatal e, portanto, podem ter dificuldade em desviar o olhar delas. Como essas luzes podem incomodar o bebê, os olhos dele devem ficar protegidos delas. Embora as luzes fiquem acesas 24 horas (algumas unidades diminuem a intensidade da luz à noite), é importante simular noite e dia, cobrindo a incubadora com um cobertor ou uma colcha.

Quando colocar fotos ou um móbile na incubadora, coloque-os no campo visual do seu filho. Como ele vai ficar deitado a maior parte do tempo, as fotos (só uma ou duas) precisam ser presas na parte de baixo da parede da incubadora. Os móbiles precisam ser colocados de tal forma que o bebê não precise hiperestender a cabeça para vê-los. Os bebês preferem cores contrastantes e padrões complexos a cores lisas e padrões simples (por exemplo, um rosto sorrindo ou um xadrez). A complexidade do padrão vai afetar a atenção visual do bebê. Também é importante mudar o móbile e as fotos depois de algumas semanas para que o bebê não se canse.

Quando trabalhar especificamente com a estimulação visual, enfaixe o bebê primeiro para ajudá-lo a focalizar. Então tente fazê-lo fixar o olhar em você. Quando ele for capaz de fazer isso e estiver estável o suficiente para sair da incubadora, você poderá se mover lentamente, de um lado a outro, para ver se ele conseguirá acompanhá-la. Entretanto, não se esqueça de que você não deve superestimular seu filho.

Um bebê prematuro de 28 a 30 semanas de gestação ainda mostra sinais de estresse quando tenta fixar o olhar em um objeto. Com 30 a 32 semanas, ele já conseguirá fixar e acompanhar visualmente do centro para os lados, enquanto o bebê de 32 a 35 semanas conseguirá acompanhá-lo visualmente de um lado a outro (passando pela linha média) e já começará a acompanhá-lo verticalmente. Entre 35 semanas e a idade a termo, ele conseguirá acompanhá-lo em todos os planos (horizontal, vertical e em círculos). Os bebês em ventilação* por muito tempo podem apresentar atrasos no acompanhamento visual porque o movimento da cabeça tende a ser limitado pelo medo de deslocar o ventilador.

---

* Essa expressão diz respeito ao uso do suporte ventilatório (respirador artificial) que ajuda os prematuros a respirar nos primeiros tempos.

Uma possível complicação da prematuridade é a *retinopatia da prematuridade*, ou ROP. A retina é a parte do olho sensível à luz onde as imagens visuais são captadas. O bebê prematuro nasce com a retina imatura. O fornecimento de sangue para a retina não está completo, o que a faz correr o risco de se desenvolver de modo anormal, com tecido conectivo associado. Esse desenvolvimento anormal causa a ROP, também conhecida como *fibroplasia retrolental* ou RLF. Os bebês com risco de ROP geralmente nascem com idade gestacional inferior a 32 semanas e pesam menos de 1.500 g. Os altos níveis de oxigênio no sangue, juntamente com fatores de risco associados a bebês extremamente prematuros, aumentam o risco de ROP (há exceções — alguns bebês com peso muito baixo podem desenvolver ROP mesmo sem receberem oxigênio). Existem estágios variados da doença. Na maioria dos casos, a doença é curada espontaneamente. Entretanto, ela pode progredir, deixando o bebê com estrabismo, um olho preguiçoso, miopia, glaucoma ou cegueira (a cegueira total ROP é rara hoje em dia). Qualquer bebê que tenha recebido oxigênio precisa ser avaliado por um oftalmologista.

Estímulo Auditivo

Ficar na UTI neonatal é intrusivo ao sistema auditivo do bebê prematuro e pode ser extremamente estressante para ele. Por 24 horas, o bebê pode ouvir telefones tocando, água correndo, pessoas conversando, portas batendo e o zunido constante da incubadora. As tampas dos cestos de lixo são batidas, os alarmes e os bips apitam e os rádios são ouvidos por ele. Precisamos proteger nossos bebês dessa poluição sonora diminuindo os níveis de decibel sempre que possível. Os pais e a equipe devem aprender sobre controle sonoro. As conversas podem ocorrer longe do bebê, os alarmes podem ser desligados rapidamente, os rádios podem ser removidos do quarto e os cestos de lixo podem ser acolchoados. Não há razão para bater as portas das incubadoras ou bater prontuários sobre elas. Os celulares podem vibrar em vez de tocar.

Precisamos gerar sons que estimulem o reconhecimento, a serenidade e o vínculo. Fitas e CDs com a voz dos pais ou dos irmãos podem ser colocados perto da incubadora ou do berço. Essas duas coisas — vozes e música — podem ser alternadas, o que vai estimular os lados esquerdo e direito do cérebro. O som do batimento cardíaco, que também pode ser reproduzido perto da incubadora, costuma ter um efeito calmante e tranqüilizador nos bebês. Ao visitar seu filho, fale e cante para ele — mesmo que não possa segurá-lo no colo. Ele vai ficar confortado com a sua voz.

Todo bebê na UTI neonatal precisa passar por uma avaliação audiológica antes de receber alta e até três meses depois.

Estímulos Vestibular e Proprioceptivo

Os sistemas vestibular e proprioceptivo e seus efeitos sobre nós foram discutidos no Capítulo 1. Entre outras coisas, o sistema vestibular regula o tônus muscular e desenvolve nosso senso de equilíbrio. Estudos mostram que, para o bebê prematuro, o estímulo vestibular promove o sono e diminui a bradicardia, a apnéia e a irritação e ainda aumenta o nível de resposta visual e auditiva.

O recém-nascido saudável é levado a se mover e freqüentemente é colocado em posições diferentes, desenvolvendo, assim, os sentidos vestibular e proprioceptivo. O simples ato de levantar a cabeça cria uma resposta vestibular. No entanto, na unidade neonatal, a maioria dos movimentos não é possível. Às vezes o único movimento que o bebê sente (até que esteja clinicamente estável) é o de ser transportado na incubadora (que é um movimento estático no plano horizontal). Pense em um bebê deitado quieto sobre um berço aquecido, incapaz de se mover — mesmo os movimentos da cabeça podem ser extremos. Não é de surpreender que os movimentos repentinos possam estressá-lo, por isso, sempre o prepare primeiro. Aproxime-se do seu filho usando sua voz e depois coloque devagar sua mão sobre um dos membros ou o tronco dele. Tente colocá-lo na posição fetal ou enfaixá-lo antes de movimentá-lo. É importante monitorar cuidadosamente seu filho, procurando sinais de estresse ao movimentá-lo.

Um bebê um pouco mais velho e mais estável pode tolerar ficar ereto. Por exemplo, tente segurar seu filho sobre seu ombro enquanto o movimenta para cima e para baixo. Alguns bebês precisam primeiro começar deitados de lado, e depois serem trabalhados até chegar à posição vertical. Se seu filho estiver estável, rolá-lo para trocar a fralda também dará estimulação vestibular. Redes, colchões d'água e balanços mecânicos podem ser trazidos para a unidade para serem usados por bebês mais velhos e estáveis. Os colchões d'água foram inicialmente projetados para dar uma experiência externa de flutuação parecida com a que o bebê vivencia no útero. Essa movimentação também dá estímulo vestibular.

Preocupações Mais Comuns

Meu filho está na unidade neonatal há dois meses e meio. Ele está clinicamente estável agora, sem complicações, e só precisa crescer. Cada vez que chego perto de sua cama e tento pegá-lo no colo, ele tem uma reação negativa. A freqüência cardíaca e a saturação de oxigênio caem. Então as enfermeiras dizem que não posso pegá-lo. O que estou fazendo de errado e o que posso fazer para mudar isso?

Em primeiro lugar, você não está fazendo nada errado. É muito comum que os bebês prematuros demonstrem sinais de estresse quando são movidos rapidamente. Mover para uma posição vertical causa uma resposta vestibular extrema e seu filho pode não tolerar isso — especialmente porque ele não se movimenta como um bebê a termo. Comece rolando seu filho para colocá-lo de lado primeiro e depois trabalhe devagar até as posições vertical e sentado.

Estímulo Olfativo

O sistema olfativo nos ajuda a reconhecer e descobrir coisas. Ele pode ativar as enzimas digestivas e ser utilizado como um mecanismo protetor. Os poucos estudos completados nessa área indicam que os recém-nascidos têm discriminação olfativa e podem ter preferências por certos odores. Infelizmente, os bebês na unidade neonatal tendem a ficar expostos a cheiros médicos como álcool, betadina, esparadrapo, máquinas e medicações.

Os aromas doces podem ser calmantes. Um pequeno sachê, com canela ou rosas, pode ser deixado na incubadora para ajudar a acalmar o bebê. Deixar uma mamadeira de leite materno aberta na incubadora antes de alimentá-lo pode estimulá-lo a mamar melhor. Entretanto, você deve removê-los se notar que seu filho está incomodado. Uma reação de repulsa pode ocorrer quando um perfume forte for introduzido.

Estímulo Oral-motor

A alimentação é importante para o crescimento e para o vínculo mãe-bebê. Por essa razão, a equipe de profissionais da unidade neonatal deve ajudar o bebê e a mãe a transformar a alimentação em algo o mais prazeroso possível. Os bebês que são alimentados pelo tubo naso-gástrico (pela narina) ou pelo tubo oro-gástrico (pela boca) podem precisar de alimentação enquanto estão na incubadora. Se seu filho estiver estável o suficiente, ele poderá tolerar a alimentação por sonda enquanto estiver no colo. Se ele não puder ser retirado da incubadora, deverá ser enfaixado e flexionado durante a alimentação por sonda.

Durante a alimentação por sonda, a sucção não nutritiva deve ser promovida usando-se uma chupeta ou o dedo. Esse tipo de sucção ajuda a estimular a resposta gustativa e aumenta a produção de saliva, que, por sua vez, melhora a digestão e acelera o ganho de peso. Especificamente para os bebês prematuros, muitos estudos mostram que os benefícios da sucção não nutritiva incluem aumento da capacidade de mamar na mamadeira, efeitos calmantes, sono tranqüilo, maior desenvolvimento dos músculos orais e ganho de peso. A sucção também ajuda o bebê a ter estimulação tátil.

Antes da alimentação via oral, deverá ser feita uma avaliação pela enfermeira, nutricionista ou terapeuta para aumentar o sucesso do seu filho. Verifique se seu filho está preparado para começar a alimentação via oral. Ele está em estado de alerta? Está clinicamente estável? Tolera a sucção não nutritiva? O tônus muscular em geral está adequado? (Lembre-se de que, se o tônus muscular estiver baixo, possivelmente o tônus oral também estará.) O seu filho vai exigir mais oxigênio em razão do aumento do gasto de energia necessário para mamar? Ele está com fome? Se a alimentação dele tem sido contínua, ele pode estar saciado e não querer mamar. Como é importante que ele tenha um interesse ativo para mamar, é possível alimentá-lo com base nos sinais dele, e não na programação dada pela equipe de enfermagem.

Você também precisa estar atenta ao estado comportamental em que se encontra o bebê pois, se ele não estiver em condições adequadas, será difícil alimentá-lo. A alimentação é mais fácil de ser realizada no estado de alerta ou ativo. As funções de sugar, engolir e respirar precisam ser coordenadas. Isso pode depender do posicionamento, do tipo de bico usado e da prontidão do bebê (bebês com menos de 34 semanas de gestação podem ter mais dificuldade em coordenar a sucção, a deglutição e a respiração).

Os bebês podem se cansar facilmente, e existem aqueles que regurgitam. A firmeza, o tamanho e o formato do bico são muito importantes nessas duas situações e precisam ser avaliados continuamente. O formato do bico precisa estar de acordo com a boca do seu filho, e o tamanho também vai determinar como a boca se encaixa ao redor dele, assim como a firmeza vai determinar o quanto ele precisa sugar para tirar o leite da mamadeira. O tamanho do orifício do bico também determina a quantidade de líquido que vai para a boca e afeta a força necessária de sucção. Quanto maior for o orifício, maior o fluxo; logo, menor o esforço exigido do bebê.

Checklist de Cuidados com o Bebê Prematuro na UTI Neonatal

O Que Podemos Fazer

- Criar um ambiente o mais normal possível.
- Arrumar posições que facilitem a flexão.
- Dar estímulo tátil apropriado, inclusive mãos no peito e na boca.
- Dar estímulos durante o estado de alerta.
- Dar estímulo visual.
- Massagear, quando for possível.
- Criar movimentos em planos diferentes.
- Diminuir o barulho e as luzes desnecessárias e o estímulo tátil inadequado.
- Enfaixar, quando possível.
- Usar tecidos enrolados para facilitar a flexão e as posições em linha média.
- Evitar movimentos bruscos.
- Embalar, quando apropriado.
- Proteger os olhos das luzes fortes.
- Pegar o bebê no colo usando a rotação — tente não erguê-lo verticalmente.
- Ter um plano de cuidados individualizado.
- Aproximar-se do bebê ativo e alerta com uma pressão suave e do bebê sonolento com estimulação auditiva.
- Visitar o bebê freqüentemente. Trazer fitas de áudio com vozes e música clássica. Pendurar móbiles feitos em casa com fotos da família. Trazer leite materno e cobertores ou mantas de lã.

As expectativas com relação à quantidade de leite que deve ser consumido durante cada mamada precisam ser ajustadas, contingentes à capacidade do bebê de sugar e engolir e ao seu nível de fatiga. Além disso, a estabilidade da maxila precisa ser avaliada. Se seu filho não conseguir manter os lábios fechados ao redor do bico, você (ou a enfermeira) talvez precise aplicar estabilidade na maxila apoiando o queixo dele com os dedos. Se o bebê estiver tenso e apertar o bico, técnicas de relaxamento podem ser necessárias. A educação dada aos pais por um terapeuta é importante para aprender estas técnicas oral-motoras.

Quando ele estiver clinicamente estável, é benéfico ao bebê ser pego no colo fora da incubadora para se alimentar. As posições adequadas podem incluir o enfaixamento, colocar o bebê deitado de lado sobre o colo ou segurá-lo na posição flexionada sobre as suas pernas. Durante as mamadas, é bom proteger os olhos do seu filho das luzes fortes e encontrar um lugar mais calmo para ele mamar.

A amamentação deve ser encorajada na unidade neonatal. É importante dar privacidade à mãe e ao bebê, embora nem sempre isso seja possível. Se amamentar for difícil para você ou seu filho tiver dificuldade para mamar, um especialista da equipe do hospital pode ser chamado para uma consulta. Se as dificuldades persistirem com as mamadas no seio ou na mamadeira, uma consulta com um fisioterapeuta, um terapeuta ocupacional ou um fonoaudiólogo pode ser necessária.

Preocupações Mais Comuns

Alimentar meu filho na UTI neonatal é estressante para nós dois. Então, como sei se meu filho está realmente com problemas?

Se a experiência é estressante para você ou seu filho, isso significa que algo está errado. Os problemas mais comuns na alimentação do bebê prematuro incluem um padrão descoordenado de sucção/deglutição/respiração, escorrimento do leite pela boca, padrão fraco de sucção, hipotonia muscular e projeção da língua (projeção para frente). Existem maneiras de tornar as mamadas menos estressantes. Você pode tentar enfaixar o bebê; alimentá-lo em local tranqüilo; verificar se ele está alerta, calmo, estável e posicionado adequadamente. E principalmente você deve estar confortável e relaxada. Se você e/ou o seu filho continuar tendo dificuldade na alimentação, consulte um especialista.

Indo para Casa

Até a alta do seu filho da unidade neonatal, você já terá aprendido muito sobre os cuidados-padrão do bebê, bem como sobre as considerações específicas para o seu filho, como avaliar a respiração e as mudanças de cor. Também terá aprendido como usar qualquer equipamento médico de que ele possa precisar em casa, como monitores, oxigênio ou medicações. É importante que você se sinta confiante — afinal, é o seu filho! Também é importante que você ajuste suas expectativas sobre o desenvolvimento do bebê. As etapas talvez sejam alcançadas em um ritmo diferente. Lembre-se de que seu filho é diferente, nasceu mais cedo e pode ter algumas complicações. Quando olhar para os estágios de desenvolvimento, corrija-os ou ajuste-os para a idade do seu filho. Por exemplo, se seu filho está com seis meses, mas nasceu com 28 semanas de gestação, então ele nasceu três meses antes e, portanto, sua idade corresponde a três meses. Em geral, as idades corrigidas são usadas até os dois anos.

Agora você pode finalmente tocar e beijar seu filho, pegá-lo no colo e brincar com ele tanto quanto sonhou. Contudo, muitos bebês prematuros são sensíveis ao toque após um longo período de hospitalização e podem rejeitar certos tipos de toque. Não fique desanimada. Experimente anotar o que seu filho gosta e o que não gosta. Veja nos Capítulos 1 e 2 o que você pode fazer por ele. E não se esqueça de que com seu toque afetuoso o bebê vai aprender a associar mensagens sensoriais ao prazer, e não à intervenção médica.

Programas de Acompanhamento Neonatal

Os cuidados no acompanhamento neonatal incluem avaliações contínuas do bebê prematuro por especialistas no desenvolvimento infantil. O propósito dessas avaliações é identificar atrasos no desenvolvimento de bebês com risco de problemas neurológicos. Indicações de programas de intervenção precoce, de especialistas e de terapeutas podem ser feitas através dos programas de acompanhamento neonatal. O neonatologista deve ser incluído em todas as recomendações. É importante observar, porém, que nem todos os bebês são indicados para as intervenções. Muitas mudanças ocorrem durante os primeiros meses em casa, e o sistema nervoso precisa de tempo para amadurecer. Além disso, por sermos terapeutas, queremos que os pais estejam bastante envolvidos e façam todo o possível sem a nossa intervenção.

Muitos pais ficam confusos e com medo de participar de programas de acompanhamento. Sentem que seus filhos estão vivos e bem, e que as visitas de acompanhamento vão trazer sentimentos ruins. Não estão preparados para ver seus filhos sendo "julgados". Para aliviar estas preocupações, os pais precisam compreender os objetivos do programa de acompanhamento neonatal antes da alta, e isso compete aos médicos e enfermeiros da unidade neonatal. Quando os pais entendem a importância do programa, eles sentem alívio e, ao mesmo tempo, gratidão pela nova via de comunicação. Um casal disse que, durante a primeira visita de acompanhamento, se sentiu como se tivesse acabado de voltar de um coma, pois na UTI todo mundo ditava cada passo. Esses pais precisavam funcionar em uma espécie de piloto-automático. Agora podiam finalmente fazer perguntas e cuidar da vida deles — principalmente da vida do filho.

E Lembre-se Sempre...

- *Você não deve estimular demais nem estressar o bebê prematuro. Esses bebês são acostumados ao mínimo de estímulo tátil e a muito estímulo visual e auditivo.*
- *Não tenha medo dos programas de acompanhamento neonatal. Eles existem para dar apoio contínuo, informações e proporcionar diálogos sobre seu filho.*

CAPÍTULO

10

Distúrbios Sensoriais

Manifestações e Diretrizes

A intenção deste capítulo é melhorar a capacidade de desenvolvimento da criança com distúrbio sensorial, bem como apontar os sinais em menor escala de atrasos no desenvolvimento e/ou disfunções sutis do sistema sensorial. É importante ter uma visão geral sobre o que poderá ocorrer se essas disfunções forem deixadas sem diagnóstico e tratamento. Então, vamos apontar brevemente os sintomas e as manifestações dos distúrbios já desenvolvidos.

Distúrbios Vestibular e Proprioceptivo

As crianças com disfunções vestibulares e proprioceptivas geralmente sofrem de reações excessivas (hiper) ou insuficientes (hipo) ao movimento. Algumas crianças que são hipersensíveis ao movimento sofrem de vertigens terríveis; outras, de enjôo e/ou desorientação quando se movem. Podem ter esta sensação quando os pés saem do chão ou quando a posição da cabeça muda em relação ao corpo. Outras ainda ficam muito assustadas ou enjoadas em brinquedos de parques, bem como em carros, elevadores ou até aviões. As crianças hipossensíveis ao movimento o adoram e até suplicam por ele. O sistema nervoso central delas não consegue "engatar", a menos que receba o que para a maioria das pessoas seria uma sobrecarga de estimulação. Podemos pensar nessas crianças como "pestinhas". Elas preferem correr a andar, porque suas reações de equilíbrio tendem a ser menos desenvolvidas. Giram e giram o corpo dando a impressão de que nunca ficam tontas. Sendo assim, é difícil distinguir uma criança normal e ativa de outra que demonstra sinais desse distúrbio em particular. Afinal, crianças saudáveis estão constantemente em movimento (por isso é bem possível que seu filho de quatro anos não fique sentado durante uma cerimônia religiosa inteira).

Geralmente, as crianças com hipotonia muscular também são hipersensíveis ao movimento. Embora algumas delas se mexam constantemente para permanecerem estimuladas (e então se inclinam quando estão sentadas), muitas crianças com esse distúrbio preferem atividades sedentárias, como, por exemplo, ficar sentadas, porque se sentem fracassadas em suas tentativas de realizar tarefas orientadas à ação. As atividades sedentárias exigem menor esforço e são menos pesadas emocionalmente. Imagine como deve ser frustrante precisar se mexer para se sentir estimulado e ativo e, além disso, sentir que os movimentos são cansativos.

Às vezes, os pais de uma criança com um distúrbio vestibular ou proprioceptivo podem pensar que ela tenha problemas de visão ou de audição. Lucy, uma das minhas pacientes, parava e ficava olhando assustada para os batentes das portas. Cruzar a soleira parecia impossível. Quando finalmente cruzou, ou dava passos gigantes como se estivesse cruzando um precipício ou passos delicados como se estivesse andando à beira de uma rampa escorregadia. Esse ritual peculiar deixou os pais preocupados, especialmente porque era uma das muitas reações estranhas e exageradas da filha a atividades simples. Parecia que seu senso de percepção estava desligado, e, então, eles a levaram a um oftalmologista. Sua visão estava normal. Verificaram a audição, que também estava normal. O pediatra notou que Lucy tinha hipotonia muscular, e então ela veio me ver. Além do tratamento que ela faria comigo, encaminhei-a para um terapeuta ocupacional. Quando os pais ficaram sabendo da verdadeira natureza de seu distúrbio e como isso afetava sua coordenação motora e sua sensação de bem-estar, tomaram todas as providências necessárias para ajudá-la. Depois de dois anos de terapia com os profissionais, junto com um programa para casa, Lucy já sente orgulho de suas realizações, que incluem nadar, dançar e escalar. Ela ainda é cuidadosa com seus movimentos, mas não tem mais medo de tentar novas atividades. Está contente consigo mesma e feliz apesar dos desafios.

As crianças com distúrbios vestibulares e proprioceptivos podem sofrer também de dificuldades de planejamento motor e de integração bilateral, bem como insegurança gravitacional e/ou postural. Da mesma forma que as crianças com problemas de hiper e hipossensibilidade, elas parecem esquisitas quando se movem. Os movimentos tendem a ser espasmódicos, exagerados e instáveis. Geralmente, parecem procurar sinais visuais que as ajudem a caminhar pelos obstáculos invisíveis. A vida diária pode apresentar barreiras enormes para elas, e, por isso, podem ficar com medo e retraídas. É preciso tempo e paciência para compreendermos as questões que as indispõem, já que essas mesmas atividades são naturais para nós.

A importância do planejamento motor é fácil de ser compreendida quando observamos uma criança que não tem esse planejamento. Jenny é uma menina de 3 anos que, quando tenta subir em uma cadeira, cai no chão ou acaba com metade do corpo na cadeira e metade fora dela. Ela não consegue assimilar como se sentar adequadamente mesmo que os pais o demonstrem repetidas vezes. Ela não consegue nem engatinhar por baixo da mesa sem bater a cabeça. Jogos e músicas com coreografia são difíceis para ela porque não consegue acompanhar a seqüência dos movimentos. Como resultado dessas dificuldades, ela fica com medo das atividades e se retrai. Uma avaliação precisaria ser feita para determinar quais sistemas sensoriais são deficientes. É provável que ela receba um programa de atividades para aumentar a consciência proprioceptiva e tátil, a ativação vestibular e o controle postural.

Geralmente, as crianças com dificuldade de integração bilateral têm coordenação motora deficiente. Os prazeres da infância, como jogar bola, são difíceis de realizar. Atividades no *playground* — saltar, pular amarelinha, pular corda — podem estar fora do seu alcance. Andar de bicicleta pode ser uma tortura. Mesmo as tarefas motoras finas, de menor escala (por exemplo: juntar um quebra-cabeça de madeira), podem representar uma agonia se a criança tiver problemas em cruzar as mãos na frente do corpo ou convergir as vistas. A criança que sofre de distúrbio de integração bilateral apresenta um sintoma curioso: ela não desenvolve um lado dominante — especificamente, uma preferência entre as mãos (em geral, essa preferência é estabelecida aos 2 anos e a dominância aos 4 ou 5 anos). Os primeiros sinais de alerta podem incluir dificuldade para rolar (quando são bebês) e para pular com os dois pés juntos (quando crianças pequenas).

As crianças com insegurança gravitacional sentem-se irracionalmente ameaçadas e completamente desorientadas em qualquer posição, exceto quando estão em pé, com os dois pés plantados no chão. Ficam assustadas e tremem excessivamente se tombam para trás. Podem ficar ansiosas ao se inclinarem para trás em uma banheira ou entrar em pânico se ficarem de cabeça para baixo. Cambalhotas estão fora de questão. Mesmo descer escadas pode ser assustador (algumas crianças se recusam a descer enquanto outras precisam se segurar no corrimão). Brincar no balanço ou na gangorra pode ser impossível sem a presença de um adulto bem perto (ou até segurando a criança), porque o medo de cair é enorme.

Os pais da criança que sofre de um desses distúrbios acreditam que ela precisa superar o comportamento "resistente" ou "medroso". Recentemente, observei uma família no parque de diversões local. A mãe e o pai estavam apreciando muitas crianças se divertindo em um brinquedo em que elas subiam e pulavam uma série de espaços infláveis, que terminavam em uma descida por um escorregador também inflável. A mãe acompanhou o filho (que tinha cerca de quatro anos) por todo o do brinquedo, enquanto o pai ficou esperando no fim do escorregador. Os "gritos" da criança mostravam a todos que ela não estava se divertindo. Os pais, no entanto, insistiram para que ela terminasse a atividade — não uma vez, mas diversas vezes. A cada vez, o menino gritava mais alto. Quando perguntei aos pais porque insistiam que o filho continuasse brincando, eles me responderam: "Quanto mais ele praticar, melhor vai se sentir". Discordo totalmente. Esse casal não estava "ouvindo" o filho, que demonstrava claramente sua ansiedade. Se os pais tivessem feito qualquer tipo de concessão — por exemplo, se a mãe o tivesse segurado enquanto ele escorregava —, ele teria se sentido mais seguro.

Embora não possa afirmar que esse menino tenha um distúrbio clinicamente definido (já que o observei por tão pouco tempo), posso garantir que ele tinha um medo genuíno da atividade que foi forçado a fazer. Essa não é uma situação aceitável. Na qualidade de pais, todos nós queremos que nossos filhos experimentem tudo que vivenciamos e mais um pouco. Entretanto, essa experiência não deve afetar o emocional e o físico das crianças. Nenhuma criança precisa se sentir derrotada ou assustada como parte do processo de se sentir segura e feliz.

Sinais de Alerta de Distúrbios Vestibular e Proprioceptivo

As "listas" de sinais de alerta de distúrbios vestibulares e proprioceptivos a seguir estão vagamente ordenadas na seqüência em que os sinais podem aparecer na linha do desenvolvimento (também haverá uma lista para o distúrbio tátil). Jamais se esqueça de que não há critérios rigorosos para esses distúrbios — não há um "DSM" (o manual diagnóstico para os transtornos psicológicos) equivalente que determine a quantidade, o tempo ou a duração dos sintomas para que um distúrbio seja diagnosticado. Além disso, pode haver uma sobreposição considerável de sintomas, já que os sentidos proprioceptivo e vestibular dividem funções similares. Sendo assim, esses sinais são apenas orientações, não um substituto para um verdadeiro diagnóstico. Peço aos pais que, quando suspeitarem que os filhos tenham um distúrbio de integração sensorial, procurem a opinião de um profissional qualificado.

Sinais de Alerta de Distúrbios Vestibulares

- Evita tentar novas posições (especialmente as que envolvem a cabeça) — exemplo: rolar, dar cambalhota, virar de cabeça para baixo.
- Cansa-se facilmente (o que pode parecer que ela seja preguiçosa).
- Evita brincar com as duas mãos.
- Tem poucas respostas protetoras.
- É lenta ou preguiçosa em resposta às exigências de movimento.
- Evita ou teme movimentos (como balanços ou escorregadores).
- É muito desajeitada quando a base de apoio é variada (exemplo: um caminho irregular).
- Perde o equilíbrio com facilidade.
- Trava as articulações para estabilizar os movimentos.
- Cai com freqüência.
- Cai no chão ou esbarra nos móveis.
- Segura na parede ou nos móveis para ter maior equilíbrio.
- Não gosta de ficar de ponta-cabeça.
- Esbarra em objetos.
- Chacoalha ou balança o corpo.
- Vira o corpo todo (e não só a cabeça) para olhar para as pessoas.
- Fica desorientada depois de se inclinar para a frente.
- Mantém a cabeça ereta, mesmo quando inclinada para trás.
- Busca estímulos sensoriais (gira e pula bastante, nunca fica tonta, ainda que, diversas vezes, vá no mesmo brinquedo do parque de diversões).

Sinais de Alerta de Distúrbios Proprioceptivos

- Não engatinha em quatro apoios.
- Tem uma pegada fraca.
- Tem dificuldade em manipular objetos pequenos.
- Tem a musculatura tensa.
- Pode andar na ponta dos pés.
- Trava as articulações para estabilizar os movimentos.

- Tem movimentos rígidos, espasmódicos ou descontrolados (vai além do posicionamento e do alcance).
- É desajeitada.
- Cai muito.
- Não tem consciência da posição do corpo no espaço.
- Tem pouca resistência.
- Come com maus modos.
- Não consegue levantar objetos pesados.
- É resistente a novas atividades ou jogos de movimento.

Defensividade Tátil

Algumas crianças não toleram ser abraçadas. Outras não colocam meias que "pinicam", não cortam o cabelo ou andam descalças na grama ou na areia. Outras, ainda, não penteiam o cabelo ou escovam os dentes. Algumas não suportam a consistência de certos alimentos. Há crianças que ficam enlouquecidas se sujam as mãos ou não agüentam a etiqueta da blusa em contato com a pele. Esses são alguns dos sintomas da defensividade tátil, um distúrbio sensorial que se manifesta através da aversão a diversos tipos de toque.

Simplesmente imagine como deve ser difícil para os pais que querem abraçar seu bebê, dar amor e segurança e o vêem ficar nervoso ou distante. Convivo freqüentemente com esse tipo de confusão e desespero. Recentemente, uma mãe me procurou com a filha de dez meses, Sarah. Ao vê-la pela primeira vez, percebi que a criança apresentava defensividade tátil. Ela não engatinhava, arrastava-se sentada. Sarah tinha dificuldade para comer. Não tolerava peso ou toque nas solas dos pés. Também percebi que ela pegava os brinquedos sempre com muito cuidado, com apenas dois dedos, olhava para eles e os soltava. Ela não os levava à boca nem os abraçava, virava ou passava de uma mão à outra. A mãe de Sarah pensava que ela era simplesmente sensível e tímida. Mas depois que eu apontei diversos comportamentos da Sarah comumente associados à defensividade tátil, a mãe ficou feliz em intervir para ajudá-la a ser uma criança mais equilibrada e feliz.

Existem muitas crianças como Sarah, que nascem sem nenhuma complicação médica e mesmo assim parecem ter defensividade tátil. Existem também muitas crianças que são hipersensíveis ao toque e têm problemas proprioceptivos porque receberam pouco contato físico quando bebês. Esse primeiro contato físico é necessário para ajudar os bebês a aprender a modular a estimulação tátil, que é importante para organizar, acalmar e auto-regular a criança. Esse triste fato me lembra algumas das triagens que fiz com crianças adotivas quando eram bebês ou crianças pequenas. Elas foram trazidas a mim por pais confusos, frustrados, porém carinhosos. Algumas dessas crianças apresentam apenas sinais sutis de hipersensibilidade ao toque, enquanto outras apresentam um verdadeiro distúrbio de integração sensorial manifestado pela defensividade tátil. O primeiro ambiente no orfanato deixou-as privadas sensorialmente. Elas não tinham quem as pegasse no colo ou brincasse com elas o dia todo. Não tinham uma variedade de brinquedos para levar à boca ou manipular. Não ouviam canções nem eram embaladas. Não tinham um armário de roupas para experimentar texturas diferentes nem um cardápio de diversos alimentos para explorar. Não tinham o luxo de brincar em uma banheira na hora do banho. Então, quando essas crianças chegam a mim, dou à família um programa para ser realizado em casa e explico a importância da massagem, do toque, da leve pressão, do movimento e de outras experiências táteis. A seguir apresento a lista com a descrição dos sinais de alerta da defensividade tátil.

Sinais de Alerta da Defensividade Tátil

- Fica excessivamente irritada na hora de se vestir.
- Evita atividades em que possa se molhar ou se sujar, como pintura a dedo.
- Tem aversão a pisar na areia, na terra, na grama ou até no tapete.
- É muito exigente na escolha das roupas (texturas).
- Tira as roupas ou, inversamente, usa calça e blusa de manga comprida (para proteger o corpo do toque).
- Abaixa as mangas constantemente (às vezes também dobra as mangas).
- Come com maus modos (não percebe a comida no rosto).
- Cospe alimentos.
- Tem dificuldade para comer, especialmente alimentos mais consistentes.
- Não quer ficar descalça ou insiste em ficar descalça.
- Não gosta de pentear o cabelo, escovar os dentes ou tomar banho.
- Precisa de muito espaço para si.
- Fica com medo ou é agressiva quando alguém se aproxima (especialmente se isso ocorrer de maneira inesperada).
- Teme ser tocada ou pega no colo; inversamente, não parece perceber quando é tocada.
- Pode precisar tocar tudo ou todos.

- Esconde-se embaixo dos móveis ou em um canto.
- Bate nas pessoas que chegam muito perto.

E Lembre-se Sempre...

- *Você é a melhor defensora do seu filho. Se perceber qualquer um desses sinais de alerta no bebê ou na criança, não hesite em mencioná-lo ao pediatra. A intervenção precoce pode evitar que pequenas disfunções evoluam para distúrbios totalmente desenvolvidos.*

CAPÍTULO

11

As Condições Ortopédicas Mais Comuns na Pediatria

É possível que 50% das crianças tenham algum tipo das condições ortopédicas descritas a seguir. É importante distinguir entre uma condição que pode se corrigir sozinha e uma patologia real que pode levar a problemas futuros. Por exemplo, um quadril instável (frouxidão do quadril) pode ser uma condição predisposta, mas, se houver um deslocamento do quadril, a frouxidão poderá levar a problemas graves. Algumas dessas condições podem parecer alarmantes para os pais, embora sejam, na verdade, mais benignas do que pareçam. Se o bebê ou a criança mostrar sinais de qualquer uma dessas condições ortopédicas, você deverá procurar um ortopedista. O ortopedista vai fazer uma avaliação completa, incluindo o histórico familiar e, às vezes, raios X para descartar condições associadas ou deformidades e para dar à criança o tratamento correto. Os tratamentos podem variar de alongamentos e fortalecimentos a intervenção cirúrgica.

Deslocamento Congênito do Quadril (Displasia Coxo-femoral)

Existem diversas variações de distúrbios do quadril que, em grupo, são chamados de deslocamento congênito ou displasia. A *instabilidade* do quadril ocorre quando a cabeça do fêmur (o osso da coxa) entra e sai do acetábulo (a área da pélvis onde o fêmur se encaixa). A *subluxação* do quadril ocorre quando parte da cabeça femoral se posiciona fora do acetábulo, mas o contato ainda existe. O *deslocamento* do quadril ocorre quando a cabeça femoral e o acetábulo não estão em contato. A *displasia* do quadril ocorre quando o acetábulo é mais raso do que deveria ser. Essa condição aumenta a incidência da subluxação.

Pode haver muitas causas para o deslocamento congênito do quadril, incluindo posicionamento fetal, frouxidão dos ligamentos e fatores genéticos. Um a cada 60 nascimentos está dentro das categorias descritas e cerca de um a cada 1.000 tem um verdadeiro deslocamento do quadril (com uma incidência levemente maior nas meninas). Cerca de 60% dos casos de quadril instável em recém-nascidos se corrigem espontaneamente dentro das primeiras duas a quatro semanas após o nascimento.

Em termos de diagnóstico, raios X antes de o bebê completar de seis a oito semanas podem não ser confiáveis porque as mudanças ósseas ainda não ocorreram. Entretanto, avaliações de recém-nascidos regularmente programadas ajudam na identificação precoce. Embora haja variação nos tratamentos, de acordo com a severidade, os objetivos são os mesmos — recuperar o alinhamento correto entre o acetábulo e a cabeça do fêmur. O tratamento varia da vigilância da subluxação ao uso de um aparelho para manter o alinhamento nos quadris deslocados. Para bebês com mais de seis meses que apresentam deslocamento, a tração pode ser necessária para trazer a cabeça femoral para dentro do acetábulo. Se não houver tratamento desse deslocamento, as mudanças cartilaginosas, musculares e ósseas vão ocorrer, causando má-formação nas articulações, alteração no andar, dor e um possível desalinhamento da coluna. Mesmo com o tratamento não cirúrgico, a eficácia cai quando a criança tem mais de dois anos, por causa das mudanças patológicas (anormais) que podem ocorrer nos ossos, articulações, tecidos e músculos. Nesse ponto, a correção cirúrgica passa a ser a opção mais indicada. A cirurgia pode encurtar os ligamentos do quadril e os músculos ao redor. Também pode envolver uma osteotomia (alteração do osso).

Joelhos Juntos ou em "X" (Genu Valgum) e Pernas Arqueadas (Genu Varum)

Enquanto as pernas arqueadas são muito comuns nos recém-nascidos e nas crianças pequenas, os joelhos juntos parecem ser mais comuns durante a pré-escola e nas crianças entre seis e dez anos. As duas condições dependem do grau de angulação do alinhamento quadril-joelho-tornozelo. Geralmente, ambas se resolvem com o crescimento da criança — embora uma quantidade mínima de excesso de rotação permaneça se a torção da tíbia for um componente. Em alguns casos, dependendo da causa subjacente, a correção cirúrgica se faz necessária na adolescência. Se esse for o caso, raios X e exames diagnósticos relacionados a outros distúrbios neuromusculares (como raquitismo, osteogênese imperfeita, nanismo ou doença de Blount) precisarão ser feitos separadamente.

Dedos Tortos (Torção Interna da Tíbia) e Perna Virada para Dentro (Anteversão Femoral)

No útero, as pernas do feto ficam posicionadas para dentro. Portanto, a torção interna é normal antes do nascimento. No entanto, durante o final da gestação e logo depois do nascimento, e em menor extensão durante a infância, a parte superior da perna (o fêmur) e os ossos da parte inferior (a tíbia e a fíbula) devem começar a virar para fora. Isso é uma verdadeira torção dos ossos, não das articulações. Tanto a sustentação do peso como o crescimento causam a "de-rotação" dos membros no caminho. Essa de-rotação é importante para o alinhamento correto das extremidades inferiores. Entretanto, quando essa de-rotação da perna fica excessivamente atrasada ou inadequada, ela se apresenta como pés para dentro — seja pela torção interna da tíbia seja pela anteversão femoral. Com essas condições, é importante observar que o fêmur e/ou a tíbia e a fíbula estão virados para dentro — não os pés (contudo, as condições e/ou deformidades dos pés também precisam ser descartadas).

Ao se diagnosticar anteversão femoral, a displasia coxo-femoral precisa ser descartada, já que as duas variações apresentam alguns sintomas semelhantes. A anteversão femoral costuma ser vista bilateralmente e em geral é detectada quando fica claro que a criança prefere sentar em "W". Por causa das limitações na rotação lateral do quadril, sentar com as pernas cruzadas é desconfortável. Essa condição tende a ter uma maior incidência entre as meninas.

Em geral, os problemas de torção se corrigem, em 99% dos casos, espontaneamente até a adolescência, e os problemas de anteversão femoral, em 95%.

Dessa forma, a atitude mais comum é a observação atenta. O uso de aparelhos não provou ser eficiente para corrigir a rotação, embora alguns médicos continuem recomendando o uso da tala desde cedo (entre três e seis meses). Eles adotam a filosofia de que imobilizar não vai machucar a criança; pelo contrário, vai ajudá-la. Além disso, muitos pais se sentem melhor em pensar que estão fazendo *alguma coisa* por seus filhos (em muitos casos, os médicos admitem que estão tratando os pais, e não a criança). A cirurgia só é justificada nos casos mais severos e não é recomendada antes de a criança completar cinco ou seis anos, para a torção da tíbia, e de 8 a 12 anos, para a anteversão femoral. Se a cirurgia for realizada muito cedo, corre-se o risco de operar pacientes que podem se corrigir espontaneamente.

Metatarso Aduto

O metatarso aduto é uma condição que se deve principalmente ao posicionamento do feto no útero. Ele geralmente aparece com cerca de dois meses e pode não ser percebido durante o nascimento. A ponta do pé, ou metatarso, vira para dentro. Cerca de cinco em cada mil bebês nascem com essa condição. Não parece haver um componente genético, já que apenas um em vinte irmãos apresenta a deformidade. O tratamento varia dependendo da severidade da condição. Se o pé puder ser passivamente trazido de volta à linha média (ou posição neutra), o tratamento poderá ser um programa diário de alongamentos realizados em casa. Se o pé não se corrigir passivamente até a posição neutra, então o gesso poderá ser indicado. Se isso também não resolver o problema, um exame de raios X poderá ser necessário para que seja descartada a presença de algo mais grave (como pé torto). Na maioria dos casos, os resultados são muito bons até um ano e meio.

Pé Chato ou Pronação do Pé (Pé Plano)

O pé chato é uma condição em que o arco longitudinal do pé é plano, o que faz com que a ponta do pé abduza (vire para fora) e o calcanhar entorte para dentro. Quando a criança está sentada sem apoiar os pés, forma-se o arco, mas, quando os pés estão no chão sustentando o peso, o arco se perde. Essa é uma condição benigna cuja causa está relacionada principalmente ao alinhamento ósseo interno dos pés e, de alguma forma, à atividade muscular. Por causa da posição, pode ocorrer o encurtamento do tendão do calcanhar. É importante ressaltar que todas as crianças parecem ter pé chato até os quatro ou seis anos. Entretanto, parece haver uma incidência maior desse problema em crianças com hipotonia. A condição é geralmente assintomática, e não costuma haver tratamento indicado. Contudo, se uma criança com pé chato reclamar de cansaço ou dor nos pés e/ou nas pernas, uma palmilha ortopédica feita sob medida poderá ser recomendada. A palmilha vai ajudar no alinhamento correto dos pés, para que estes não cedam no sapato. Os pais costumam pensar que o uso de um calçado firme e inflexível (no lugar da palmilha) vai ajudar a corrigir o posicionamento dos pés. Isso não é verdade, pois os pés vão continuar cedendo dentro dos sapatos.

Quando os pés estão fora de alinhamento, eles podem afetar o alinhamento do joelho e do quadril e a mecânica deles (embora esta não seja uma ocorrência comum). Quando a criança fica mais velha, a dor nos pés e nos joelhos pode aumentar durante a prática de esportes em razão das pressões irregulares sobre as articulações. Pés doloridos podem causar fadiga e alterações no andar. O uso de palmilha poderá ser recomendado nesses momentos, se já não o foi antes. Embora não haja evidências de que a palmilha vá "curar" ou "corrigir" o pé chato, ela, com certeza, vai ajudar a manter o alinhamento correto dos pés, auxiliar a corrigir a função biomecânica dos músculos e também aliviar os sintomas.

As condições que podem imitar o pé chato flexível (como o pé chato rígido e deformidades neuromusculares) também devem ser descartadas.

Torcicolo Muscular Congênito

O torcicolo é o encurtamento do músculo do pescoço chamado músculo esternocleidomastóide, que ajuda a inclinar e rodar a cabeça. Seu encurtamento resulta na inclinação da cabeça para o lado afetado e na rotação do rosto para o lado oposto. Por exemplo, com um torcicolo do lado direito, a cabeça inclina para o lado direito (a orelha direita vai em direção ao ombro direito) e o queixo vira para a orelha esquerda. Essa condição afeta cerca de 2% dos recém-nascidos. Em até 80% dos casos, uma massa de tecido fibroso pode ser sentida no músculo afetado. Uma possível causa para essa massa fibrosa é a restrição de sangue na área, que resulta em alterações fibrosas no músculo. No entanto, as causas mais comuns são o posicionamento intrauterino ou um trauma no nascimento, ou ambas. Como parece haver uma correlação entre torcicolo e displasia coxo-femoral (10% a 20% das pessoas afetadas têm torcicolo e displasia), a displasia coxo-femoral congênita precisa ser descartada. O exame de raios X é recomendado para que seja descartado um tumor ou anormalidades na coluna cervical.

O torcicolo geralmente é detectado quando o bebê está com quatro a oito semanas. Se deixado sem tratamento, o músculo afetado vai ficar cada vez mais firme, diminuindo o movimento do pescoço e causando uma rigidez por todo o lado afetado — inclusive o tronco e o quadril (não esqueça que tudo está ligado). A escoliose compensatória pode se desenvolver também. A fáscia cervical (o revestimento ao redor do músculo) também pode ficar mais grossa e rígida, afetando o fluxo sanguíneo. A assimetria facial costuma estar associada ao torcicolo por causa da pressão irregular no lado afetado.

O tratamento deve começar o mais cedo possível. Isso inclui alongar os músculos do lado afetado e fortalecer os músculos do outro lado. Um programa para casa poderá ser fornecido se o torcicolo for leve. Nos casos moderados, o bebê deverá ser avaliado regularmente para a intervenção de um fisioterapeuta ou de um ortopedista especializado em pediatria. Se a condição for deixada sem tratamento, ou nos casos graves, a intervenção cirúrgica poderá ser necessária para soltar ou estender o músculo afetado. No entanto, a cirurgia não costuma ser considerada até um ano de idade para soltar o músculo. O exame de raios X também precisa ser feito para que se descarte a escoliose cervical.

Escoliose Idiopática

A escoliose é uma deformidade estrutural que envolve a rotação da coluna e das costelas. A escoliose idiopática corresponde a cerca de 80% de todas as escolioses. Os 20% restantes estão associados a muitos outros diagnósticos (tumores, infecções, doenças do tecido conjuntivo, traumas, anormalidades ósseas e diversas síndromes). Existe um forte componente genético na escoliose idiopática. Cerca de 90% das crianças que sofrem disso têm uma recorrência familiar, e as meninas têm nove vezes mais probabilidade de desenvolver a escoliose idiopática que os meninos. A triagem (por um pediatra ou enfermeiro da escola) é a melhor forma de diagnosticar logo cedo e começar o tratamento. Dependendo da idade, a escoliose idiopática pode ser dividida em infantil (antes dos três anos), juvenil (dos três aos dez anos) e adolescente (dos dez até a maturação do esqueleto). Geralmente, quanto mais cedo a curva se desenvolve, pior tende a ser.

O objetivo do tratamento é manter a curva abaixo de 30 graus até a vida adulta. A taxa de progressão poderá ser de um a dois graus por ano. Dessa forma, uma curva de 30 graus poderá passar a 40 ou 50 graus em dez anos. Geralmente, quando a curva está entre 20 e 25 graus, é preciso observação atenta. Uma curva de 30 graus exige o uso de aparelhos. Um programa de alongamento e fortalecimento pode ajudar contra as dores mais fracas. Nos casos graves de adolescentes, em que a curva é superior a 50 graus, a cirurgia geralmente é necessária. Em geral, as crianças deverm ser encaminhadas a centros especializados em escoliose onde uma equipe de especialistas estudem todas as intervenções possíveis. Em alguns casos, a intervenção cirúrgica é um tratamento mais corretivo do que o uso de aparelho, já que este precisa ser usado durante todos os anos de desenvolvimento da criança.

Pé Torto Congênito (Talipes Equinovarus)

O pé torto é considerado uma patologia (anormalidade), e não uma variação. Aqui, não só a ponta do pé fica aduzida (para dentro), mas também o calcanhar ou a parte posterior do pé. O tornozelo também fica em flexão plantar (os dedos dos pés apontam para baixo — conhecido como pé eqüino) e o tendão do calcanhar é encurtado. A incidência é cerca de um a mil nascimentos. Embora a causa do pé torto seja desconhecida, ele pode ser diagnosticado antes do nascimento pelo ultra-som. Parece haver uma predisposição genética subjacente, já que em geral ele ocorre em família. Também pode estar relacionado a um impedimento no desenvolvimento. Os graus da deformidade variam de leve a severo. Um caso leve pode ser corrigido com gesso, enquanto os casos severos freqüentemente exigem um procedimento cirúrgico que envolva soltar os músculos do pé e o tendão do calcanhar, bem como realinhar os ossos da ponta do pé. A intervenção cirúrgica geralmente é recomendada dos três meses a um ano, dependendo da eficácia do tratamento não cirúrgico e do desenvolvimento do bebê. As crianças mais velhas e os jovens que não tiveram o benefício do tratamento precoce ainda podem se beneficiar da intervenção cirúrgica.

Outras deformidades dos pés relacionadas a distúrbios neurológicos e musculares (como paralisia cerebral, distrofia muscular ou coluna bífida) devem ser cuidadosamente descartadas ao se diagnosticar pé torto.

E Lembre-se Sempre...

- *Muitas das condições citadas aqui são corrigíveis ou são condições que as crianças costumam superar sozinhas. Contudo, devemos ficar atentos ao monitorar nossos filhos e intervir quando necessário. Consulte e mantenha um diálogo franco com seu pediatra e/ou ortopedista.*

Referências Bibliográficas

Muito do material utilizado neste livro foi obtido das fontes a seguir. Cada uma, ao seu modo, deu uma contribuição significativa à discussão deste assunto.

Capítulos 1 e 10

Anzalone, Marie E. "Sensory Contributions to Action: A Sensory Integrative Approach". Zero to Three (Outubro/Novembro): 17-20.

Ayres, A. Jean. 1978. "Learning Disabilities and the Vestibular System". *Journal of Learning Disabilities* 12: 18-29.

Ayres, A. Jean. 1979. *Sensory Integration and the Child.* Califórnia: Western Psychological Services.

Ayres, A. Jean. 1980. *Southern California Sensory Integration Tests Manual: Revised.* Los Angeles: Western Psychological Services.

Clark, D. L., et al. 1977. "Vestibular Stimulation Influence on Motor Development in Infants". *Science* 196: 1228-1229.

Fisher, Anne G., et al. 1983. "Tactile Defensiveness: Historical Perspectives, New Research — A Theory Grows". *Sensory Integration Special Interest Section Newsletter* 6, número 2: 1-2.

Fisher, Anne G., et al. 1991. *Sensory Integration Theory and Practice.* Filadélfia: F. A. Davis Co.

Forsyth Blacha, Sarah. 1983. "Concepts in Early Sensory Development". *South African Journal of Physiotherapy* 39, número 1.

Greenspan, Stanley I. 1993. "The Emotional Development of Infants and Young Children". *Pediatric Basics* 63: 9-16.

Greenspan, Stanley I., e Nancy T. Greenspan. 1985. *First Feelings: Milestones in the Emotional Development of Your Baby and Child from Birth to Age Four*. Nova York: Viking Penguin.

Haith, Marshall M. 1986. "Sensory and Perceptual Processes in Early Infancy". *Journal of Pediatrics* 109, número 1 (Julho): 158-171.

Lewerenz, Tara L., et al. 1996. "Sensory Processing in At-Risk Infants". *Sensory Integration Special Interest Section Newsletter* 19, número 1: 1-4.

Martin Stern, Francine. 1971. "The Reflex Development of the Infant". *The American Journal of Ocupational Therapy* 25, número 3 (Abril): 155-158.

McGrew, Laura, et al. 1985. "The Landau Reaction in Full-Term and Preterm Infants at Four Months of Age". *Developmental Medicine and Child Neurology* 27: 161-169.

Reisman, Judith E., et al. 1992. *Sensory Integration Inventory Revised for Individuals with Developmental Disabilities*. Hugo, Minessota: PDP Press.

Stock Kranowitz, Carol. 1998. *The Out-of-Sync Child*. Nova York: The Berkley Publishing Group.

Wilbarger, Patricia. 1984. "Planning an Adequate Sensory Diet — Application of Sensory Processing Theory During the First Year of Life". *Zero to Three* (Setembro): 7-12.

Woollacott, Marjorie, et al. 1987. "Neuromuscular Control of Posture in the Infant and Child: Is Vision Dominant?" *Journal of Motor Behavior* 19, número 2: 167-186.

Capítulos 2, 3, 4, 6 e 7

Barnes, Marylou R., et al. 1982. *The Neurophysiological Basis of Patient Treatment, Vol.2. Reflexes in Motor Development*. Georgia: Stokesville Publishing Company.

Bayley, Nancy. 1969. *Bayley Scales of Infant Development*. Princeton, Nova Jersey: Princeton Educational Testing Service.

Bly, Louis. 1983. *The Components of Normal Movement During the First Year of Life and Abnormal Motor Development*. Oak Park, Illinois: The Neuro-Developmental Treatment Association.

Brown, Sara L., et al. 1981. *Developmental Programming for Infants and Young Children*. University of Michigan Press.

Caplan, Frank. 1971. *The First Twelve Months of Life*. Nova York: Grosset and Dunlap.

Case-Smith, Jane, et al. 1996. *Occupational Therapy for Children*. St. Louis, Missouri: C. V. Mosby.

Connecticut Infant-Toddler Developmental Assessment Program. 1986. New Haven, Connecticut: Yale University Press.

Crook, C. 1981. "Functional Aspects of the Chemical Senses in Newborn Period". Developmental Medicine and Child Neurology 23: 247-259.

Crouchman, Marion. 1986. "The Effects of Baby Walkers on Early Locomotor Development". Developmental Medicine and Child Neurology 28: 757-761.

Davis, B. E., et al. 1998. "Effects of Sleep Position on Infant Motor Development". Pediatrics 102, número 5 (Novembro): 1135-1140.

Denver II screening test. 1990. W. K. Frankenburg e J. B. Dodds.

Dubowitz, Lilly, e Victor Dubowitz. 1981. The Neurological Assessment of the Preterm and Full-Term Newborn Infant. Filadélfia: J. B. Lippincott Co.

Forsyth, Sarah C. 1989. "Hand Facilitation in Children with Neuromotor Dysfunction". NDTA Conference, San Diego, Califórnia.

Furuno, Setsu, et al. 1984. Hawaii Early Learning Profile Checklist: Ages Birth to Three Years. VORT Corporation, Palo Alto, Califórnia.

Gould III, James A., et al. 1985. Orthopedic and Sports Physical Therapy, Vol.2. St. Louis, Missouri: C. V. Mosby.

Hoppenfeld, Stanley. 1976. Physical Examination of the Spine and Extremities. Norwalk, Connecticut: Appleton-Century-Crofts.

Illingsworth, Ronald S. 1987. The Development of the Infant and Young Child. Londres: Churchill Livingstone.

Jantz, J. W., et al. 1997. "A Motor Milestone Change Noted with a Change in Sleep Position". Archives of Pediatrics and Adolescent Medicine 151, número 6 (Junho): 565-568.

Kauffman, Ira B., et al. 1977. "Influence of an Infant Walker on Onset and Quality of Walking Pattern of Locomotion: An Electromyographic Investigation". Perceptual and Motor Skills 45: 1323-1329.

Kavanagh, Carol A., et al. 1982. "The Infant Walker: A Previously Unrecognized Health Hazard". Am. J. Dis. Child 136: 205-206.

Ludington-Hoe, Susan M. 1983. "What Can Newborns Really See?" American Journal of Nursing (Setembro): 1286-1289.

Morris, Suzanne E., et al. 1987. Pre-Feeding Skills. Tucson, Arizona: Therapy Skill Builders.

Perry, Jacquelin. 1967. "The Mechanics of Walking". Physical Therapy 47, número 9: 778-801.

Rieder, M. J., et al. 1986. "Patterns of Walker Use and Walker Injury". Pediatrics 78, número 3 (Setembro): 488-493.

Scheerer, Carol R. 1992. "Perspectives on an Oral Motor Activity: The Use of Rubber Tubing as a Chewy". American Journal of Occupational Therapy 46, número 4 (Abril): 344-352.

Shulman, Lisa H., et al. 1997. "Developmental Implications of Idiopathic Toe Walking". Journal of Pediatrics 130, número 4 (Abril): 541-546.

Siegel, Andrea C., et al. 1999. "Effects of Baby Walkers on Motor and Mental Development in Human Infants". Developmental and Behavioral Pediatrics 20, número 5: 355-361.

Simpkiss, M. J., e A. S. Raikes. 1972. "Problems Resulting from the Excessive Use of Baby Walkers and Baby Bouncers". Lancet, 1: 747.

Trembath, Jack. 1977. The Milani-Comparetti Motor Development Screening Test. Lincoln, Nebraska: Meyer Children's Rehabilitation Institute, University of Nebraska Medical Center.

Capítulos 5 e 7

Arvedson, Joan C., et al. 1993. *Pediatric Swallowing and Feeding.* San Diego, Califórnia: Singular Publishing Group, Inc.

Cermak, Sharon A., et al. 1986. "The Relationship Between Articulation Disorders and Motor Coordination in Children". *American Journal of Occupational Therapy* 40, número 8 (Agosto): 546-550.

Morris, Suzanne, et al. 1987. *Pre-Feeding Skills.* Tucson, Arizona: Therapy Skill Builders.

Paul, Rhea. 1995. *Language Disorders from Infancy Through Adolescence.* St. Louis, Missouri: C. V. Mosby.

Weber, Friederike, et al. 1986. "An Ultrasonographic Study of the Organization of Sucking and Swallowing by Newborn Infants". *Developmental Medicine and Child Neurology* 28: 19-24.

Wolf, Lynn S., et al. 1992. *Feeding and Swallowing Disorders in Infancy.* Tucson, Arizona: Therapy Skill Builders.

Capítulo 8

Dubowitz, Victor. 1985. "Evaluation and Differential Diagnosis of the Hypotonic Infant". *Pediatrics in Review* 6, número 8: 237-243.

Fremion, Amy S. 1986. "Evaluation of the Floppy Infant, or Congenital Hypotonia". *Indian Medicine* (Agosto): 680-681.

Jacobson, Richard D. 1998. "Approach to the Child with Weakness or Clumsiness". *Pediatric Clinics of North America* 45, número 1 (Fevereiro): 145-168.

Zalneraitis, Edwin L. 1989. "The Pathophysiology of the Floppy Infant". *Rhode Island Medical Journal* 72 (Outubro): 351-354.

Capítulo 9

Allen, Marilee C., et al. 1990. "Gross Motor Milestones in Preterm Infants: Correction for Degree of Prematurity." *Joumal of Pediatrics* 116, número 6: 955-959.

Als, Heidelise, et al. 1981. "A New Model of Assessing Behavioral Organization in Preterm and Full-Term Infants." *Journal of the American Academy of Child Psychiatry* 20: 239-263.

Als, Heidelise, et al. 1994. "Individualized Developmental Care for the Very Low-Birth-Weight Preterm Infant: Medical and Neurofunctional Effects." *Journal of the American Medical Association* 272: 853-858.

Bauchner, Howard, et al. 1988. "Premature Graduates of the Newborn Intensive Care Unit: A Guide to Follow-Up." *Pediatric Clinics of North America* 35, número 6 (Dezembro): 1207-1226.

Bembaum, Judy C., et al. 1983. "Nonnutritive Sucking During Gavage Feeding Enhances Growth and Maturation in Premature Infants." *Pediatrics* 71, número 1 (Janeiro): 41-45.

Brazelton, T. B. 1984. *Neonatal Behavioral Assessment Scale*. Filadélfia: J. B. Lippincott Co.

Connolly, Barbara H. 1985. "Neonatal Assessment: An Overview." *Physical Therapy* 65, número 10: 1505-1513.

Dietrich Comrie, Joan, et al. 1997. "Common Feeding Problems in the Intensive Care Nursery: Maturation, Organization, Evaluation, and Management Strategies." *Seminars in Speech and Language* 18, número 3: 239-259.

Ellison, Patricia H. 1984. "Neurologic Development of the High-Risk Infant." *Clinics in Perinatology* 11, número 1 (Fevereiro): 41-57.

Fay, Mary J. 1988. "The Positive Effects of Positioning." *Neonatal Network* (Abril): 23-28.

Field, Tiffany, et al. 1982. "Nonnutritive Sucking During Tube Feedings: Effects on Preterm Neonates in an Intensive Care Unit." *Pediatrics* 70, número 3 (Setembro): 381-384.

Field, Tiffany, et al. 1987. "Massage of Preterm Newborns to Improve Growth and Development." *Pediatric Nursing* 13, número 6 (Novembro-Dezembro): 385-387.

Harris, Mary Beth, et al. 1990. "Joint Range of Motion Development in Premature Infants." *Pediatric Physical Therapy* 2, número 4 (inverno): 185-191.

Harrison, Helen, et al. 1983. *The Premature Baby Book*. Nova York: St. Martin's Press.

"The High-Risk Neonate: Developmental Therapy Perspectives." 1986. *Physical and Occupational Therapy in Pediatrics* 6, número 3/4 (outono/inverno).

Katz, Kathy S., et al. 1989. *Chronically Ill and At-Risk Infants*. Paio Alto, Califórnia: VORT Corporation.

Korner, Anneliese F., et al. 1972. "The Relative Efficacy of Contact and Vestibular-Propioceptive Stimulation in Soothing Neonates." *Child Development* 43: 443-453.

Komer, Anneliese F., et al. 1978. "Reduction of Sleep Apnea and Bradycardia in Preterm Infants on Oscillating Water Beds: A Controlled Polygraphic Study." *Pediatrics* 61, número 4 (Abril): 528-533.

Kramer, Lloyd I., et al. 1976. "Rocking Water Beds and Auditory Stimuli to Enhance Growth of Preterm Infants." *Journal of Pediatrics* 88, número 2 (Fevereiro): 297-299.

Ludington, Susan M. 1984. "A Comprehensive Course of Study in Infant Growth and Development." Patrocinado por Symposia Medicus.

Meyer Palmer, Marjorie, et al. 1993. "Neonatal Oral-Motor Assessment Scale: A Reliability Study." *Joumal of Perinatology* 13, número 1: 28-35.

Mouradian, Laurie E., et al. 1994. "The Influence of Neonatal Intensive Care Unit Caregiving Practices on Motor Functioning of Preterm Infants." *The American Journal of Occupational Therapy* 48, número 6 (Junho): 527-533.

Pearl, Lynda F. 1990. "Transition from Neonatal Intensive Care Unit: Putting It All Together in the Community." *Infants and Young Children* 3, número 1 (Julho): 41-30.

Rappon, Mary Jane K. 1992. "A Descriptive Analysis of the Role of Physical and Occupational Therapists in the Neonatal Intensive Care Unit." *Pediatric Physical Therapy* 4, número 4 (inverno): 172-178.

Schaefer, Margret, et al. 1980. "Prematurity and Infant Stimulation: A Review of Research." *Child Psychiatry and Human Development* 10, número 4 (verão): 199-212.

"The Spectrum of Developmental Disabilities XII: Prematurity: Neurodevelopmental Assessment and Intervention Issues." 1990. Baltimore, Maryland: The Johns Hopkins Medical Institutions (Março).

Equipe do Children's Hospital, Denver, Colorado. 1989. *Developmental Interventions for Preterm and High-Risk Infants*. Tucson, Arizona: Therapy Skill Builders.

VandenBerg, Kathleen A. 1990. "Nippling Management ofthe Sick Neonate in the NICU: The Disorganized Feeder." *Neonatal Network* 9, número 1 (Agosto): 9-15.

White Jeny L., et al. 1976. "The Effects ofTactile and Kinesthetic Stimulation on Neonatal Development in the Premature Infant." *Developmental Psychobiology* 9, número 6: 569-577.

Capítulo 11

The Foot and Ankle — A Selection of Papers from the American Orthopaedic Foot Society Meetings. 1980. Nova York: Brian C. Decker.

Hoffinger, Scott, A. 1996. "Evaluation and Management of Pediatric Foot Deformities." *Pediatric Clinics of North America* 43, número 5: 1091-1111.

Lovell, Wood W., and Robert B. Winters. 1990. *Pediatric Orthopaedics*. Pennsylvania: J. B. Lippincott Co.

MacEwen, G. D., et al. 1990. "Congenital Dislocation of the Hip." *Pediatrics in Review* 11, número 8 (Fevereiro): 250-252.

Oski, Frank A., et al. 1994. *Principles and Practice of Pediatrics*. Filadélfia, Pennsylvania: J. B. Lippincott Co.

Pediatric Clinics of North America. 1996. Vol. 43, número 4. Filadélfia: W. B. Saunders Co.

Sherk, Henry H., et al. 1981. "Congenital Dislocation of the Hip." Clinical Pediatrics 20, número 8 (Agosto): 513-520.

Índice Remissivo

C

D

N

O

P

Q

R

V

Conheça os outros títulos da Série Pais & Filhos.

Visite nosso site www.mbooks.com.br.